D0267807

Tweede leven

Van Michael Connelly zijn verschenen:

www.boekerij.nl

Michael Connelly

Tweede leven

Eerste druk april 2010
Tweede druk juni 2010

ISBN 978-90-225-5322-0
NUR 305

Oorspronkelijke titel: *Nine Dragons* (Little, Brown and Company)
Vertaling: Martin Jansen in de Wal
Omslagontwerp: Wil Immink Design
Omslagbeeld: © Thomas Boehm/Alamy
Zetwerk: Mat-Zet BV, Soest

Voor het hele team van Enterprise Boulevard,
Lebanon, Indiana

Hartelijk bedankt

Deel een

Moordzaken Speciaal

I

Vanaf de andere kant van het middenpad keek Harry Bosch naar de werkplek van zijn partner, die bezig was met zijn dagelijkse ritueel: hij legde de stapel dossiers recht, ruimde de papieren op zijn bureaublad op en als laatste borg hij zijn afgewassen koffiekop op in een van de laden. Bosch keek op zijn horloge en zag dat het pas half vier was. Het leek wel alsof Ignacio Ferras elke dag een of twee minuten eerder aan zijn ritueel begon. Het was pas dinsdag, een dag na het lange Labour Day-weekend en het begin van een korte werkweek, en Ferras begon nu al vroeger naar huis te gaan. Deze routine werd altijd in gang gezet door een telefoontje van thuis. Daar zat een vrouw met een kleuter en een pasgeboren tweeling op hem te wachten. Ze loerde naar de klok zoals de eigenaar van een snoepwinkel de dikke kinderen in de gaten houdt. Ze snakte naar een pauze en daar had ze haar man voor nodig. Ook al zat zijn partner aan de andere kant van het middenpad en achter een van de anderhalve meter hoge geluidsschermen van de nieuwe teamkamer, toch kon Bosch meestal beide kanten van hun telefoongesprek horen. Dat begon altijd met: 'Hoe laat kom je thuis?'

Toen zijn werkplek helemaal op orde was, keek Ferras op naar Bosch.

'Harry, ik ga naar huis,' zei hij. 'Ik probeer de middagspits voor te zijn. Ik verwacht nog een paar telefoontjes, maar ze kunnen me op mijn mobiel bellen. Daarvoor hoef ik niet hier te blijven.'

Ferras wreef met zijn hand over zijn linkerschouder terwijl hij het zei. Ook dat maakte deel uit van het ritueel. Het was een stilzwijgende manier om Bosch eraan te herinneren dat hij daar een paar jaar geleden door een kogel was getroffen en dat hij daarom het recht had vroeger naar huis te gaan.

Bosch knikte alleen. Het kon hem weinig schelen of zijn partner eerder naar huis ging en of hij daar al dan niet recht op had. Wat hem wel kon schelen was Ferras' toewijding voor zijn werk bij Moordzaken, en of hij er echt zou zijn als er eindelijk weer eens een melding binnenkwam. Ferras had negen maanden revalidatie en fysiotherapie achter de rug voordat hij zich ten slotte weer in de teamkamer had gemeld. Maar in het jaar daarop had hij aan hun zaken gewerkt met een tegenzin die Bosch wel degelijk dwarszat. Hij miste de toewijding en daar begon Bosch schoon genoeg van te krijgen.

Waar hij ook schoon genoeg van had, was het wachten op een nieuwe moord. Het was vier weken geleden dat ze aan een zaak hadden gewerkt en de bloedhete zomer begon op zijn eind te lopen. Maar zo zeker als het was dat de Santa Ana-wind door de bergvalleien waaide, zo zeker wist Bosch dat er binnenkort een kersverse moord op hun bordje zou liggen.

Ferras stond op en draaide zijn bureaula op slot. Hij haalde zijn jasje van de rugleuning van zijn stoel toen Larry Gandle zijn kantoor aan de overzijde van de teamkamer uit kwam en Bosch hem hun kant op zag komen. Als de oudste van hun partnerschap had Bosch de eerste keus gehad toen de afdeling Berovingen-Moordzaken een maand daarvoor van het aftandse Parker Center naar het nieuwe Hoofdbureau van Politie was verhuisd en de werkplekken werden verdeeld. De meeste rechercheurs hadden voor een plek aan de raamkant gekozen, met uitzicht op City Hall. Bosch had het tegenovergestelde gedaan. Hij had zijn partner het uitzicht gegund en had zelf gekozen voor een plek waar hij kon zien wat er in de teamkamer gaande was. Nu zag hij hun hoofdinspecteur aankomen en wist hij intuïtief dat zijn partner vandaag niet vroeg naar huis zou gaan.

Gandle had een blaadje van een blocnote in zijn hand en had dat extra hupje in zijn stap. Dat vertelde Bosch dat het wachten voorbij was. De melding was binnen. Een kersverse moord. Bosch kwam overeind.

'Bosch en Ferras, werk aan de winkel,' zei Gandle toen hij bij hen was. 'Jullie moeten een zaak van Bureau Zuid overnemen.'

Bosch zag hoe zijn partner zijn schouders liet hangen. Hij negeerde het en pakte het blaadje aan dat Gandle hem voorhield. Er stond een adres op geschreven. South Normandie. Daar was hij eerder geweest.

'Het is een drankwinkel,' zei Gandle. 'Eén man dood achter de toonbank en de patrouilledienst houdt een getuige vast. Dat is alles wat ik weet. Zijn jullie klaar om ernaartoe te gaan?'

'Ja,' zei Bosch, voordat zijn partner kon protesteren.

Maar het bleek niet voldoende.

'Hoofdinspecteur, dit is Moordzaken Speciaal,' zei Ferras terwijl hij zich omdraaide en naar de opgezette zwijnenkop boven de deur van de teamkamer wees. 'Waarom moeten wij een beroving van een drankwinkel doen? U weet best dat het iemand van een van de straatbendes is geweest en dat de jongens van Zuid daar beter bekend zijn dan wij... dat ze waarschijnlijk vóór middernacht een naam op de dader kunnen plakken.'

Ferras had gelijk. Moordzaken Speciaal was voor de zware, complexe zaken. Een elite-eenheid die zich op de moeilijke gevallen stortte met de vasthoudendheid van een wild zwijn dat in de modder naar truffels zoekt. Een beroving van een drankwinkel in een buurt vol straatbendes voldeed niet aan die eis.

Gandle, die met zijn kalende kruin en zijn sombere gezichtsuitdrukking de volmaakte bureauchef was, spreidde zijn handen in een gebaar dat elk medeleven ontbeerde.

'Ik heb iedereen ingelicht tijdens de werkbespreking van vorige week. We hebben het werk van Zuid er deze week bij. Ze hebben daar een minimale bezetting omdat alle anderen tot de veertiende hun cursus Moordzaken doen. Ze hebben in het weekend aan drie zaken gewerkt en hebben er vanochtend nog een bij gekregen. Dus daar is hun minimale bezetting aan opgegaan. Jullie hebben niks te doen, dus jullie doen die beroving. Punt uit. Zijn er nog andere vragen? Die patrouilleagenten staan daar te wachten met die getuige.'

'We gaan ernaartoe, baas,' zei Bosch om een eind aan de discussie te maken.

'Dan hoop ik straks van jullie te horen.'

Gandle liep terug naar zijn kantoor. Bosch pakte zijn jasje van de rugleuning van zijn stoel, trok het aan en deed de middelste la van zijn bureau open. Hij haalde zijn leren notitieboekje uit zijn achterzak en verving het binnenwerk door een nieuw pakje gelinieerd papier. Een nieuwe moord vroeg altijd om een nieuw notitieboekje. Dat was zíjn ritueel. Hij wierp een korte blik op het rechercheursembleem op het leren flapje en stak het boekje weer in zijn achterzak. In werkelijkheid kon het hem niet schelen wat voor soort zaak het was. Hij wilde gewoon een zaak. Het was net als met ander werk. Je raakt uit vorm en je verliest je scherpte. Dat wilde Bosch niet.

Ferras stond met zijn handen in zijn zij en keek naar de klok boven het mededelingenbord.

'Shit,' zei Ferras. 'Het is elke keer hetzelfde.'

'Hoe bedoel je, "elke keer"?' zei Bosch. 'We hebben in geen maand een zaak gehad.'

'Ja, nou, daar begon ik net aan te wennen.'

'Als je geen moordzaken wilt doen, kun je altijd van negen tot vijf bij Autodiefstallen gaan werken.'

'Ja, oké.'

'Kom op dan. Laten we gaan.'

Bosch kwam zijn werkplek uit en liep naar de deur. Ferras kwam hem achterna, met zijn mobiele telefoon in de hand om zijn vrouw het slechte nieuws te vertellen. Bij de deur van de teamkamer staken beide mannen hun hand op en raakten ze de platte neus van het zwijn aan. Dat bracht geluk.

2

Bosch hoefde Ferras niet de les te lezen toen ze naar South Los Angeles reden. Dat hij zwijgend reed was veelzeggend genoeg. Maar uiteindelijk leek zijn jonge partner te bezwijken onder de druk van wat onuitgesproken bleef en begon hij er zelf over.

'Ik word er gek van,' zei hij.

'Waarvan?' vroeg Bosch.

'De tweeling. Het is zo veel werk, en al dat gehuil. Het is een domino-effect. De een wordt wakker en maakt dan de ander wakker. We doen geen van beiden een oog dicht, en mijn vrouw is...'

'Wat is ze?'

'Ik weet het niet... aan het doordraaien. Ze belt me voortdurend, vraagt wanneer ik thuiskom. Dan kom ik thuis en is het mijn beurt, word ik met de jongens opgezadeld en heb ik geen moment rust meer. Het is werk, de kinderen, werk, de kinderen, de hele dag door.'

'En een kindermeisje?'

'We kunnen ons geen kindermeisje veroorloven. Niet met de situatie zoals die nu is, nu we geen overuren meer uitbetaald krijgen.'

Bosch wist niet goed wat hij moest zeggen. Zijn dochter Madeline was een maand geleden dertien geworden en woonde bijna twaalfduizend kilometer bij hem vandaan. Hij was nooit direct bij haar opvoeding betrokken geweest. Hij zag haar vier weken per jaar – twee in Hongkong en twee in Los Angeles – en dat was het. Welk recht had hij om een fulltime vader van drie kinderen, waaronder een tweeling, advies te geven?

'Hoor eens, ik weet niet wat ik moet zeggen,' zei hij. 'Je weet dat ik je zo veel mogelijk dek. Ik zal je helpen als ik het kan en als ik in de gelegenheid ben. Maar...'

'Dat weet ik, Harry. En ik waardeer het. Weet je, het is het eerste jaar met de tweeling. Ik neem aan dat het een stuk gemakkelijker zal worden als ze wat ouder zijn.'

'Ja, maar wat ik probeer te zeggen is dat het misschien om meer gaat dan alleen de tweeling. Misschien ligt het ook wel een beetje aan jou, Ignacio.'

'Aan mij? Hoe bedoel je?'

'"Misschien", zeg ik. Misschien ben je te snel weer gaan werken, heb je daar wel eens over nagedacht?'

Ferras liet het bezinken en reageerde niet.

'Hé, dat kan gebeuren,' zei Bosch. 'Je wordt neergeschoten en vanaf dat moment denk je dat de bliksem een tweede keer kan inslaan.'

'Luister, Harry, ik weet niet wie die onzin heeft verzonnen, maar op dat punt zit het goed met me. Ik heb het verwerkt. Dit heeft te maken met slaapgebrek en voortdurend doodmoe zijn, en niet in staat zijn om wat rust terug te pakken omdat mijn vrouw me op mijn nek zit zodra ik thuiskom, oké?'

'Als jij het zegt, partner.'

'Zo is het, partner. Zoals ík het zeg. Geloof me, ik krijg al genoeg verwijten van haar naar mijn hoofd. Ik hoef die van jou er niet nog eens bij.'

Bosch knikte en daarmee was er genoeg over gezegd. Hij wist wanneer hij zijn mond moest houden.

Het adres dat Gandle hun had gegeven was in het zeventiende blok van South Normandie Avenue. Het was maar een paar straten van de beruchte hoek van Normandie en Florence, waar in 1992 door nieuwshelikopters de vreselijkste beelden van rellen waren geschoten die overal ter wereld waren uitgezonden. Een beeld van Los Angeles dat voor velen blijvend zou zijn.

Maar Bosch besefte meteen dat hij de buurt en de drankwinkel waar ze naartoe moesten herkende van een andere rel, en om een andere reden.

Fortune Liquors was al afgezet met gele politietape. Daarachter hadden zich enkele toeschouwers verzameld, niet veel want in een buurt als deze was moord niet zo'n bijzonderheid. De mensen hier hadden het al eerder gezien... al veel te vaak. Bosch reed door naar een groepje van drie patrouillewagens en parkeerde hun auto ernaast. Nadat hij zijn attachékoffertje uit de kofferbak had gehaald, draaide hij de portieren op slot en liep naar de afzetting.

Bosch en Ferras gaven hun naam en dienstnummer aan de agent die het rapport van de plaats delict opmaakte en ze doken onder de

tape door. Toen ze de voordeur van de winkel naderden, ging Bosch'
hand naar de rechterzak van zijn jasje en haalde hij er een boekje lucifers uit. Het was oud en afgesleten. Op de voorkant stond FORTUNE
LIQUORS en daaronder het adres van het smalle gele winkelpand waar
ze nu voor stonden. Hij deed het boekje open. Er ontbrak maar één lucifer en aan de binnenkant van de kaft stond de spreuk die elk boekje
sierde.

Gelukkig is hij die
rust vindt in zichzelf

Bosch had het boekje al bijna twaalf jaar dagelijks in de zak van zijn
jasje. Niet zozeer vanwege de spreuk, hoewel hij wel geloofde in wat er
werd beweerd. Hij had het bij zich vanwege de ontbrekende lucifer en
waar die hem aan herinnerde.
'Harry, wat is er?' vroeg Ferras.
Bosch besefte dat hij al enige tijd stilstond voor de winkel.
'Niks. Alleen dat ik hier al eens eerder ben geweest.'
'Wanneer? Voor een zaak?'
'Min of meer. Maar dat is lang geleden. Laten we naar binnen gaan.'
Bosch liep langs zijn partner en ging door de open deur de drankwinkel binnen.
Aan de zijkant stonden een paar patrouilleagenten en een brigadier. De winkel was lang en smal. Een pijpenla die drie gangpaden
breed was. Aan het eind van het middelste pad zag Bosch een korte
gang met een open achterdeur die uitkwam op het parkeerterrein achter de winkel. Langs de muur van het linkerpad waren koelkasten over
de hele lengte van de winkel. De sterkedrank stond aan de rechterkant en het middelste pad was gereserveerd voor de wijnen, de rode
rechts en de witte links.
Bosch zag nog twee agenten in de achterste gang staan, vermoedelijk waren ze bij de getuige, in het magazijn of een kantoortje. Hij zette zijn koffertje op de grond rechts achter de voordeur. Uit de zak van
zijn jasje haalde hij twee paar gummihandschoenen. Hij gaf het ene
paar aan Ferras en ze trokken ze aan.
De brigadier had de komst van de twee rechercheurs opgemerkt en
liep weg bij zijn mannen.
'Ray Lucas,' zei hij bij wijze van groet. 'We hebben één slachtoffer

achter de toonbank. Zijn naam is John Li, met L-I. We denken dat het nog geen twee uur geleden is gebeurd. Zo te zien een beroving met een dader die blijkbaar geen getuige wilde achterlaten. Veel van ons hier in het 77th kenden meneer Li. Het was een beste oude baas.'

Lucas wenkte Bosch en Ferras naar de toonbank. Bosch hield de panden van zijn jasje vast zodat ze niets zouden raken, liep om de toonbank heen en wrong zich in de smalle ruimte erachter. Hij hurkte neer als een honkbalcatcher om de dode man op de vloer beter te bekijken. Ferras stond direct achter hem en boog zich als een scheidsrechter over hem heen.

De man op de vloer was van Aziatische afkomst en zag eruit als bijna zeventig. Hij lag op zijn rug en zijn ogen staarden niets ziend naar het plafond. Zijn lippen waren strakgetrokken over zijn opeengeklemde tanden, bijna in een snerende grijns. Er zat bloed op zijn lippen, zijn wang en zijn kin. Hij had het opgehoest toen hij stierf. De voorkant van zijn shirt was doordrenkt met bloed en Bosch zag minstens drie kogelwonden in de borstkas. Het rechterbeen was bij de knie gebogen en het onderste deel lag in een vreemde hoek onder het andere been. Zo te zien was hij in elkaar gezakt op de plek waar hij stond toen hij werd neergeschoten.

'We hebben geen hulzen gevonden,' zei Lucas. 'De dader heeft ze opgeraapt, en hij is zo slim geweest om de disk uit de recorder achter in de winkel te halen.'

Bosch knikte. Mensen van de patrouilledienst wilden altijd graag behulpzaam zijn, maar het was informatie waar Bosch nog geen behoefte aan had en die hem kon afleiden.

'Tenzij het een revolver was,' zei hij. 'Dan zijn er geen hulzen om op te rapen.'

'Misschien,' zei Lucas. 'Maar zo veel revolvers zie je hier tegenwoordig niet meer. Niemand wil in een benderuzie verzeild raken met maar zes patronen in zijn wapen.'

Lucas wilde dat Bosch wist dat hij bekend was met het doen en laten in deze buurt. Bosch was maar een bezoeker.

'Ik zal het in gedachten houden,' zei Harry.

Bosch concentreerde zich op het lijk en nam de plaats delict zwijgend in zich op. Hij was er redelijk zeker van dat het slachtoffer dezelfde man was die hij al die jaren geleden in deze winkel had gezien. Hij lag zelfs op dezelfde plek op de vloer achter de toonbank. En

Bosch zag dat er een pakje sigaretten in de borstzak van zijn shirt zat. Hij merkte op dat er vegen bloed op de rechterhand van het slachtoffer zaten. Dat was niet ongebruikelijk. Van jongs af aan breng je je hand naar een verwonding in een poging die dicht te houden of te beschermen. Een instinctieve reactie. Dit slachtoffer had hetzelfde gedaan, had hoogstwaarschijnlijk met zijn hand naar zijn borst gegrepen toen hij door de eerste kogel werd getroffen.

Er zat een aanzienlijke ruimte tussen de kogelwonden. Minstens tien centimeter ertussen, in de vorm van een driehoek. Bosch wist dat snel opeenvolgende schoten van korte afstand een hechter groepje zouden opleveren. Het bracht hem tot de veronderstelling dat het slachtoffer in elkaar was gezakt nadat hij door de eerste kogel was getroffen. De dader had zich vervolgens over de toonbank gebogen en had hem nog twee keer in de borst geschoten, waardoor de spreiding was ontstaan.

De kogels waren de borstkas van het slachtoffer binnengedrongen en hadden het hart en de longen doorboord. Het opgehoeste bloed uit de mond wees erop dat de dood niet meteen was ingetreden. Het slachtoffer had geprobeerd te blijven ademhalen. Na al die jaren met zaken als deze was Bosch van één ding overtuigd. Het was geen prettige manier om aan je eind te komen.

'Geen schot in het hoofd,' zei Bosch.

'Nee,' zei Ferras. 'Wat houdt dat in?'

Bosch betrapte zich erop dat hij hardop had gedacht.

'Misschien niks. Maar door die drie schoten in de borst zou je denken dat de dader zeker van zijn zaak wilde zijn. En dan geen hoofdschot om het af te maken.'

'Een tegenstrijdigheid.'

'Mogelijk.'

Nu pas maakte Bosch zijn blik los van het slachtoffer en keek hij vanaf het lage standpunt in het rond. Zijn blik viel onmiddellijk op een pistool in een holster, dat aan de onderkant van de toonbank was bevestigd. Het zat op een gemakkelijk bereikbare plek in het geval van een beroving of erger, maar toch was het wapen niet uit de holster getrokken.

'We hebben hier een vuurwapen, onder de toonbank,' zei Bosch. 'Zo te zien een .45 in een holster, maar de oude man heeft geen kans gezien het wapen te trekken.'

'Dus is de dader snel binnengekomen en heeft hij geschoten voordat de oude baas zijn wapen kon trekken,' zei Ferras. 'Misschien was in de buurt bekend dat hij een wapen onder de toonbank had.'

Lucas produceerde een geluid dat klonk alsof hij het er niet mee eens was.

'Wat is er, brigadier?' vroeg Bosch.

'Dat van dat pistool moet nieuw zijn,' zei Lucas. 'In de vijf jaar dat ik hier ben is hij al minstens zes keer beroofd. Voor zover ik weet heeft hij nooit een vuurwapen getrokken. Het is voor het eerst dat ik over een pistool hoor.'

Bosch knikte. Dat was nuttige informatie. Hij draaide zijn hoofd om naar de brigadier, die schuin achter hem stond.

'Vertel me over de getuige,' zei hij.

'Nou, het is niet echt een getuige,' zei Lucas. 'Het is mevrouw Li, de echtgenote. Ze kwam binnen en heeft hem gevonden toen ze zijn eten kwam brengen. Ze zit te wachten in het kamertje achter de winkel, maar je hebt een tolk nodig. We hebben de ACU al gebeld en gevraagd om een afhaalchinees.'

Bosch keek nog eens naar het gezicht van de dode man en stond toen op, waarbij allebei zijn knieën duidelijk hoorbaar kraakten. Lucas had het over wat vroeger bekendstond als de Asian Crimes Unit. Ze hadden de naam onlangs veranderd in Asian Gang Unit, om tegemoet te komen aan het protest dat de oorspronkelijke naam van de eenheid de Aziatische bevolking van de stad in diskrediet bracht door te suggereren dat alle Aziaten criminelen waren. Maar de oude garde, waartoe Lucas behoorde, noemde de eenheid nog steeds de ACU. Ongeacht de naam of de afkorting was de beslissing om assistentie van welke signatuur ook te vragen aan Bosch geweest, want hij had de leiding over het onderzoek.

'Spreek je Chinees, brigadier?'

'Nee. Daarom heb ik de ACU gebeld.'

'En hoe wist je dat je om een Chinese tolk moest vragen, en niet om een Koreaanse of misschien zelfs een Vietnamese?'

'Ik zit al zesentwintig jaar in het vak, rechercheur. En...'

'En je herkent een Chinees zodra je er een ziet.'

'Nee, wat ik wil zeggen is dat ik tegenwoordig het eind van mijn dienst niet haal zonder een kleine oppepper. Dus maak ik hier elke dag een tussenstop en koop ik zo'n flesje energiedrank, ken je die?

Dat spul geeft je vijf uur energie. Maar goed, op die manier heb ik meneer Li een beetje leren kennen, weet je wel? Hij heeft me een keer verteld dat hij en zijn vrouw uit China komen, en daarom weet ik het.'

Bosch knikte en schaamde zich voor zijn poging om Lucas de les te lezen.

'Dan moet ik ook maar eens zo'n flesje kopen,' zei hij. 'Heeft mevrouw Li het alarmnummer gebeld?'

'Nee. Zoals ik al zei spreekt ze nauwelijks Engels. Ik heb van de meldkamer begrepen dat mevrouw Li haar zoon heeft gebeld en dat hij ons heeft gebeld.'

Bosch kwam achter de toonbank vandaan. Ferras bleef achter en hurkte neer om het slachtoffer en het pistool te bekijken zoals Bosch dat zo-even had gedaan.

'Waar is de zoon?' vroeg Bosch.

'Hij is onderweg, maar hij werkt in de Valley,' zei Lucas. 'Hij kan ieder moment hier zijn.'

Bosch wees naar de toonbank.

'Als hij binnenkomt, houden jij en je mannen hem daar weg.'

'Begrepen.'

'En we moeten nu proberen alles zo veel mogelijk intact te laten.'

Lucas begreep de boodschap en liep met zijn mannen naar buiten. Ferras was klaar achter de toonbank en kwam naar de voordeur, waar Bosch naar de camera in het midden van het plafond stond te kijken.

'Ga jij achterin kijken,' zei Bosch. 'Check of onze man de disk echt heeft meegenomen, en hoe onze getuige eraan toe is.'

'Oké.'

'O, en kijk of je de thermostaat kunt vinden en draai die wat lager. Het is hier veel te warm. Ik wil niet dat ons lijk er straks vandoor gaat.'

Ferras liep door het middenpad naar achteren. Bosch draaide zich om en nam de plaats delict als geheel in zich op. De toonbank was ongeveer vier meter breed. De kassa stond in het midden, met ernaast een ruimte waar de klanten hun aankopen konden neerzetten. Aan de zijkant was een rek met kauwgom en ander snoepgoed. Aan de andere kant van de kassa waren de zogenaamde impulsproducten uitgestald: flesjes energiedrank, een plastic doos met goedkope sigaren en een display met lottoformulieren. Boven de toonbank hing een rek van dik draadgaas met pakjes sigaretten.

Achter de toonbank waren de planken met de dure flessen, waar de klanten om moesten vragen. Bosch zag zes rijen Hennessy. Hij wist dat de dure cognac erg in trek was bij de grote jongens van de straatbendes. Gezien de locatie van Fortune Liquors was hij er vrij zeker van dat de winkel behoorde tot het territorium van de Hoover Street Criminals, een bende die ooit deel uitmaakte van de Crips, maar die zo veel macht had vergaard dat hij nu op eigen naam en reputatie opereerde.

Er vielen Bosch twee dingen op en hij ging dichter bij de toonbank staan.

De kassa stond scheef op de toonbank, waardoor een driehoek van donker stof op het formica te zien was. Bosch ging ervan uit dat de dader hem naar zich toe had getrokken om het geld uit de lade te halen. Dit was een bruikbare veronderstelling, want dat betekende dat meneer Li niet zelf de lade had geopend om de dader het geld te geven. En dat betekende waarschijnlijk dat hij al was neergeschoten. Ferras' hypothese dat de dader schietend was binnengekomen kon juist zijn. En dit kon van nut zijn bij de eventuele berechting, om de opzet tot doden te bewijzen. Belangrijker was dat het Bosch een beter beeld gaf van wat er in de winkel was gebeurd en naar wat voor soort dader ze op zoek moesten.

Harry stak zijn hand in zijn zak en pakte de bril die hij voor het werk van nabij gebruikte. Hij zette hem op en zonder iets aan te raken boog hij zich over de toonbank om de knoppen van de kassa te bekijken. Hij zag geen knop met het woord OPEN erop, noch een andere aanduiding van hoe hij de geldlade moest openen. Bosch had geen idee hoe dat moest. Hij vroeg zich af hoe het mogelijk was dat de dader het wel had geweten.

Hij ging weer rechtop staan en keek naar de planken met flessen tegen de achterwand. De Hennessy stond in het midden, binnen handbereik van meneer Li, voor als de leden van de Hoover Street Gang binnenkwamen. Maar de flessen waren onaangeroerd. Er ontbrak er niet een.

Opnieuw boog Bosch zich over de toonbank. Deze keer probeerde hij of hij bij de flessen Hennessy kon komen. Hij ontdekte dat als hij zijn ene hand op de toonbank zou leggen om zijn evenwicht te bewaren, hij gemakkelijk een fles zou kunnen pakken.

'Harry?'

Bosch ging rechtop staan en draaide zich om naar zijn partner.

'De brigadier had gelijk,' zei Ferras. 'De camerabeelden worden op dvd gezet. Er zit geen disk in het apparaat. Dus óf die is eruit gehaald, óf er zat geen disk in en was de camera alleen voor de show.'

'Heb je meer disks gevonden?'

'Er liggen er achter een paar, maar het systeem werkt met één dvd. De beelden worden steeds weer opnieuw op dezelfde disk gezet. Toen ik nog berovingen deed, kwamen we dit soort apparaten vaak tegen. Ze gaan ongeveer een dag mee en dan worden de nieuwe beelden over de oude heen gezet. Je kunt de disk eruit halen om iets terug te kijken, maar dat moet je dan wel op dezelfde dag doen.'

'Oké. Zorg ervoor dat we die extra disks meenemen.'

Lucas kwam de winkel in door de voordeur.

'De ACU is er,' zei hij. 'Moet ik hem naar binnen sturen?'

Bosch bleef Lucas geruime tijd aankijken voordat hij antwoord gaf.

'Het is AGU,' zei hij ten slotte. 'Maar laat hem niet binnenkomen. Ik kom wel naar buiten.'

3

Bosch liep de winkel uit, het daglicht in. Hoewel het al laat in de middag was, was het nog warm. De droge Santa Ana-wind waaide door de stad. De lucht was grijs van de rook van de branden in het heuvelland. Bosch voelde het zweet in zijn nek opdrogen.

Amper buiten werd hij aangesproken door een politieman in burger.

'Rechercheur Bosch?'

'Dat ben ik.'

'Rechercheur David Chu, AGU. De patrouilledienst heeft me laten komen. Wat kan ik voor je doen?'

Chu was klein van stuk en had een tenger postuur. Als hij praatte was er geen spoor van een accent te horen. Bosch gebaarde hem mee te komen, dook onder de gele tape door en liep naar zijn auto. Tijdens het lopen trok hij zijn jasje uit. Hij haalde het boekje lucifers uit de zak, stak het in zijn broekzak, vouwde zijn jasje binnenstebuiten op en legde het in de schone kartonnen doos die in de kofferbak van zijn dienstauto stond.

'Het is bloedheet binnen,' zei hij tegen Chu.

Bosch maakte het middelste knoopje van zijn overhemd los en propte zijn das door de opening. Nu hij van plan was zich volledig bij het sporenonderzoek te laten betrekken, wilde hij niet dat het ding in de weg hing.

'Hier buiten ook,' zei Chu. 'De brigadier zei dat ik moest wachten totdat je naar buiten kwam.'

'Ja, excuses daarvoor. Goed, wat we hebben is het volgende: de oude man die deze winkel al jaren drijft ligt dood achter de toonbank. Hij is minstens drie keer in de borst geschoten, vermoedelijk tijdens een beroving. Zijn vrouw, die geen Engels spreekt, heeft hem gevonden. Ze heeft hun zoon gebeld en die heeft de melding gedaan. Nu moeten we de vrouw verhoren en daar verschijn jij op het toneel. En misschien hebben we je hulp ook nodig met de zoon, als hij straks komt. Dat is alles wat ik op dit moment weet.'

'Is het zeker dat het Chinezen zijn?'

'Vrijwel zeker. De brigadier die je heeft gebeld kende het slachtoffer, meneer Li.'

'En weten we welk dialect mevrouw Li spreekt?'

Ze liepen terug naar de afzetting.

'Nee. Kan dat problemen geven?'

'Ik ben bekend met de vijf belangrijkste Chinese dialecten en gespecialiseerd in het Kantonees en het Mandarijns. De laatste twee worden hier in Los Angeles het meest gesproken.'

Deze keer hield Bosch de tape omhoog voor Chu, zodat hij eronderdoor kon kruipen.

'Welke van de twee is je moedertaal?'

'Ik ben hier geboren, rechercheur. Maar mijn familie komt uit Hongkong en thuis spraken we Mandarijns.'

'O ja? Ik heb een dochter die met haar moeder in Hongkong woont. Ze spreekt ook al aardig Mandarijns.'

'Knap van haar. Hopelijk heeft ze er later iets aan.'

Ze gingen de winkel binnen, Bosch gunde Chu een korte blik op het lijk achter de toonbank en daarna liepen ze door naar achteren. Ze werden opgewacht door Ferras, en Chu stelde hen voor aan mevrouw Li.

De vrouw, die opeens weduwe was geworden, leek in een shocktoestand te verkeren. Bosch zag geen sporen dat ze een traan om haar vermoorde echtgenoot had gelaten. Ze leek ten prooi te zijn aan de totale verwarring die Bosch vaker had gezien. Haar man lag dood in de winkel en zij werd omringd door onbekenden die een andere taal spraken. Bosch nam aan dat ze op de komst van haar zoon wachtte, en dat de tranen dan pas zouden komen.

Chu benaderde haar vriendelijk en geruststellend, en ze praatten enige tijd met elkaar. In het Mandarijns, vermoedde Bosch. Zijn dochter had hem verteld dat het Mandarijns melodieuzer klonk en dat het minder keelklanken had dan het Kantonees en sommige van de andere dialecten.

Na een paar minuten wendde Chu zich tot Bosch en Ferras en gaf hij een samenvatting van het gezegde.

'Haar man was alleen in de winkel nadat zij naar huis was gegaan om zijn avondeten te halen. Toen ze terugkwam, dacht ze eerst dat hij was weggegaan. Pas later zag ze hem achter de toonbank liggen. Er was niemand in de winkel toen ze terugkwam. Ze had haar auto aan de achterkant geparkeerd en had haar sleutel gebruikt om via de achterdeur binnen te komen.'

Bosch knikte.

'Hoe lang is ze weg geweest? Vraag haar hoe laat het was toen ze naar huis ging.'

Chu deed wat hem was gevraagd en wendde zich weer tot Bosch met het antwoord.

'Ze gaat elke dag om half drie naar huis om hun avondeten te halen. Daarna komt ze terug.'

'Is er meer personeel?'

'Nee. Dat heb ik al gevraagd. Alleen mevrouw Li en haar man. Ze werken elke dag van elf uur 's ochtends tot tien uur 's avonds. Op zondag zijn ze gesloten.'

Het bekende migrantenverhaal, dacht Bosch. Ze hadden alleen niet kunnen voorzien dat een paar kogels er een eind aan zouden maken.

Bosch hoorde stemmen in de winkel en boog zich het gangetje in om te kijken. De technische recherche was gearriveerd en ging aan het werk.

Hij boog zich weer terug het magazijn in, waar het gesprek met mevrouw Li werd voortgezet.

'Chu…' zei Bosch.

De rechercheur van de AGU keek hem aan.

'Vraag naar de zoon. Was hij thuis toen ze hem belde?'

'Heb ik al gevraagd. Ze hebben nog een winkel. In de Valley. Daar was hij aan het werk. Hij woont nog thuis. Ze wonen ergens halverwege de twee winkels. In het Wilshire-district.'

Het was Bosch duidelijk dat Chu wist wat hij deed. Hij had Bosch niet nodig om hem te vertellen wat hij moest vragen.

'Oké. Wij gaan weer naar voren. Jij hoort haar verder uit en als de zoon komt, is het misschien beter dat we ze naar het bureau brengen. Kun je daarmee akkoord gaan?'

'Ja zeker,' zei Chu.

'Mooi zo. Geef een gil als je iets nodig hebt.'

Bosch en Ferras liepen het gangetje en de winkel weer door. Bosch kende iedereen van de technische recherche. De mensen van het mortuarium waren inmiddels ook gearriveerd om de plek van overlijden in kaart te brengen en het stoffelijk overschot af te voeren.

Bosch besloot dat hij en Ferras zich zouden opsplitsen. Bosch zou hier blijven. Als leider van het onderzoek zou hij het sporenonderzoek en het afvoeren van het slachtoffer volgen. Ferras zou weggaan om met de omwonenden te praten. De drankwinkel was gevestigd in een buurt vol winkeltjes en bedrijfjes. Hij zou het buurtonderzoek opstarten in de hoop dat er iemand was die iets had gehoord of gezien wat verband hield met de moord. Beide rechercheurs wisten dat dit een vrijwel zinloze onderneming zou zijn, maar het moest toch worden gedaan. Een beschrijving van een auto of een verdachte persoon leverde misschien het puzzelstukje op waarmee ze aan de slag konden. Het vormde een vast onderdeel van hun recherchewerk.

'Is het goed als ik een van de patrouillejongens meeneem?' vroeg Ferras. 'Die kennen de buurt beter dan ik.'

'Prima.'

Bosch vermoedde dat hun bekendheid met de buurt niet de ware reden was dat Ferras een patrouilleagent wilde meenemen. Zijn partner dacht waarschijnlijk dat het in een buurt als deze veiliger was wanneer hij iemand bij zich had als hij de winkels en woonhuizen binnenging.

Twee minuten nadat Ferras was vertrokken hoorde Bosch harde stemmen en commotie op straat voor de winkel. Hij liep naar buiten en zag hoe twee van Lucas' agenten bij de afzetting een man in bedwang probeerden te houden. De man was een Aziaat van ongeveer vijfentwintig jaar. Hij droeg een nauwsluitend T-shirt dat zijn slanke, pezige bouw benadrukte. Bosch liep snel naar het opstootje toe.

'Oké, zo is het genoeg,' zei hij met luide stem, zodat er geen twijfel bestond over wie hier de leiding had.

'Laat hem los,' voegde hij eraan toe.

'Ik wil mijn vader zien,' zei de jongeman.

'Nou, dit is niet de juiste manier om dat aan te pakken.'

Bosch deed nog een stap vooruit en knikte naar de twee patrouilleagenten.

'Ik ontferm me wel over meneer Li.'

De agenten liepen weg bij Bosch en de zoon van het slachtoffer.

'Hoe heet u voluit, meneer Li?'

'Robert Li. Ik wil mijn vader zien.'

'Dat begrijp ik. Als u het echt wilt, zal ik u uw vader laten zien. Maar dat gaat niet voordat het sporenonderzoek klaar is. Ik ben degene die hier de leiding heeft en zelfs ík mag uw vader nu niet zien. Dus stel ik voor dat u eerst een beetje tot bedaren komt. De enige manier om te bereiken wat u wilt, is dat u eerst kalmeert.'

De jongeman keek naar de grond en knikte. Bosch stak zijn hand uit en legde die even op zijn schouder.

'Oké, goed zo,' zei Bosch.

'Waar is mijn moeder?'

'Die zit in het kamertje achter de winkel met een andere rechercheur te praten.'

'Mag ik haar dan tenminste zien?'

'Ja, dat mag u. Ik zal u zo meteen via de achterdeur naar haar toe brengen. Maar ik wil u eerst een paar vragen stellen. Vindt u dat goed?'

'Mij best. Ga je gang.'

'Om te beginnen, mijn naam is Harry Bosch. Ik ben de rechercheur die de leiding over het onderzoek heeft. Ik ben van plan degene te vinden die uw vader heeft gedood. Dat beloof ik u.'

'Doe geen beloften die je toch niet van plan bent waar te maken. Je kende hem niet eens. Wat kan mijn vader jou schelen? Voor jou was hij gewoon de zoveelste… laat maar.'

'De zoveelste wat?'

'Laat maar zitten, zei ik.'

Bosch bleef hem even aankijken voordat hij weer iets zei.

'Hoe oud ben je, Robert?'

'Ik ben zesentwintig en ik zou nu heel graag naar mijn moeder toe willen.'

Hij wilde zich omdraaien en naar de achterkant van de winkel lopen, maar Bosch pakte hem bij zijn arm. Robert Li was sterk, maar Bosch had hem in een greep die verrassend krachtig was. De jongeman bleef staan en keek naar de hand op zijn arm.

'Ik zal je iets laten zien, en daarna breng ik je naar je moeder, oké?'

Hij liet Li's arm los, haalde het boekje lucifers uit zijn zak en gaf het aan de jongeman. Li keek er zonder verbazing naar.

'Wat is daarmee? We gaven die dingen vroeger weg, totdat de economie kelderde en we ons geen extraatjes meer konden veroorloven.'

Bosch nam het boekje weer terug en knikte.

'Ik heb dit twaalf jaar geleden in de winkel van je vader gekregen,' zei hij. 'Jij moet toen een jaar of veertien zijn geweest. We hadden bijna een volksoproer in de stad. Het begon in deze buurt. Daar, op het kruispunt.'

'Dat herinner ik me. Ze hebben de winkel geplunderd en mijn vader afgetuigd. Hij had hem nooit hier moeten heropenen. Mijn moeder en ik zeiden tegen hem dat hij een winkel in de Valley moest beginnen, maar hij wilde niet luisteren. Hij was niet van plan zich door wie dan ook te laten wegjagen, en moet je nu zien wat er is gebeurd.'

Hij maakte een machteloos gebaar naar de voorkant van de winkel.

'Ja, nou, ik was die avond ook hier,' zei Bosch. 'Twaalf jaar geleden. De schermutselingen begonnen maar werden vrij snel beëindigd. Daar op het kruispunt. Eén dodelijk slachtoffer.'

'Een politieman. Ik weet het. Ze hadden hem uit zijn auto getrokken.'

'Ik zat bij hem in die auto, maar mij hebben ze niet te pakken gekregen. En toen ik was doorgereden tot hier, was ik in veiligheid. Ik had dringend behoefte aan een sigaret en ben je vaders winkel in gegaan om een pakje te kopen. Hij stond achter de toonbank, maar de relschoppers hadden al zijn pakjes sigaretten gestolen.'

Bosch hield het boekje lucifers op.

'Lucifers waren er genoeg, maar geen sigaretten meer. En toen haalde je vader zijn eigen pakje uit de borstzak van zijn overhemd. Er zat nog maar één sigaret in, en die gaf hij aan mij.'

Bosch haalde diep adem. Dat was het verhaal. Dat was alles.

'Ik kende je vader niet, Robert. Maar ik zal degene vinden die hem heeft doodgeschoten. Dat is een belofte waaraan ik me zal houden.'

Robert Li knikte en keek weer naar de grond.

'Kom,' zei Bosch. 'Dan breng ik je naar je moeder.'

4

De rechercheurs waren nog lang aan het werk op de plaats delict en tegen de tijd dat ze terug waren in de teamkamer, was het bijna middernacht. Bosch had inmiddels besloten de nabestaanden van het slachtoffer niet meer voor een formeel verhoor naar het bureau te laten brengen. Nadat er was afgesproken dat ze woensdagochtend naar het bureau zouden komen, mochten ze naar huis om aan de verwerking van hun verdriet te beginnen. Kort nadat ze in de teamkamer waren teruggekeerd, stuurde Bosch zijn partner ook naar huis, zodat die zich met de problemen binnen zijn gezin kon gaan bezighouden. Harry bleef alleen achter om het bewijsmateriaal te inventariseren en voor het eerst ongestoord over de zaak na te denken. Hij wist dat het woensdag een drukke dag zou worden, met de nabestaanden in de ochtend, de eerste resultaten van het sporenonderzoek en van het lab, en misschien ook die van de autopsie.

Hoewel het eerste buurtonderzoek van Ferras zoals verwacht vrijwel zinloos was gebleken, had het toch nog een mogelijke verdachte opgeleverd. Op zaterdagmiddag, drie dagen voor zijn dood, was meneer Li de confrontatie aangegaan met een jongeman van wie hij geloofde dat hij al diverse keren iets uit de winkel had gepikt. Volgens mevrouw Li – en vertaald door rechercheur Chu – had de tiener woedend ontkend ooit iets te hebben gestolen en had hij de racismekaart uitgespeeld door te beweren dat meneer Li hem alleen beschuldigde omdat hij zwart was. Een nogal lachwekkende verdediging aangezien negenennegentig procent van Li's klanten zwart was. Maar Li had de politie niet gebeld. Hij had de jongen zijn winkel uit gejaagd en tegen hem gezegd dat hij nooit meer terug moest komen. Mevrouw Li had Chu verteld dat de jongen, voordat hij was weggegaan, had geroepen dat hij zou terugkomen om Li's kop van zijn romp te schieten. Waarop Li het pistool uit de holster onder de toonbank had getrokken, het op de jongen had gericht en had geantwoord dat hij dat dan maar moest proberen.

Dit betekende dat de tiener wist van het wapen dat Li onder zijn toonbank had. Als hij van plan was zijn dreigement waar te maken, zou hij snel moeten handelen wanneer hij de winkel binnenkwam, en Li moeten neerschieten voordat die zijn pistool kon trekken.

Mevrouw Li zou de volgende ochtend de boeken met foto's van bendeleden doornemen om te zien of de jongen ertussen zat. Als hij lid was van de Hoover Street Criminals, was er een kans dat ze zijn foto hadden.

Maar Bosch was er niet echt van overtuigd dat het hier om een bruikbare aanwijzing ging, of dat de jongen een potentiële verdachte was. De indruk die hij van de plaats delict had gekregen was niet die van een wraakactie. Natuurlijk moesten ze het spoor volgen en de jongen verhoren, maar Bosch verwachtte niet dat ze de zaak hiermee zouden afronden. Dat zou te gemakkelijk zijn, en de zaak had aspecten die dat tegenspraken.

Naast het kantoor van de hoofdinspecteur was een grote spreekkamer met een lange vergadertafel. Gewoonlijk aten de rechercheurs er hun lunch op en af en toe werd de kamer gebruikt voor privégesprekken of werkbesprekingen van onderzoeken waaraan meer dan één rechercheteam werkte. Nu iedereen naar huis was, had Bosch de spreekkamer geconfisqueerd en had hij de foto's van de plaats delict, net binnen van de technische recherche, op de tafel uitgelegd.

Hij had dat gedaan in een soort mozaïek van elkaar overlappende foto's die tezamen een totaalbeeld van de hele plaats delict vormden. Het leek wel wat op het fotografische werk van de Engelse kunstenaar David Hockney, die een tijdje in Los Angeles had gewoond en die fotocollages maakte van scènes en landschappen die hij in het zuiden van Californië fotografeerde. Bosch was bekend geraakt met de collages en de kunstenaar omdat Hockney een tijdje zijn buurman was geweest toen hij in het heuvelland boven de Cahuenga-vallei woonde. Hoewel Bosch nooit echt met Hockney had kennisgemaakt, voelde hij toch een zekere verwantschap met de kunstenaar omdat het altijd Harry's gewoonte was geweest om foto's van plaatsen delict in mozaiekvorm uit te leggen, in een poging op die manier nieuwe details of een andere invalshoek te vinden. Hockney deed in principe hetzelfde in zijn werk.

Nu Bosch naar de foto's keek, terwijl hij af en toe een slokje uit zijn mok zwarte koffie nam, ging zijn aandacht het eerst uit naar dezelfde dingen die hem waren opgevallen toen hij zelf op de plaats delict was geweest. De flessen Hennessy, vooraan in het midden, in een onaangeroerde rij vlak achter de toonbank. Harry vond het moeilijk te geloven dat de moord door iemand van een van de straatbendes was gepleegd, omdat hij ten zeerste betwijfelde dat een bendelid wel het geld maar geen enkele fles Hennessy zou meenemen. De fles dure cognac zou als een trofee worden gezien. En ze stonden daar binnen handbereik, helemaal als de dader zich over de toonbank had gebogen of eromheen was gelopen om een eventueel gevallen patroonhuls op te rapen. Waarom had hij dan niet ook een fles Hennessy gepakt?

Bosch kwam tot de conclusie dat ze op zoek moesten naar een dader die niet van cognac hield. Een dader die geen lid van een straatbende was.

Het volgende punt van aandacht waren de schotwonden in de borst van het slachtoffer. Voor Bosch waren die alleen al genoeg om de mysterieuze winkeldief als verdachte uit te sluiten. Drie schoten in de borst lieten er geen twijfel over bestaan dat het om een doelbewuste moord ging. Maar het slachtoffer was niet in het gezicht geschoten en dat leek te weerspreken dat het hier ging om een door woede of wraak gemotiveerde moord. Bosch had talloze moorden onderzocht, waarbij in de meeste gevallen een vuurwapen was gebruikt, en hij wist dat een schot in het gezicht er meestal op duidde dat de moord persoonlijk was en dat de dader het slachtoffer op de een of andere manier had gekend. Daarom kon het tegenovergestelde ook waar zijn. Drie schoten in de borst was niet persoonlijk. Dat was zakelijk. Bosch was ervan overtuigd dat hun onbekende winkeldief niet hun dader was. In plaats daarvan moesten ze op zoek naar iemand die mogelijk voor John Li een volslagen onbekende was. Iemand die op zijn dooie gemak de winkel was binnengekomen, Li drie keer in de borst had geschoten, vervolgens het geld uit de kassa had gehaald, zijn hulzen had opgeraapt en naar het magazijntje was gelopen om de disk uit de recorder van de beveiligingscamera te halen.

Bosch wist ook dat dit hoogstwaarschijnlijk niet de eerste moord van de dader was. Hij zou de volgende ochtend op zoek moeten gaan naar soortgelijke moorden in Los Angeles en de omliggende steden.

Toen Bosch naar de foto van Li's gezicht keek, zag hij opeens iets nieuws. Het bloed zat in vegen op de wang en de kin. En nog iets: de tanden waren schoon. Er zat geen bloed op.

Bosch hield de foto dichter bij zijn gezicht en probeerde de betekenis hiervan te zien. Hij was ervan uitgegaan dat het om opgehoest bloed ging. Bloed dat uit de doorboorde longen omhoog was gekomen toen hij wanhopig naar adem hapte. Maar hoe had dat kunnen gebeuren zonder dat er bloed op de tanden was gekomen?

Hij legde de foto weer neer en zocht in zijn mozaïek naar de rechterhand van het slachtoffer. Die lag langs zijn zij. Er zat bloed op de duim en de vingers, en er was wat in de handpalm gedruppeld.

Bosch keek weer naar de vegen bloed op het gezicht. Opeens besefte hij dat Li zijn hand niet in een of andere instinctieve reactie op de wond in zijn borst had gedrukt, maar dat hij zijn bebloede hand naar zijn mond had gebracht. Of eigenlijk ging het om twee handelingen. Li had met zijn hand naar zijn borst gegrepen, waardoor er bloed op was gekomen, en toen had hij het bloed met dezelfde hand naar zijn mond overgebracht.

De vraag was: waarom? Maakten deze handelingen deel uit van de laatste stuiptrekkingen voordat de dood intreedt, of had Li iets anders gedaan?

Bosch haalde zijn mobiele telefoon tevoorschijn en belde het onderzoeksbureau van het mortuarium. Hij had het nummer onder een snelkeuzetoets staan. Hij keek op zijn horloge terwijl het toestel aan de andere kant overging. Het was tien minuten na middernacht.

'Mortuarium.'

'Is Cassel er nog?'

Max Cassel was degene die de plaats delict bij Fortune Liquors had onderzocht en die het stoffelijk overschot had afgevoerd.

'Nee, hij is net… o, wacht, ik zie hem nog.'

Bosch werd doorverbonden en Cassel nam op.

'Het kan me niet schelen wie je bent, ik ben weg. Ik ben alleen teruggekomen om mijn koffiewarmer te halen.'

Bosch wist dat Cassel in Palmdale woonde, wat minstens een uur rijden was. Een koffiemok met een verwarmingselement dat je in de sigarettenaansteker op je dashboard kon pluggen was een must voor iemand die zo lang in de auto moest zitten.

'Met Bosch. Ligt mijn man al in een van je laden?'

'Nee, alle laden zijn bezet. Hij ligt in koelcel 3. Maar ik ben klaar met hem en ik ga nu naar huis, Bosch.'

'Dat begrijp ik. Ik heb één korte vraag voor je. Heb je in zijn mond gekeken?'

'Hoe bedoel je, "in zijn mond gekeken"? Natuurlijk heb ik in zijn mond gekeken. Dat is mijn werk.'

'En zat er niks in? Niks in de mond of de keel?'

'Ja, er zat iets in.'

Bosch' adrenaline begon onmiddellijk te stromen.

'Waarom heb je me niet gebeld? Wat heb je gevonden?'

'Zijn tong.'

De adrenalinestroom werd afgekapt en Bosch' hoop verdween toen Cassel begon te grinniken. Harry dacht dat hij iets had ontdekt.

'Erg leuk. En bloed?'

'Ja, een kleine hoeveelheid bloed op de tong en in de keel. Het staat in mijn rapport, dat je morgen krijgt.'

'Maar drie schoten. Zijn longen moeten eruitzien als een Zwitserse kaas. Moet er niet heel veel bloed zijn vrijgekomen?'

'Niet als hij op slag dood was. Als de eerste kogel zijn hart heeft geraakt en het is opgehouden met pompen. Hoor eens, ik moet nu echt gaan, Bosch. Je staat op de lijst voor morgen twee uur, met Laksmi. Je kunt al je vragen aan haar stellen.'

'Dat zal ik zeker doen. Maar ik praat nu met jou. Ik denk dat we iets over het hoofd hebben gezien.'

'Waar heb je het over?'

Bosch tuurde naar de foto's op tafel, liet zijn blik van de hand naar het gezicht gaan.

'Ik denk dat hij iets in zijn mond heeft gestopt.'

'Wie?'

'Het slachtoffer, meneer Li.'

Het bleef even stil aan de andere kant van de lijn terwijl Cassel hierover nadacht en zich waarschijnlijk probeerde te herinneren of hij iets over het hoofd gezien kon hebben.

'Nou, als dat zo is, ben ik het in de mondholte niet tegengekomen. Als het iets is wat hij heeft doorgeslikt, dan is het mijn werkterrein niet. Dat is Laksmi's werk, en ze zal het zeker vinden, wat het ook is... morgen.'

'Maak je een aantekening voor haar, dat ze er extra op let?'

'Bosch, ik probeer al een tijdje naar huis te gaan. Je kunt het morgen zelf tegen haar zeggen, als je de autopsie komt bijwonen.'

'Dat weet ik, maar maak er toch maar een aantekening van, voor de zekerheid.'

'Oké, als je het per se wilt. Ik zal een briefje voor haar neerleggen. Je weet dat we hier geen overuren meer uitbetaald krijgen, Bosch.'

'Ja, ik weet het. Wij ook niet. Bedankt, Max.'

Bosch klapte zijn telefoon dicht en besloot de foto's verder met rust te laten. De autopsie zou bepalen of zijn vermoeden juist was en tot het zover was kon hij weinig doen.

Er waren twee plastic bewijszakjes met daarin de disks die naast de recorder waren gevonden. Beide in een dun, plastic doosje. Op de twee doosjes was met een fineliner een datum geschreven. Op het ene stond '1/9', wat precies een week geleden was, en op het andere '27/8'. Bosch liep ermee naar de beeldapparatuur achter in het vertrek en deed eerst de disk van 27 augustus in de dvd-speler.

De beelden waren in split screen. De ene beeldhoek toonde het voorste deel van de winkel, met de toonbank en de kassa, en de andere de achterste helft. Bovenin liep een timer mee en stond de datum vermeld. Alles wat er in de winkel gebeurde werd in real time weergegeven. Wat inhield, besefte Bosch, aangezien de winkel van 's morgens elf uur tot 's avonds tien uur open was, dat hij tweeëntwintig uur beelden te bekijken had, tenzij hij de *fast forward*-knop gebruikte.

Hij keek weer op zijn horloge. Hij kon de nacht doorwerken en proberen erachter te komen waarom John Li deze twee disks apart had gelegd, of hij kon nu naar huis gaan en wat rust pakken. Je wist nooit waar een zaak je zou brengen en goed uitgerust zijn was altijd belangrijk. Bovendien wees niets erop dat deze twee disks iets met de moord te maken hadden. De dvd die in het apparaat had gezeten was meegenomen. Dat was de belangrijke, en die was weg.

Ach, wat kan het me schelen, dacht Bosch. Hij besloot de eerste dvd te bekijken om te zien of hij het mysterie kon ontrafelen. Hij sleepte een stoel naar de tafel, installeerde zich voor de tv en zette de afspeelsnelheid op vier keer de normale snelheid. Op die manier kon hij in amper drie uur door de eerste dvd racen. Daarna zou hij naar huis gaan om een paar uur te slapen en de volgende ochtend zou hij tegelijk met de anderen weer op het bureau zijn.

'Goed plan,' zei hij tegen zichzelf.

5

Bosch werd ruw uit zijn slaap gewekt en toen hij zijn ogen opende stond hoofdinspecteur Gandle over hem heen gebogen. Het duurde even voordat Harry normaal kon nadenken en begreep waar hij was.

'Meneer?'

'Wat doe je in mijn kantoor, Bosch?'

Bosch ging rechtop op de bank zitten.

'Ik, eh... ik heb hiernaast de beelden van de bewakingscamera zitten bekijken en het is zo laat geworden dat het niet meer de moeite was om naar huis te gaan. Hoe laat is het?'

'Bijna zeven uur, maar dat verklaart niet wat je in mijn kantoor doet. Toen ik gisteren naar huis ging heb ik de deur op slot gedraaid.'

'O ja?'

'Ja, echt.'

Bosch knikte en deed alsof hij nog niet helemaal wakker was. Hij was wel blij dat hij zijn slothaakjes in zijn portefeuille had opgeborgen nadat hij het slot had geforceerd. Gandle was de enige met een bank in het hele hoofdbureau.

'Misschien zijn de schoonmakers geweest en hebben ze vergeten de deur op slot te doen,' probeerde hij.

'Nee, want die hebben geen sleutel van mijn kantoor. Hoor eens, Harry, ik vind het niet erg dat er iemand op mijn bank slaapt. Maar als de deur op slot zit, heeft dat een reden. Ik vind het niet prettig wanneer mensen mijn deur openmaken als ik die op slot heb gedaan.'

'U hebt helemaal gelijk, meneer. Denkt u dat we in de teamkamer misschien een bank kunnen krijgen?'

'Ik zal erover nadenken, maar daar gaat het nu niet om.'

Bosch stond op.

'De boodschap is duidelijk. Dan ga ik nu maar aan het werk.'

'Ho. Vertel over de beelden die je vannacht hebt zitten bekijken.'

Bosch gaf een korte samenvatting van wat hij had gezien toen hij ruim vijf uur, tot vroeg in de ochtend, de twee dvd's had zitten bekijken en hoe John Li hun, zonder het zich bewust te zijn, een mogelijk heel bruikbare aanwijzing had gegeven.

'Zal ik het u laten zien in de spreekkamer?'

'Laten we wachten tot je partner er is. Dan kijken we er met z'n drieën naar. Ga eerst een kop koffie halen.'

Bosch liet Gandle achter in zijn kantoor en liep de teamkamer door. Het was een onpersoonlijke doolhof van werkplekken en geluidsschermen. Dezelfde stilte als in een verzekeringskantoor, en het was zelfs zo dat Bosch zich moeilijk kon concentreren omdat het er gewoon te stil was. Er was nog niemand, maar dat zou snel veranderen. Gandle was altijd als eerste op het bureau. Hij gaf graag het goede voorbeeld.

Harry ging naar beneden, naar de kantine, die om zeven uur openging maar waar ook nog niemand was, aangezien het merendeel van het politiepersoneel nog steeds vanuit Parker Center werkte. De verhuizing naar het nieuwe hoofdbureau vond in trage stappen plaats. Eerst enkele recherchediensten, dan de administratie en uiteindelijk het overige personeel. Een stappenplan dat hen moest ontzien, en het zou nog zeker twee maanden duren voordat het nieuwe hoofdbureau volledig operatief was. Voor nu hield dat in dat hij in de kantine niet in de rij hoefde te gaan staan, maar ook dat er nog geen volledig menu te krijgen was. Bosch nam een typisch politieontbijt: twee donuts en een kop koffie. Hij nam ook een kop koffie voor Ferras mee. Hij propte de donuts in zijn mond terwijl hij suiker en room in Ferras' koffie deed en ging met de lift naar boven. Zoals verwacht zat Ferras achter zijn bureau toen Bosch de teamkamer binnenkwam. Bosch zette de kop koffie voor hem neer en liep naar zijn eigen werkplek.

'Bedankt, Harry,' zei Ferras. 'Ik had kunnen weten dat je er eerder... hé, dat pak had je gisteren ook aan. Je wilt toch niet zeggen dat je vannacht hebt doorgewerkt?'

Bosch ging achter zijn bureau zitten.

'Ik heb een paar uur op de bank van de baas geslapen. Hoe laat komen mevrouw Li en haar zoon?'

'Tien uur, hebben we afgesproken. Hoezo?'

'Ik denk dat we iets moeten doen voordat ze komen. Ik heb vannacht die extra disks van de bewakingscamera bekeken.'

'Wat heb je gevonden?'

'Neem je koffie mee, dan laat ik het je zien. De baas wil ook meekijken.'

Tien minuten later stond Bosch met de afstandsbediening bij de afspeelapparatuur en hadden Ferras en Gandle aan het hoofd van de tafel plaatsgenomen. Hij had de dvd van 1 september naar het juiste tijdstip gedirigeerd en had het beeld stilgezet totdat hij klaar was om te beginnen.

'Oké, onze dader heeft de disk uit de recorder gehaald, dus we hebben geen beelden van wat er gisteren in de winkel is gebeurd. Maar er waren nog twee disks, die hij heeft laten liggen, één van 27 augustus en één van 1 september. Dit is de disk van 1 september, wat gisteren precies een week geleden was. Kunnen jullie me volgen?'

'Ik volg je,' zei Gandle.

'Nou, wat meneer Li aan het doen was, was het in kaart brengen van vermeende winkeldieven. De overeenkomst tussen deze twee disks is dat op beide dagen dezelfde twee jongens de winkel binnenkomen, van wie de ene naar de toonbank loopt om een pakje sigaretten te kopen en de andere doorloopt naar het gangpad met de sterkedrank. De eerste jongen leidt Li's aandacht af van zijn partner en van de cameramonitor achter de toonbank. Terwijl Li de sigaretten voor hem pakt, stopt die andere jongen een paar flessen wodka in zijn broek en pakt hij een derde om die af te rekenen bij de kassa. Als hij daar is, trekt hij zijn portefeuille, ziet dat hij zijn geld is vergeten, laat de fles staan en loopt zonder iets te kopen met de andere jongen de winkel uit. Ze doen dat op beide dagen, waarbij ze wisselen van rol. Ik denk dat Li de disks daarom apart had gelegd.'

'Denk je dat hij ze wilde aangeven, of zo?' vroeg Ferras.

'Zou kunnen,' zei Bosch. 'Als hij ze op dvd had staan, had hij iets om aan de politie te laten zien.'

'Is dit je vondst?' vroeg Gandle. 'Heb je hier de hele nacht voor doorgewerkt? Ik heb het rapport gelezen en ik denk dat de jongen die Li dreigde hem voor zijn kop te schieten me als verdachte beter bevalt.'

'Nee, dit is mijn vondst niet,' zei Bosch geërgerd. 'Ik leg jullie alleen uit waarom Li deze disks heeft bewaard. Hij heeft ze apart gelegd omdat hij vermoedde dat die jongens hem iets hadden geflikt en omdat hij de beelden daarvan wilde bewaren. Maar onbedoeld heeft hij op de disk van 1 september ook nog iets anders vastgelegd.'

Bosch drukte op *play* en het beeld kwam in beweging. In split screen was te zien dat er niemand in de winkel was en dat meneer Li achter de toonbank stond. In de linkerbovenhoek meldde de timer dat het 15.03 uur was op dinsdag 1 september.

De winkeldeur ging open en er kwam een klant binnen. Hij maakte een achteloos groetend gebaar naar Li achter de toonbank en liep door naar de gangpaden met de flessen drank. Het beeld was nogal korrelig, maar de drie kijkers konden duidelijk zien dat het ging om een Aziatische man van begin dertig. Hij verscheen in het beeld van de tweede camera, liep door naar de koelkast achter in de winkel en haalde er een enkel blikje bier uit. Vervolgens liep hij ermee naar de toonbank.

'Wat gaat hij doen?' vroeg Gandle.

'Kijk nou maar,' zei Bosch.

Bij de toonbank zei de klant iets tegen Li, die daarop boven zich reikte en een pakje Camel-sigaretten uit het rek haalde. Hij legde het op de toonbank en deed het blikje bier in een bruinpapieren zak.

De klant had een indrukwekkende lichaamsbouw. Hoewel hij vrij klein en gedrongen was, had hij brede schouders en forse armen. Hij legde een bankbiljet op de toonbank, Li pakte het en deed de geldla van de kassa open. Hij legde het bankbiljet in het meest rechtse vakje van de geldla, haalde er diverse andere bankbiljetten uit als wisselgeld en legde die op de toonbank. De klant pakte ze op en stak ze in zijn zak. Hij klemde het pakje sigaretten onder zijn arm, pakte zijn blikje bier van de toonbank en richtte de wijsvinger van zijn andere hand als een pistool op Li. Hij boog zijn duim alsof hij met het pistool schoot, draaide zich om en liep de winkel uit.

Bosch stopte de beelden.

'Wat was dat?' vroeg Gandle. 'Was dat een dreigement, met die vinger? Is dat alles wat je hebt?'

Ferras zei niets, maar Bosch was er vrij zeker van dat zijn jonge partner had gezien wat Harry was opgevallen. Hij draaide de beelden terug naar het begin en speelde ze opnieuw af.

'Wat zie je, Ignacio?'

Ferras kwam naar voren zodat hij iets kon aanwijzen op het beeldscherm.

'Ten eerste is die knaap een Aziaat. Dus hij komt niet uit de buurt.'

Bosch knikte.

'Ik heb tweeëntwintig uur beelden zitten bekijken,' zei hij. 'Afgezien van Li en zijn vrouw is dit de enige Aziaat die ik in de winkel heb gezien. Wat nog meer, Ignacio?'

'Let op het geld,' zei Ferras. 'Hij krijgt meer terug dan hij betaalt.'

Op het tv-scherm haalde Li de bankbiljetten uit de geldla.

'Moet je zien, hij legt het geld van die knaap in de la en haalt er dan geld uit om aan hem terug te geven, waaronder het bankbiljet dat hij zonet heeft gekregen. Dus die gast krijgt zijn biertje en zijn sigaretten voor niks en zelfs nog geld op de koop toe.'

Bosch knikte. Ferras was in vorm.

'Hoeveel krijgt hij?' vroeg Gandle.

Dat was een goede vraag, want de beelden waren te korrelig om cijfers op de bankbiljetten te kunnen onderscheiden.

'De geldla heeft vier vakjes,' zei Bosch. 'Dus voor biljetten van één, vijf, tien en twintig dollar. Ik heb dit gedeelte vannacht vertraagd afgespeeld. Hij legt het geld van de klant in het vierde vakje. Voor een pakje sigaretten en een biertje mogen we ervan uitgaan dat het om een biljet van twintig gaat. En áls dat zo is, dan geeft hij hem een biljet van één, vijf en tien dollar terug, plus nog eens elf biljetten van twintig. Tien van twintig, als je het geld van de Aziaat niet meetelt.'

'Afpersing,' zei Ferras.

'Tweehonderdzesendertig dollar?' vroeg Gandle. 'Lijkt een raar bedrag, en je kunt zien dat er nog meer geld in de kassa zit. Dus het is afgesproken.'

'Eigenlijk is het tweehonderdzestien dollar,' zei Ferras, 'als je de twintig van die knaap zelf er aftrekt.'

'Dat is zo,' zei Bosch.

Zonder iets te zeggen bleven ze alle drie enige tijd naar het stilstaande beeld op het tv-scherm kijken.

'Dus, Harry…' zei Gandle ten slotte. 'Jij hebt een paar uur de tijd gehad om hierover na te denken. Wat maak je hieruit op?'

Bosch wees naar de timer boven aan het scherm.

'Deze betaling is precies een week voor de moord gedaan. Om drie uur op dinsdag een week geleden. Afgelopen dinsdag omstreeks drie uur wordt meneer Li doodgeschoten. Misschien heeft hij deze week geweigerd te betalen.'

'Of hij had er het geld niet voor,' voegde Ferras eraan toe. 'De zoon vertelde ons gisteren dat de zaken slecht gingen en dat de opening van de winkel in de Valley hun bijna de kop heeft gekost.'

'Dus de oude man zegt nee en wordt doodgeschoten,' zei Gandle. 'Is dat niet een beetje extreem? Je kunt hem doodschieten, maar – zoals ze in de financiële wereld zeggen – dan help je wel je eigen geldbron om zeep.'

Ferras haalde zijn schouders op.

'Mevrouw Li en de zoon zijn er ook nog,' zei hij. 'Die zullen de boodschap zeker ter harte nemen.'

'Ze komen om tien uur om hun verklaring af te leggen,' meldde Bosch.

Gandle knikte.

'Hoe gaan jullie dit aanpakken?' vroeg hij.

'We zetten mevrouw Li bij Chu, de man van de AGU, en Ignacio en ik praten met de zoon. We moeten te weten zien te komen wat er precies aan de hand is.'

Gandles doorgaans nogal chagrijnige gezicht klaarde op. Hij was blij met de vordering in de zaak en de aanwijzing die was blootgelegd.

'Oké, heren, ik wil op de hoogte worden gehouden,' zei hij.

'Zodra we iets weten,' zei Bosch.

Gandle liep de spreekkamer uit en Bosch en Ferras bleven bij het tv-scherm staan.

'Knap werk, Harry. Je hebt hem blij gemaakt.'

'Hij zal nog veel blijer zijn als we deze zaak hebben opgehelderd.'

'Wat denk je er zelf van?'

'Ik denk dat we een paar dingen moeten doen voordat de familie Li arriveert. Ga jij naar het lab en kijk hoever ze zijn. Kijk of ze klaar zijn met de kassa. Neem hem mee hiernaartoe, als het kan.'

'En jij?'

Bosch zette de tv uit en haalde de disk uit de speler.

'Ik ga een praatje met rechercheur Chu maken.'

'Denk je dat hij iets voor ons achterhoudt?'

'Dat ga ik nu uitzoeken.'

6

De AGU maakte deel uit van de Gang & Operations Support Division, die leiding gaf aan undercover operaties en de daarvoor benodigde mensen leverde. Om die reden was de GOSD gevestigd in een onopvallend kantoorpand op een paar blokken afstand van het hoofdbureau. Bosch besloot te gaan lopen, want hij wist dat het meer tijd kostte om zijn auto uit de garage te halen, zich door het verkeer te worstelen en daar weer een parkeerplek te vinden. Om half negen stond hij voor de deur van de AGU, drukte op de bel maar kreeg geen reactie. Hij haalde zijn mobiele telefoon tevoorschijn en wilde net rechercheur Chu bellen toen hij een bekende stem achter zich hoorde.

'Goeiemorgen, rechercheur Bosch. Ik had je hier niet verwacht.'

Bosch draaide zich om. Het was Chu, die kwam aanlopen met zijn koffertje in de hand.

'Prettige werktijden houden jullie er hier op na,' zei Bosch.

'Ja, we houden het graag luchtig.'

Bosch deed een stap achteruit zodat Chu met zijn pasje de deur kon openen.

'Kom verder.'

Chu ging hem voor naar een kleine teamkamer met een twaalftal bureaus en aan de rechterkant het kantoor van de hoofdinspecteur. Chu liep naar een van de bureaus en zette zijn koffertje op de grond.

'Wat kan ik voor je doen?' vroeg hij. 'Ik zou om tien uur, als mevrouw Li er is, toch naar jullie toe komen?'

Chu wilde gaan zitten, maar Bosch bleef staan.

'Ik wil je iets laten zien. Hebben jullie hier een videokamer?'

'Ja, deze kant op.'

De AGU had vier verhoorkamers achter de teamkamer. Een daarvan was ingericht als videoruimte, met de standaard-tv op een verrijdbare trolley en de afspeelapparatuur eronder. Maar Bosch zag dat er in de trolley ook een printer stond, en dat was iets wat ze in de team-kamer van Berovingen-Moordzaken nog niet hadden.

Bosch gaf de dvd van Fortune Liquors aan Chu, die hem in de spe-ler schoof. Bosch pakte de afstandsbediening en toetste '15.00 uur' op de timer in.

'Ik wil dat je goed kijkt naar de man die binnenkomt,' zei hij.

Chu keek zwijgend naar het scherm toen de Aziatische man de win-kel binnenkwam, een blikje bier en een pakje sigaretten kocht en daar-voor geld toekreeg.

'Was dat het?' vroeg hij toen de klant de winkel had verlaten.

'Ja, dat was het.'

'Kun je het nog een keer afspelen?'

'Ja zeker.'

Bosch ging twee minuten terug, drukte op play en zette het beeld stil toen de klant zich van de toonbank wegdraaide om de winkel uit te gaan. Vanaf dat moment speelde hij de opname beeld voor beeld af en zette hem stil toen het gezicht van de man zo duidelijk mogelijk zicht-baar was.

'Ken je hem?' vroeg Bosch.

'Nee, natuurlijk niet.'

'Wat heb je zonet gezien?'

'Zo te zien een betaling aan een of andere afperser. Hij kreeg meer geld terug dan hij betaalde.'

'Ja, tweehonderdzestien dollar, plus zijn eigen twintig. We hebben het geteld.'

Bosch zag Chu's wenkbrauwen omhooggaan.

'Wat betekent dat?' vroeg Bosch.

'Nou, waarschijnlijk houdt dat in dat we te maken hebben met iemand van een triade,' zei Chu op zakelijke toon.

Bosch knikte. Hij had nooit eerder een triademoord onderzocht, maar hij was bekend met de zogenaamde geheime genootschappen in China, die lang geleden de oceaan waren overgestoken en nu actief waren in de meeste grote Amerikaanse steden. Los Angeles, met zijn hoge percentage Chinese inwoners, was een van de koplopers op dat punt, net als San Francisco, New York en Houston.

'Hoe weet je dat hij van een triade is?'

'Je zei dat hij die man tweehonderdzestien dollar heeft betaald, toch?'

'Dat klopt. Li gaf die knaap zijn eigen geld terug, plus tien biljetten van twintig, een van tien, een van vijf en een van een. Wat houdt dat in?'

'Afpersing door triades vindt plaats door wekelijkse betalingen door kleinere winkeliers die bescherming willen. Het bedrag dat betaald moet worden is meestal honderdacht dollar. Tweehonderdzestien is dus een dubbele betaling.'

'Waarom honderdacht? Heffen ze soms belasting boven op hun belasting? Dragen ze die extra acht dollar af aan de staat of zoiets?'

Chu ging niet in op het sarcasme in Bosch' stem en antwoordde heel geduldig, alsof hij een moeilijk lerend kind tegenover zich had.

'Nee, rechercheur, daar komt het bedrag niet vandaan. Ik zal je een korte geschiedenisles geven, hopelijk begrijp je er dan iets van.'

'Graag,' zei Bosch.

'Het ontstaan van de triades vond plaats in het China van de zeventiende eeuw. Er was een Shaolin-klooster waar honderddertien monniken woonden. Boeddhistische monniken. Troepen uit Mantsjoerije deden er een inval en moordden op vijf na alle monniken uit. Die vijf monniken vormden geheime genootschappen die maar één doel hadden: de bezetter verslaan. Zo werden de triades geboren. Maar in de loop der eeuwen zijn die flink veranderd. Ze lieten hun politieke en patriottische motieven varen en werden criminele organisaties. Net als de Italiaanse en Russische maffia gingen ze zich vooral toeleggen op afpersing en bescherming. Om de geest van de afgeslachte monniken te eren was het bedrag dat men afperste honderdacht dollar, of een veelvoud ervan.'

'Dus vijf monniken overleefden het, niet drie,' zei Bosch. 'Waar komt de naam "triade" dan vandaan?'

'Omdat iedere monnik zijn eigen triade begon. *Tian di hui.* Dat staat voor het genootschap van hemel en aarde. Elke groep had zijn eigen vlag, een driehoekige vlag, die de relatie tussen hemel, aarde en mens symboliseerde. Daardoor werden ze bekend als triades.'

'Geweldig. En toen hebben ze die hiernaartoe gebracht.'

'Ze zijn hier al heel lang. Maar zíj hebben ze niet hier gebracht. Dat hebben de Amerikanen zelf gedaan toen ze goedkope Chinese arbeidskrachten ronselden om hier de spoorwegen aan te leggen.'

'En ze persen hun eigen mensen af.'

'Voor het merendeel, ja. Maar meneer Li was een gelovig man. Heb je gisteren het boeddhistische altaartje in het magazijn niet gezien?'

'Nee, dat is me ontgaan.'

'Ik zag het en heb zijn vrouw erover gevraagd. Meneer Li was heel gelovig. Hij geloofde in de geest. Voor hem was geld aan een triade betalen misschien hetzelfde als een offer brengen aan een geest. Aan een voorouder. Kijk, jij bent op dit punt een buitenstaander, rechercheur Bosch. Als je van jongs af aan is aangeleerd dat een deel van je geld naar de triades gaat, net zoals jullie geld naar de belastingdienst gaat, dan zou je jezelf niet als slachtoffer van afpersing zien. Dan zou je het accepteren als een gegeven, als iets wat gewoon bij het leven hoort.'

'De belastingdienst schiet je geen drie kogels in de borst als je niet betaalt.'

'Geloof je echt dat meneer Li door deze man of door een triade is omgebracht?'

Chu wees naar de man op het scherm en hij klonk bijna verontwaardigd toen hij de vraag stelde.

'Ik denk dat het de beste aanwijzing is die we op dit moment hebben,' bracht Bosch ertegen in.

'En de aanwijzing die we van mevrouw Li hebben gekregen? Het bendelid dat haar man op zaterdag heeft bedreigd?'

Bosch schudde zijn hoofd.

'Er zijn te veel dingen die dat weerspreken. Toch wil ik haar de fotoboeken laten doornemen en misschien kunnen we de jongen identificeren, maar zelf geloof ik er niet in.'

'Ik begrijp het niet. Hij zei dat hij zou terugkomen om meneer Li te vermoorden.'

'Nee, hij zei dat hij zou terugkomen om zijn kop van zijn romp te schieten. Meneer Li is in de borst geschoten. Dit was geen moord in een vlaag van woede, rechercheur Chu. Het klopt gewoon niet. Maar maak je geen zorgen, we zullen het nagaan, ook al is het waarschijnlijk tijdverspilling.'

Hij wachtte tot Chu zou reageren, maar dat deed de jongere rechercheur niet. Ten slotte wees Bosch naar de tijdsaanduiding boven aan het scherm.

'Li is vermoord omstreeks dezelfde tijd op dezelfde dag van de week. We moeten ervan uitgaan dat Li regelmatig zijn betalingen deed. En we moeten er rekening mee houden dat deze man in de winkel was toen Li werd doodgeschoten. Dat maakt hem tot een betere verdachte.'

De videokamer was heel klein en ze hadden de deur opengelaten.

Bosch liep er nu naartoe, deed hem dicht en keek Chu weer aan.

'Dus nu wil je me wijsmaken dat jij hier gisteren geen idee van had?'

'Natuurlijk had ik er geen idee van.'

'Mevrouw Li heeft niks gezegd over betalingen aan de plaatselijke triade?'

Chu verstrakte. Hij was een stuk kleiner dan Bosch, maar hij nam een houding aan alsof hij bereid was met Bosch op de vuist te gaan.

'Wat wil je daarmee zeggen, Bosch?'

'Ik wil zeggen dat dit jóúw wereld is en dat je het me had moeten vertellen. Ik heb dit bij toeval ontdekt. Li heeft die disks bewaard omdat er een winkeldief op staat. Niet vanwege de afpersing.'

Ze stonden nu recht tegenover elkaar op amper een halve meter afstand.

'Nou, voor mij was er gisteren niks wat daarop wees,' zei Chu. 'Ik ben erbij geroepen om voor tolk te spelen. Je hebt me niet om mijn mening gevraagd, nergens over. Je hebt me bewust buitengesloten, Bosch. Misschien, als je me er meer bij had betrokken, zou ik iets gezien of gehoord kunnen hebben.'

'Wat een gelul. Je bent geen getrainde rechercheur om er met je duim in je mond bij te staan. We hoeven je niet uit te nodigen om iemand iets te vragen.'

'Met jou misschien wel.'

'En wat mag dat dan wel betekenen?'

'Dat betekent dat ik je heb geobserveerd, Bosch. Ik heb gezien hoe je met mevrouw Li en haar zoon… en met mij omgaat.'

'O, daar gaan we weer.'

'Waar was het, Vietnam? Je hebt in Vietnam gediend, hè?'

'Doe niet alsof je iets van me weet, Chu.'

'Ik weet wat ik zie, en ik heb het al zo vaak gezien. Ik kom niet uit Vietnam, rechercheur. Ik ben Amerikaans staatsburger. Ik ben hier geboren, net als jij.'

'Zeg, kunnen we dit verder laten rusten en doorgaan met de zaak?'

'Wat je wilt. Jij hebt de leiding.'

Chu zette zijn handen in zijn zij en keerde zich naar het tv-scherm. Bosch probeerde zijn emoties tot bedaren te brengen. Hij moest toegeven dat Chu gelijk had. En hij geneerde zich ervoor dat hij zich zo gemakkelijk had laten kennen als iemand die met een rassenvooroordeel uit Vietnam was teruggekeerd.

'Goed dan,' zei hij. 'Misschien was het fout van me hoe ik me gisteren tegen je heb gedragen. Het spijt me. Maar nu betrek ik je erbij en wil ik alles weten wat jij weet. Zonder reserves.'

Chu ontspande zich ook.

'Ik heb je net alles verteld. Het enige waar ik nog over nadenk is die tweehonderdzestien dollar.'

'Wat is daarmee?'

'Een dubbele betaling. Misschien was meneer Li een week in gebreke gebleven. Misschien had hij geen geld. Zijn zoon zei dat de zaken niet zo goed gingen.'

'Dus misschien heeft dat hem zijn leven gekost.'

Bosch wees weer naar het beeldscherm.

'Kun je hier een print van maken?'

'Ja. En ik wil er ook een voor mezelf.'

Chu boog zich naar de printer en drukte twee keer op de knop. Even later kwamen er twee exemplaren van de foto uit het apparaat schuiven.

'Hebben jullie fotoboeken?' vroeg Bosch. 'Observatiedossiers?'

'Natuurlijk,' zei Chu. 'Ik zal proberen hem te identificeren. Ik zal navraag doen.'

'Hij hoeft niet te weten dat we naar hem op zoek zijn.'

'Bedankt, rechercheur. Maar dat begreep ik zelf ook al.'

Bosch reageerde niet. Hij had zich alweer vergaloppeerd. Hij wist zich niet goed raad met Chu. Het kostte hem moeite hem te vertrouwen, merkte hij, ook al werkten ze voor dezelfde baas.

'Ik zou ook een print van die tatoeage willen,' zei Chu.

'Welke tatoeage?' vroeg Bosch.

Chu nam de afstandsbediening over van Bosch en spoelde een stukje terug. Uiteindelijk zette hij het beeld stil op het moment dat de man zijn linkerhand uitstak om het geld van meneer Li aan te pakken. Chu zette het topje van zijn wijsvinger op de maar net zichtbare tekening aan de binnenkant van de onderarm van de man. Chu had gelijk. Een tatoeage, maar de lijntjes waren zo dun en korrelig dat Bosch die compleet over het hoofd had gezien.

'Wat stelt het voor?' vroeg hij.

'Zo te zien de contouren van een mes. Een zelf aangebrachte tatoeage.'

'Dus hij heeft in de gevangenis gezeten.'

Chu drukte weer twee keer op de knop van de printer.

'Nee, die maken ze meestal op de boot hiernaartoe, als ze midden op de oceaan zitten.'

'Wat zegt die afbeelding jou?'

'"Mes" is *kim*. Er zijn hier in het zuiden van Californië ten minste drie triades actief: *Yee Kim*, *Sai Kim* en *Yung Kim*. Dat staat voor "deugdzaam mes", "westers mes" en "moedig mes". Het zijn aftakkingen van een triade in Hongkong, die 14K wordt genoemd. Een heel sterke, heel machtige triade.'

'Hier of daar?'

'Hier én daar.'

'14K? Zoals 14-karaats goud?'

'Nee. Veertien is een ongeluksgetal. Het klinkt bijna hetzelfde als het Chinese woord voor "dood". En K staat voor "kill".'

Bosch wist van zijn dochter en zijn jaarlijkse bezoeken aan Hongkong dat van alle aanduidingen waarin het cijfer 4 voorkwam werd geloofd dat ze ongeluk brachten. Zijn dochter en zijn ex-vrouw woonden in een torenflat waar geen verdiepingen waren die met het cijfer 4 werden aangeduid. De vierde werd P genoemd, van *parking*, en de veertiende was gewoon overgeslagen, zoals men in westerse gebouwen vaak de dertiende overslaat. En op de verdiepingen die in werkelijkheid de veertiende en de vierentwintigste waren, woonden alleen Engelssprekende mensen, die niet hetzelfde bijgeloof hadden als de Han, het Chinese volk.

Bosch gebaarde naar het scherm.

'Dus jij denkt dat die knaap iemand van zo'n 14K-triade kan zijn?' vroeg hij.

'Ja, misschien,' zei Chu. 'Ik ga navraag doen zodra je bent vertrokken.'

Bosch keek hem aan en probeerde hem weer in te schatten. Hij had de boodschap begrepen, dacht hij. Chu wilde dat Bosch wegging, zodat Chu aan het werk kon. Harry liep naar de dvd-speler, liet de disk eruit springen en stak hem in zijn zak.

'Hou contact, Chu,' zei hij.

'Dat zal ik doen,' antwoordde Chu beleefd.

'En zodra je iets vindt, geef je het aan me door.'

'Ik heb het begrepen, rechercheur. Echt.'

'Mooi. Dan zie ik je om tien uur met mevrouw Li en haar zoon.'

Bosch deed de deur open en liep het kleine kamertje uit.

7

De kassa van Fortune Liquors stond op Ferras' bureau en was met een kabeltje aangesloten op Ferras' laptop. Bosch legde de geprinte foto's op zijn eigen bureau en keek zijn partner aan.

'Hoe gaat het?'

'Ik ben naar het lab geweest. Ze waren klaar met dit ding. Geen andere vingerafdrukken dan die van het slachtoffer. Ik ben nu in het geheugen aan het kijken. Ik kan je vertellen dat de dagopbrengst tot het moment van de moord minder dan tweehonderd dollar was. Het was dus moeilijk voor het slachtoffer om tweehonderdzestien dollar te betalen, als jij denkt dat dat gebeurd is.'

'Nou, ik heb jou ook het een en ander te vertellen. Verder nog iets van het lab?'

'Niet veel. Ze zijn nog bezig met al het sporenmateriaal... o, het KSO van de weduwe is negatief. Maar ik neem aan dat we niet anders verwachtten.'

Bosch knikte. Aangezien het mevrouw Li was geweest die haar doodgeschoten man had gevonden, waren haar handen en onderarmen onderzocht op kruitsporen, om vast te stellen of ze kort daarvoor een wapen had afgevuurd. Zoals verwacht was de uitslag negatief. Bosch was er redelijk zeker van dat ze van het lijstje van mogelijke verdachten kon worden geschrapt, al had ze daar eigenlijk nooit op gestaan.

'Hoe ver gaat het geheugen van dat ding terug?' vroeg Bosch.

'Ver. Zo te zien een heel jaar. Ik heb een paar gemiddelden genoteerd. De bruto-omzet van die winkel was iets minder dan drieduizend per week. Als je daar de inkoop, overhead, verzekeringen en dat soort dingen naast zet, mocht hij blij zijn als hij vijftigduizend bruto per jaar overhield. Daar is amper van te leven. Als je nagaat dat hij in die buurt meer gevaar liep dan de smerissen op straat.'

'De zoon zei gisteren dat de winkel de laatste tijd slecht liep.'

'Aan deze cijfers te zien heeft hij nooit goed gelopen.'

'Er werd vrijwel uitsluitend met contant geld betaald. Hij kan op andere manieren geld aan de zaak hebben onttrokken.'

'Zou kunnen. En dan had je nog die gast die hem afperste. Als hij die elke week tweehonderdzestien dollar moest betalen, loopt dat flink op. Dan heb je het over meer dan tienduizend op jaarbasis.'

Bosch praatte Ferras bij over wat hem door Chu was verteld, en dat hij hoopte dat de AGU tot een identificatie kon komen. Ze waren het erover eens dat het richtpunt van het onderzoek was verschoven naar de man op de korrelige foto van de bewakingscamera. De geldman van de triade. In de tussentijd moest de jongen van de bende, die John Li de zaterdag voor zijn dood had bedreigd, nog steeds worden geïdentificeerd en verhoord, maar de tegenstrijdigheden tussen de plaats delict en het soort moord uit woede en wraak hadden dat spoor naar de tweede plaats geschoven.

Ze gingen aan de slag met de verklaringen en het vele andere papierwerk dat bij elk moordonderzoek komt kijken. Chu arriveerde als eerste, precies om tien uur, en kwam onaangekondigd naar Bosch' bureau lopen.

'Is Yee-ling er nog niet?' vroeg hij bij wijze van groet.

Bosch keek op van zijn werk.

'Wie is Yee-ling?'

'Yee-ling Li, de moeder.'

Bosch kwam tot de ontdekking dat hij de volledige naam van de vrouw van het slachtoffer niet eens kende. Dat ergerde hem, want het gaf aan hoe weinig hij eigenlijk van de zaak wist.

'Nee, ze is er nog niet. Hebben jullie daar nog iets kunnen vinden?'

'Ik heb de fotoboeken gecheckt. Ik ben onze man niet tegengekomen. Maar we doen navraag.'

'Ja, dat zeg je steeds. Wat houdt dat precies in, "navraag doen"?'

'Dat houdt in dat de AGU een netwerk van connecties binnen de Chinese gemeenschap heeft en dat we discreet zullen informeren wie deze man is en wat zijn relatie met meneer Li was.'

'Relatie?' vroeg Ferras. 'Hij is doodgeschoten. Dát was zijn relatie met hem, dat hij het slachtoffer was.'

'Rechercheur Ferras,' zei Chu geduldig, 'jij bekijkt dit vanuit een typisch westers standpunt. Zoals ik rechercheur Bosch vanochtend al heb uitgelegd is het heel goed mogelijk dat meneer Li zijn hele leven lang een relatie met de triadegemeenschap heeft gehad. Dat wordt, in zijn eigen streekdialect, *quang xi* genoemd. Er bestaat geen rechtstreekse vertaling voor, maar het heeft te maken met je sociale netwerk en de triadegemeenschap die daar op de een of andere manier deel van uitmaakt.'

Ferras bleef Chu enige tijd aankijken.

'Je meent het,' zei hij ten slotte. 'Wat een gelul. Het slachtoffer woonde hier al bijna dertig jaar. Het kan me niet schelen hoe het in China wordt genoemd. Hier noemen we het "iemand om zeep helpen".'

Bosch had bewondering voor de felle reactie van zijn jonge partner. Hij wilde er net nog een schepje bovenop doen, toen de telefoon op zijn bureau overging en hij opnam.

'Bosch.'

'Met Rogers van de balie. Je hebt twee bezoekers die allebei Li heten. Ze zeggen dat ze een afspraak met je hebben.'

'Stuur ze maar naar boven.'

'Ze komen eraan.'

Bosch hing op.

'Oké, ze zijn er. We pakken het als volgt aan. Chu, jij gaat met de oude dame naar een van de verhoorkamers, neemt haar verklaring met haar door en laat die door haar tekenen. Nadat ze haar handtekening heeft gezet, vraag je haar naar de afpersing en naar de man op de bewakingsbeelden. Laat zijn foto aan haar zien. En laat je niet in de luren leggen. Ze moet ervan weten. Haar man móét het haar hebben verteld.'

'Dat valt nog te bezien,' zei Chu. 'Mannen en hun echtgenotes praten lang niet altijd over dat soort zaken.'

'Nou, doe toch maar je uiterste best. Misschien weet ze er een heleboel van, of ze er nu met haar man over heeft gepraat of niet. Ferras en ik nemen de zoon voor onze rekening. Ik wil weten of hij voor de winkel in de Valley ook beschermingsgeld betaalt. Als dat zo is, kunnen we onze dader daar misschien opwachten.'

Bosch keek naar de andere kant van de teamkamer en zag mevrouw Li binnenkomen, maar ze was niet met haar zoon. Ze was in het gezelschap van een jonge vrouw. Bosch stak zijn hand op om hun aandacht te trekken en wenkte de twee naar zich toe.

'Chu, wie is dat?'

Chu draaide zich om toen de twee vrouwen kwamen aanlopen. Hij antwoordde niet. Hij wist het ook niet. Toen ze dichterbij waren gekomen, zag Bosch dat de jonge vrouw ongeveer vijfendertig was en dat ze aantrekkelijk was op een onderkoelde, bijna ontkennende manier. Ze was van Aziatische afkomst en ging gekleed in een spijkerbroek en een witte blouse. Ze liep een halve meter achter mevrouw Li en haar blik was op de vloer gericht. Bosch' eerste indruk was dat ze een personeelslid was. Een dienstmeisje dat voor chauffeur had gefungeerd. Maar de balieagent van beneden had gezegd dat ze allebei Li heetten.

Chu sprak mevrouw Li in het Chinees aan. Toen ze antwoord had gegeven, vertaalde hij het.

'Dit is Mia, de dochter van meneer en mevrouw Li. Ze heeft haar moeder hiernaartoe gebracht omdat Robert Li verlaat is.'

Bosch raakte onmiddellijk geïrriteerd en hij schudde zijn hoofd.

'Mooi is dat,' zei hij tegen Chu. 'Hoe kan het dat we niet wisten dat ze een dochter hadden?'

'We hebben gisteren blijkbaar niet de juiste vragen gesteld,' zei Chu.

'Jij bent degene die de vragen heeft gesteld. Vraag Mia waar ze woont.'

De jonge vrouw schraapte haar keel en keek op naar Bosch.

'Ik woon bij mijn vader en moeder,' zei ze. 'Tenminste, tot gisteren. Nu alleen nog bij mijn moeder, neem ik aan.'

Bosch geneerde zich omdat hij had aangenomen dat ze geen Engels sprak, en omdat ze zijn geïrriteerde reactie, omdat ze hier opeens was opgedoken, had gehoord en verstaan.

'Sorry. We moeten nu eenmaal zo veel mogelijk informatie verzamelen.'

Hij wendde zich tot de andere rechercheurs.

'Oké, we moeten Mia's verklaring ook opnemen. Rechercheur Chu, als jij je aan het oorspronkelijke plan houdt en met mevrouw Li naar een verhoorkamer gaat om haar verklaring door te nemen. Ik ga met Mia praten en jij, Ignacio, wacht hier tot Robert komt.'

Hij wendde zich weer tot Mia.

'Weet je hoeveel later je broer komt?'

'Hij zal nu onderweg zijn. Hij zei dat hij om tien uur bij de winkel zou wegrijden.'

'Welke winkel?'

'De zijne. Die in de Valley.'

'Oké, Mia, kom je met me mee? Dan kan je moeder met rechercheur Chu gaan praten.'

Mia zei iets tegen haar moeder in het Chinees terwijl Bosch een blocnote en het dossier met de foto van de bewakingscamera pakte en hen voorging naar de rij verhoorkamers achter in de teamkamer. Ferras bleef alleen achter.

'Harry, wil je dat ik meteen met Robert begin zodra hij arriveert?' vroeg hij.

'Nee,' zei Bosch. 'Ik wil erbij zijn. Kom me halen. Ik zit in kamer twee.'

Bosch nam de dochter van het slachtoffer mee naar een kleine kamer zonder raam en met een tafel in het midden. Ze gingen aan weerskanten van de tafel zitten en Bosch probeerde zijn gezicht in een vriendelijke uitdrukking te plooien. Dat viel niet mee. De ochtend was begonnen met een verrassing en als het om moordzaken ging, hield hij niet van verrassingen.

'Oké, Mia,' zei Bosch. 'Laten we opnieuw beginnen. Ik ben rechercheur Bosch. Ik ben aangewezen als leider van het onderzoek van de moord op je vader. Ik vind het heel erg voor je wat er is gebeurd.'

'Dank u.'

Ze had haar ogen neergeslagen en keek naar het tafelblad.

'Wil je me vertellen hoe je voluit heet?'

'Mia-ling Li.'

Haar naam was verwesterd, met haar roepnaam eerst, alleen gevolgd door de achternaam. Maar de naam was niet volledig verwesterd, zoals die van haar vader en haar broer. Bosch vroeg zich af of dit was gedaan omdat van mannen werd verwacht dat ze in de westerse samenleving integreerden en vrouwen juist daarvan weg werden gehouden.

'Wanneer ben je geboren?'

'Op 14 februari 1980.'

'Op Valentijnsdag.'

Bosch glimlachte. Hij wist niet precies waarom. Hij probeerde gewoon een beter contact met haar te krijgen. Vervolgens vroeg hij zich af of ze in China wel een Valentijnsdag hadden. Hij ging door en deed wat hoofdrekenwerk. Hoewel hij haar nog steeds heel aantrekkelijk vond, besefte hij dat ze jonger was dan ze eruitzag, en maar een paar jaar ouder dan haar broer Robert.

'Ben je met je ouders hiernaartoe gekomen? Wanneer was dat?'

'In 1982.'

'Toen je twee jaar was.'

'Ja.'

'En is je vader toen meteen die winkel begonnen?'

'Die is hij niet begonnen. Hij heeft hem van iemand overgenomen en de naam veranderd in "Fortune Liquors". Daarvoor heette hij anders.'

'Oké. Zijn er nog meer broers en zussen afgezien van jou en Robert?'

'Nee, alleen wij tweeën.'

'Oké. Goed, je zei dat je bij je ouders woonde. Hoe lang?'

Ze keek even op en daarna meteen weer naar het tafelblad.

'Mijn hele leven. Met uitzondering van ongeveer twee jaar, toen ik jonger was.'

'Was je toen getrouwd?'

'Nee, maar heeft dat iets te maken met wie mijn vader heeft vermoord? Is het niet de bedoeling dat u op zoek gaat naar de moordenaar?'

'Het spijt me, Mia. Ik heb gewoon wat basisinformatie over je nodig, en ja zeker, daarna ga ik op zoek naar de moordenaar. Heb je er met je broer over gesproken? Heeft hij je verteld dat ik je vader kende?'

'Hij zei dat u hem één keer hebt ontmoet. Of het was niet eens een echte ontmoeting. Dat is niet iemand kennen.'

Bosch knikte.

'Je hebt gelijk. Hem "kennen" is te sterk uitgedrukt. Ik kende hem niet echt, maar door de situatie waarin we verkeerden toen ik hem… tegenkwam, heb ik toch het gevoel dat ik hem kende. Ik wil degene vinden die hem heeft vermoord, Mia. En dat ga ik ook doen. Maar daarvoor heb ik alle hulp nodig die jij en je familie me kunnen geven.'

'Ik begrijp het.'

'Dus verzwijg niks voor me, want je weet nooit waar wij iets aan zouden kunnen hebben.'

'Dat zal ik niet doen.'

'Oké. Wat voor werk doe je?'

'Ik zorg voor mijn ouders.'

'Thuis, bedoel je? Je blijft thuis en zorgt voor je ouders?'

Ze zag op en nu keek ze hem recht in de ogen. Haar ogen waren zo donker dat hij niets uit de blik kon afleiden.

'Ja.'

Bosch besefte dat hij zich opeens bevond op een terrein van culturele waarden en gebruiken waar hij niets van wist. Mia leek het aan zijn gezicht te zien.

'Bij ons is het traditie dat de dochter voor de ouders zorgt.'

'Ben je hier naar school geweest?'

'Ja, ik heb twee jaar aan de universiteit gestudeerd. Maar daarna ben ik thuisgebleven. Ik maak schoon, hou het huis op orde en kook het eten. Ook voor mijn broer, hoewel hij van plan is zelfstandig te gaan wonen.'

'Maar tot gisteren woonde iedereen samen.'

'Ja.'

'Wanneer heb je je vader voor het laatst in leven gezien?'

'Toen hij gistermorgen naar zijn werk ging. Hij vertrekt altijd rond half elf. Ik heb ontbijt voor hem gemaakt.'

'En ging je moeder toen ook weg?'

'Ja, ze gaan altijd samen.'

'En 's middags kwam je moeder terug?'

'Ja, ik maak het eten klaar en zij komt het halen. Elke dag.'

'Hoe laat kwam ze thuis?'

'Om drie uur, zoals altijd.'

Bosch wist dat het gezin in de buurt van Larchmont Boulevard in het Wilshire-district woonde, wat minstens een half uur rijden van de winkel was. De kortste route was ook de drukste, dwars door de stad.

'Hoe lang duurde het gisteren voordat ze met het eten terugging naar de winkel?'

'Ze bleef ongeveer een half uur en toen is ze teruggegaan.'

Bosch knikte. Alles sloot aan bij de verklaring van de moeder, de timing en al het andere wat ze wisten.

'Mia, heeft je vader het wel eens gehad over iemand in de winkel voor wie hij bang was? Een klant, of iemand anders?'

'Nee, mijn vader was heel zwijgzaam. Hij praatte thuis niet over zijn werk.'

'Beviel het hem hier in Los Angeles?'

'Nee, dat geloof ik niet.'

'Waarom niet?'

'Hij wilde terug naar China, maar dat kon niet.'

'Hoezo kon dat niet?'

'Omdat je, als je weggaat, nooit meer terugkomt. Ze waren wegge-gaan omdat Robert geboren zou worden.'

'Zijn je ouders vanwege Robert geëmigreerd?'

'In onze provincie mocht je maar één kind hebben. Ze hadden mij al en mijn moeder weigerde me in een weeshuis te stoppen. Mijn vader wilde een zoon en toen mijn moeder in verwachting raakte, zijn we naar Amerika gekomen.'

Bosch kende de details van het Chinese eenkindbeleid niet, maar hij had ervan gehoord. Het idee was op die manier de bevolking te be-perken, en de geboorte van een zoon werd duidelijk verkozen boven die van een dochter. Pasgeboren meisjes werden vaak aan een wees-huis afgestaan, of het liep erger met hen af. In plaats van Mia op te ge-ven hadden de Li's hun vaderland verlaten en waren ze naar de Ver-enigde Staten gekomen.

'Dus al die jaren dat je vader hier heeft gewoond was hij liever met zijn gezin in China gebleven?'

'Ja.'

Bosch vond dat hij genoeg algemene informatie had verzameld. Hij sloeg het dossier open, haalde de foto van de bewakingscamera eruit en legde hem voor Mia neer.

'Wie is dit, Mia?'

Ze kneep haar ogen tot spleetjes terwijl ze de korrelige foto bestu-deerde.

'Ik ken hem niet. Heeft híj mijn vader vermoord?'

'Dat weet ik niet. Weet je zeker dat je niet weet wie dit is?'

'Ja, ik weet het zeker. Wie is het?'

'Dat weten we nog niet. Maar daar komen we wel achter. Heeft je vader het met jullie wel eens over de triades gehad?'

'De triades?'

'Over dat hij ze geld moest betalen?'

De vraag maakte haar zichtbaar nerveus.

'Daar weet ik niks van. We hebben het er nooit over gehad.'

'Jij spreekt Chinees, hè?'

'Ja.'

'Heb je je ouders er wel eens over horen praten?'

'Nee, dat hebben ze nooit gedaan. En ik weet er ook niks van.'

'Goed, Mia, dan zijn we wel klaar, denk ik.'

'Kan ik nu mijn moeder naar huis brengen?'

'Zodra ze klaar is met rechercheur Chu. Wat denk je dat er nu met de winkel gaat gebeuren? Gaan je moeder en je broer erin staan?'

Ze schudde haar hoofd.

'Ik denk dat hij gesloten zal worden. En dat mijn moeder in de winkel van mijn broer gaat werken.'

'En jij, Mia? Gaat er voor jou nog iets veranderen?'

Ze nam de tijd voordat ze antwoordde, alsof ze er nooit over had nagedacht totdat Bosch ernaar vroeg.

'Ik weet het niet,' zei ze uiteindelijk. 'Misschien wel.'

8

Bij hun terugkomst in de teamkamer bleek mevrouw Li al klaar te zijn met haar gesprek met Chu en zat ze op haar dochter te wachten. Robert Li had zich nog steeds niet laten zien. Ferras vertelde dat hij had gebeld en had gezegd dat hij niet uit zijn winkel weg kon omdat zijn assistent-manager zich ziek had gemeld.

Nadat Bosch de twee vrouwen naar de lift had gebracht keek hij op zijn horloge en zag dat er nog genoeg tijd was om naar de Valley te rijden om met de zoon van het slachtoffer te praten en op tijd in de stad terug te zijn voor de autopsie van 14.00 uur. Trouwens, bij de beginprocedures in het mortuarium hoefde hij niet aanwezig te zijn. Hij kon later binnenvallen.

Er werd besloten dat Ferras op het bureau bleef wachten op de eerste uitslagen van het forensisch materiaal dat de vorige dag was verzameld. Bosch en Chu zouden naar de Valley rijden om met Robert Li te praten.

Ze gingen met Bosch' oude Crown Victoria, die meer dan driehonderdduizend kilometer op de teller had staan. De airconditioning functioneerde bijna niet meer. Naarmate ze dichter bij de Valley kwamen, begon de temperatuur in de auto op te lopen en wenste Bosch dat hij zijn jasje had uitgetrokken voordat ze op weg waren gegaan.

Onderweg was Chu de eerste die het woord nam. Hij zei dat mevrouw Li haar verklaring had ondertekend, maar dat ze er niets aan toe te voegen had gehad. Ze had de man op de foto van de bewakingscamera niet herkend en beweerde dat ze niets wist van betalingen aan een triade. Bosch gaf Chu de weinige informatie die hij van Mia-ling Li had losgekregen en vroeg Chu wat hij wist over het traditionele gebruik van de volwassen dochter die thuis werd gehouden om voor haar ouders te zorgen.

'Een *chinderella* noemen we dat,' zei Chu. 'Ze blijft thuis, kookt het eten, doet de was en houdt het huis schoon. Bijna als een soort dienstmeisje voor haar ouders.'

'Willen die dan niet dat ze trouwt en het huis uit gaat?'

'Nee, man, je hebt het over gratis personeel. Waarom zou ze moeten trouwen? Dan moeten zij een dienstmeisje, een kok en een chauffeur in dienst nemen. Nu doet zij dat allemaal en het kost de ouders geen cent.'

Bosch reed enige tijd zwijgend door toen hij dit had gehoord, en dacht aan het leven dat Mia-ling Li leidde. Hij betwijfelde of er voor haar iets zou veranderen door de dood van haar vader. Ze had nog steeds haar moeder voor wie ze moest zorgen.

Hij herinnerde zich iets wat met de zaak te maken had en begon weer te praten.

'Ze zei dat de familie de winkel waarschijnlijk zal sluiten en dat ze alleen die in de Valley houden.'

'De winkel in de stad maakte weinig winst,' zei Chu. 'Misschien kunnen ze hem verkopen aan iemand uit de buurt en er nog iets aan overhouden.'

'Een schrale troost voor bijna dertig jaar werk.'

'Het verhaal van Chinese immigranten is niet altijd een successtory,' zei Chu.

'En hoe zit het met jou, Chu? Jij bent toch succesvol?'

'Ik ben geen immigrant. Mijn ouders waren immigranten.'

'Waren?'

'Mijn moeder is jong gestorven. Mijn vader was visser. Op een dag is hij met zijn boot uitgevaren en nooit meer teruggekomen.'

Bosch was sprakeloos door de zakelijke manier waarop Chu hem zijn familietragedie had verteld. Hij concentreerde zich op het verkeer. Het was druk op de weg en het kostte hem drie kwartier om in Sherman Oaks te komen. Fortune Fine Foods & Liquor was gevestigd op Sepulveda Boulevard, een stukje ten zuiden van Ventura Boulevard. Hierdoor was de winkel gelegen in een van de betere buurten met appartementen en koopflats, aan de voet van het heuvelland, waar nog veel duurdere huizen stonden. Een prima locatie, alleen was er onvoldoende parkeerruimte. Bosch vond een plekje in een zijstraat, bij een brandkraan. Hij deed de zonneklep met daarop de identificatiecode van de LAPD omlaag en stapte uit.

Bosch en Chu hadden tijdens de lange rit een plan van aanpak gemaakt. Ze geloofden allebei dat als er afgezien van het slachtoffer iemand op de hoogte was van de betalingen aan een triade, het de zoon en mede-eigenaar Robert moest zijn. Waarom hij de rechercheurs daar de vorige dag niets over had verteld, was de grote vraag.

Fortune Fine Foods & Liquor was iets heel anders dan de winkel in South Los Angeles. Het winkelpand was minstens vijf keer zo groot en het had de chique uitstraling die bij de buurt paste.

Er was een koffiebar met zelfbediening. Boven de gangpaden met de wijnen hingen informatieborden met de druivensoorten en het land van herkomst, en aan het eind zag je geen jerrycans van vier liter staan. De koelkasten waren mooi verlicht en hadden open schappen in plaats van glazen deuren. Er waren gangpaden met verpakte delicatessen en counters met koude en warme gerechten, waar je verse biefstukken, vis, gebraden kip, gehaktbrood, geroosterde ribkarbonaadjes en kant-en-klaarmaaltijden kon bestellen. De zoon had de drankwinkel van zijn vader als vertrekpunt genomen en die naar een aanzienlijk hoger niveau getild. Bosch was onder de indruk.

Er waren twee kassa's en Chu vroeg aan de ene cassière waar Robert Li was. De rechercheurs werden voorgegaan naar een dubbele deur die toegang gaf tot een magazijn met voorraadschappen tot drie meter hoog langs de muren. Achterin links was een deur met het woord KANTOOR erop. Bosch klopte op de deur en Robert Li deed vrijwel meteen open.

Het leek hem te verbazen dat ze hier waren.

'Heren, kom binnen,' zei hij. 'Het spijt me heel erg dat ik vandaag niet naar het bureau kon komen. Mijn assistent-manager heeft zich ziek gemeld en we kunnen hier niet zonder supervisor. Sorry.'

'Het maakt niet uit,' zei Bosch. 'We proberen alleen maar de moordenaar van uw vader te vinden.'

Bosch wilde de jongeman in de verdediging dringen. Li was in het voordeel nu hij in zijn eigen omgeving werd verhoord. Bosch moest hem op de een of andere manier op stang zien te jagen. Als Li zich geïntimideerd voelde, zou hij coöperatiever zijn en willen proberen het zijn ondervragers naar de zin te maken.

'Nou, mijn excuses. Ik dacht trouwens dat ik alleen maar mijn verklaring hoefde te ondertekenen.'

'We hebben uw verklaring, maar het heeft meer om het lijf dan alleen een handtekening zetten, meneer Li. Het gaat hier om een lopend onderzoek. Er veranderen dingen naarmate er meer informatie binnenkomt.'

'Het enige wat ik kan doen is zeggen dat het me spijt. Neemt u plaats, alstublieft. Sorry dat het hier zo krap is.'

Het was inderdaad een klein kantoor en Bosch kon zien dat Li het met iemand deelde. Er stonden twee bureaus naast elkaar tegen de rechtermuur. Twee bureaustoelen en twee klapstoeltjes, waarschijnlijk voor de vertegenwoordigers en de sollicitanten.

Li pakte de telefoon op zijn bureau, toetste een nummer in en zei tegen iemand dat hij niet gestoord wilde worden. Daarna hield hij zijn handen op, om aan te geven dat hij klaar was om te beginnen.

'Ten eerste verbaast het me een beetje dat u vandaag werkt,' zei Bosch. 'Uw vader is gisteren vermoord.'

Li knikte gelaten.

'Ik ben bang dat me niet veel tijd wordt gegund om de dood van mijn vader te verwerken. Ik moet de zaak draaiende houden, anders ís er straks geen zaak meer.'

Bosch knikte en gaf Chu een teken dat hij het moest overnemen. Chu had Li's verklaring uitgetypt. Terwijl hij die doornam met Li, liet Bosch zijn blik door het kantoortje gaan. Aan de muur boven de bureaus hingen ingelijste vergunningen van de staat Californië, Li's oorkonde Bedrijfskunde van de universiteit van Zuid-Californië uit 2004, en een erecertificaat van de American Grocers Association voor de beste nieuwe winkel van het jaar 2007. Er hingen ook ingelijste foto's van Li met Tommy Lasorda, de vroegere manager van de Dodgers, en Li als tiener op de treden van de Tian Tan Boeddha in Hongkong. Net zoals Bosch Lasorda had herkend, herkende hij ook het dertig meter hoge bronzen beeld dat de Grote Boeddha werd genoemd. Hij was een keer met zijn dochter naar het eiland Lantau geweest om het te bekijken.

Bosch stak zijn hand uit om de ingelijste oorkonde van de USC recht te hangen toen hij zag dat Li cum laude was geslaagd. Hij bleef hier even over nadenken, over Robert die aan de universiteit studeerde en daarna de kans had gegrepen om bij zijn vader in de zaak te gaan, om die vervolgens uit te bouwen tot iets wat veel groter en mooier was. En al die jaren terwijl hij dat deed, bleef zijn oudere zus thuis en maakte ze de bedden op.

Li verzocht niet om wijzigingen in zijn verklaring en zette zijn handtekening onder elke pagina. Toen hij dat had gedaan, keek hij naar de klok boven de deur en wist Bosch dat Li dacht dat ze klaar waren.

Maar dat waren ze niet. Nu was het Bosch' beurt. Hij maakte zijn koffertje open en haalde er een dossiermap uit. Uit de map pakte hij de geprinte foto van de man die het geld bij Li's vader had opgehaald. Bosch gaf de foto aan Li.

'Vertel me wie dit is,' zei hij.

Li hield de foto met beide handen vast en keek er met gefronste wenkbrauwen naar. Bosch wist dat mensen dit deden om de indruk te wekken dat ze zich inspanden, maar meestal was het een rookgordijn voor iets anders. Hij ging ervan uit dat Li in het afgelopen uur door zijn moeder was gebeld met de mededeling dat hij de foto te zien zou krijgen. Dus hoe Li ook reageerde, Bosch wist dat hij niet de volledige waarheid zou horen.

'Ik kan er niks over zeggen,' zei Li na een paar seconden. 'Ik herken hem niet. Ik heb hem nooit eerder gezien.'

Hij wilde de foto teruggeven aan Bosch, maar die pakte hem niet aan.

'Maar je weet wie het is, hè?'

Het was niet echt een vraag.

'Nee, dat weet ik niet,' zei Li met een lichte ergernis in zijn stem.

Bosch glimlachte naar hem, maar het was zo'n glimlach zonder enige warmte of oprechtheid.

'Meneer Li, heeft uw moeder u gebeld om te zeggen dat ik u de foto zou laten zien?'

'Nee.'

'We kunnen de binnengekomen gesprekken nagaan, dat weet u, hè?'

'Nou, en áls ze me heeft gebeld, wat dan nog? Zij wist niet wie het was en ik ook niet.'

'U wilt toch dat wij degene vinden die uw vader heeft vermoord?'

'Natuurlijk! Wat is dat voor een rare vraag?'

'Dat is het soort vraag dat ik stel wanneer ik weet dat iemand iets voor me verzwijgt…'

'Wat? Hoe durft u!'

'… wat van groot belang voor mijn onderzoek kan zijn.'

'Ik verzwijg niks. Ik ken deze man niet. Ik weet niet hoe hij heet en ik heb hem nooit eerder gezien. Dat is verdomme de waarheid!'

Li had een rood gezicht gekregen. Bosch wachtte even en ging op een rustiger toon verder.

'Misschien spreek je de waarheid wel, Robert. Misschien weet je niet hoe hij heet en heb je hem nooit eerder gezien. Maar je weet wel wie hij ís. Je weet dat je vader beschermingsgeld betaalde. Misschien betaal jij het ook. Als je denkt dat het gevaarlijk is om het ons te vertellen, kunnen we bescherming voor je regelen.'

'Absoluut,' droeg Chu bij.

Li schudde zijn hoofd en glimlachte kort alsof hij niet kon geloven dat hij in deze situatie was beland. Zijn ademhaling was gejaagder geworden.

'Mijn vader is net gestorven... hij is doodgeschoten. Kunnen jullie me niet met rust laten? Waarom word ik lastiggevallen? Ik ben hier ook het slachtoffer van.'

'Was het maar waar dat we je met rust konden laten, Robert,' zei Bosch. 'Maar als wij de daders niet vinden, zal niemand ze vinden. Dat wil je toch niet?'

Li leek weer enigszins tot zichzelf te komen en schudde zijn hoofd.

'Luister,' vervolgde Bosch. 'We hebben hier je getekende verklaring. Niks van wat je ons nu nog vertelt, hoeft buiten deze kamer te komen. Niemand zal ooit weten wat je ons hebt verteld.'

Bosch boog zich naar hem toe en tikte met zijn nagel op de foto. Li had hem nog steeds in zijn handen.

'Degene die je vader heeft vermoord heeft de disk van de bewakingscamera uit de recorder in het magazijntje gehaald, maar hij heeft de oude disks laten liggen. Deze man stond op een daarvan. Hij is een week voor de moord, om dezelfde tijd op dezelfde dag van de week geld bij je vader komen halen. Je vader heeft hem tweehonderdzestien dollar beschermingsgeld betaald. Deze man is van een triade, en ik denk dat jij dat heel goed weet. Je moet ons echt helpen, Robert. Jij bent de enige die dat kan.'

Bosch wachtte. Li legde de foto op het bureau en wreef zijn bezwete handen droog aan zijn spijkerbroek.

'Oké, goed dan, mijn vader betaalde geld aan de triade,' zei hij.

Bosch ademde langzaam uit. Ze hadden net een grote stap in de goede richting gezet. Maar hij wilde Li aan de praat houden.

'Hoe lang al?' vroeg hij.

'Geen idee. Zijn hele leven... of mijn hele leven, neem ik aan. Voor zover ik weet heeft hij het altijd gedaan. Voor hem hoorde het er gewoon bij als je Chinees was. Je betaalde.'

Bosch knikte.

'Dank je, Robert, voor je eerlijkheid. Wel, gisteren zei je dat, door de slechte economie en zo, de winkel niet al te goed liep. Weet je misschien of je vader achter was met zijn betalingen?'

'Ik weet het niet; het zou kunnen. Daar heeft hij niks over gezegd. We praatten er nooit meer over.'

'Hoe bedoel je?'

'Ik vond dat hij ze niet moest betalen. Ik heb het wel een miljoen keer tegen hem gezegd. "Dit is Amerika, papa, je hóéft ze niet te betalen."'

'Maar hij deed het toch.'

'Ja, elke week. Hij was van de oude stempel.'

'Dus jij betaalde niet?'

Li schudde zijn hoofd, maar zijn blik schoot even opzij. Een weggevertje.

'Je betaalde wel, hè?'

'Nee.'

'Robert, we moeten echt...'

'Ik betaalde niet omdat híj voor me betaalde. Ik weet niet wat er nu gaat gebeuren.'

Bosch boog zich dichter naar hem toe.

'Je bedoelt dat je vader voor beide winkels betaalde.'

'Ja.'

Li sloeg zijn ogen neer. Hij wreef zijn handen weer droog aan zijn broekspijpen.

'De dubbele betaling – twee keer honderdacht dollar – was voor beide winkels.'

'Dat klopt. Vorige week.'

Li knikte en Bosch meende de glans van tranen in zijn ooghoeken te zien. Harry wist dat zijn volgende vraag een heel belangrijke was.

'Wat is er deze week gebeurd?'

'Dat weet ik niet.'

'Maar je hebt wel een idee, hè, Robert?'

Hij knikte weer.

'Beide winkels draaien met verlies. We hebben op het verkeerde moment uitgebreid... net voor de recessie. De banken krijgen steun van de overheid, maar wij niet. We konden alles kwijtraken. Ik heb tegen hem gezegd… ik heb geprobeerd mijn vader ervan te overtuigen dat we niet konden blijven betalen. Ik heb gezegd dat we niks voor dat geld terugkregen en dat we onze winkels zouden kwijtraken als we ermee doorgingen.'

'Heeft hij toen gezegd dat hij zou ophouden met betalen?'

'Nee, dat heeft hij niet gezegd. Hij heeft er helemaal niks over gezegd. Ik dacht dat het betekende dat hij gewoon zou doorgaan met betalen totdat we allebei failliet waren. Het liep flink op. Ruim achthonderd dollar per maand is een hoop geld voor winkels als deze. Mijn oude heer dacht dat hij andere manieren had ontdekt om…'

Zijn stem stierf weg.

'Andere manieren waarvoor, Robert?'

'Om geld te besparen. Hij had zich helemaal op het pakken van winkeldieven geworpen. Hij dacht dat het verschil zou maken als hij de verliezen kon beperken. Hij was iemand van een andere tijd. Hij begreep er niks van.'

Bosch leunde achterover op zijn stoel en keek Chu aan. Ze hadden een doorbraak bereikt, hadden Li aan het praten gekregen. Het was nu aan Chu om hem de specifieke vragen over de triade te stellen.

'Robert, je hebt ons heel goed geholpen,' zei Chu. 'Ik wil je nu een paar vragen over de man op de foto stellen.'

'Ik heb de waarheid gesproken. Ik weet niet wie hij is. Ik heb hem nog nooit van mijn leven gezien.'

'Goed dan, maar heeft je vader wel eens iets over hem gezegd toen jullie, je weet wel, het over de betalingen hadden?'

'Hij heeft nooit een naam genoemd. Hij zei alleen dat ze het niet leuk zouden vinden als we ophielden met betalen.'

'En de naam van de groep, de triade, heeft hij die ooit genoemd?'

Li schudde zijn hoofd.

'Nee, die heeft hij nooit… wacht eens, één keer. Het was iets met "mes". De naam van een of ander soort mes. Maar ik weet het niet meer.'

'Weet je het zeker? Het zou ons een stuk verder helpen.'

Li fronste zijn wenkbrauwen en schudde opnieuw zijn hoofd.

'Ik zal proberen het me te herinneren. Nu lukt dat niet.'

'Oké, Robert.'

Chu ging door met zijn verhoor, maar de vragen waren te specifiek en Li antwoordde vrijwel elke keer dat hij het niet wist. Bosch vond dat allemaal niet erg. Ze hadden een grote stap voorwaarts gezet. Hij had nu een veel duidelijker beeld van de zaak waaraan ze werkten.

Na een tijdje rondde Chu af en gaf hij het stokje weer over aan Bosch.

'Oké, Robert,' zei Harry. 'Denk je dat de man of de mannen aan wie je vader dat geld betaalde nu naar jou toe zullen komen?'

De vraag bracht een heel zorgelijke uitdrukking op Li's gezicht.

'Dat weet ik niet,' zei hij.

'Wil je politiebescherming van de LAPD?'

'Ook dat weet ik niet zeker.'

'Nou, je hebt onze telefoonnummers. Als er iemand in je winkel opduikt, werk dan mee. Beloof hem het geld, als het nodig is.'

'Ik héb het geld niet!'

'Daar gaat het juist om. Beloof hem het geld maar zeg dat je een dag nodig hebt om het bij elkaar te krijgen. Daarna bel je ons. Dan nemen wij het verder over.'

'En als hij de kassa's leeghaalt? Je zei gisteren dat er geen geld meer in de kassa in mijn vaders winkel zat.'

'Als hij dat doet, laat je hem zijn gang gaan en daarna bel je ons. Dan pakken we hem als hij de volgende keer komt.'

Li knikte en Bosch zag dat hij de jongeman flink bang had gemaakt.

'Robert, heb je een vuurwapen in de winkel?'

Het was een test. Ze hadden de wapenvergunningen al gecheckt. Alleen het pistool in de andere winkel stond geregistreerd.

'Nee, alleen mijn vader had een wapen. Híj zat in de slechte buurt.'

'Goed. Laat dat zo, geen wapens. Als die knaap opduikt, werk dan gewoon mee.'

'Oké.'

'Trouwens, waarom had je vader dat pistool gekocht? Hij had die winkel al vijfentwintig jaar, en een half jaar geleden koopt hij ineens een pistool.'

'Toen hij de laatste keer werd beroofd, hadden ze hem flink toegetakeld. Twee man van een straatbende. Ze hebben hem met een volle fles op zijn hoofd geslagen. Ik heb toen tegen hem gezegd dat hij óf de winkel moest sluiten, óf een wapen moest aanschaffen. Maar het heeft hem geen goed gedaan.'

'Dat doen wapens meestal niet.'

De rechercheurs bedankten Li en lieten hem achter in zijn kantoor, een jongeman van zesentwintig, die op de een of andere manier tien jaar ouder was geworden. Toen ze de winkel door liepen en Bosch op zijn horloge keek, zag hij dat het al één uur was geweest. Hij barstte van de honger en wilde iets eten voordat hij om twee uur de autopsie in het mortuarium ging bijwonen. Hij bleef bij de warme counter staan en zijn blik bleef rusten op het gehaktbrood. Hij trok een nummertje uit het apparaat. Toen hij vroeg of Chu ook een plak wilde, zei Chu dat hij vegetariër was.

Bosch schudde zijn hoofd.

'Wat is er?' vroeg Chu.

'Wij zouden het als partners niet lang met elkaar uithouden, Chu,' zei Bosch. 'Ik heb geen vertrouwen in mannen die niet af en toe een hotdog eten.'

'Ik eet tofu-hotdogs.'

Bosch trok een vies gezicht.

'Die tellen niet mee.'

Toen zag hij dat Robert Li hun kant op kwam lopen.

'Dat vergat ik nog te vragen,' zei Li. 'Wanneer wordt het stoffelijk overschot van mijn vader vrijgegeven?'

'Waarschijnlijk morgen,' zei Bosch. 'De autopsie is vandaag.'

Li keek hem verslagen aan.

'Mijn vader was een spiritueel mens. Is het nodig dat ze zijn lichaam onteren?'

Bosch knikte.

'De wet schrijft het voor. Na elke moord moet er een autopsie plaatsvinden.'

'Wanneer wordt het gedaan?'

'Over ongeveer één uur beginnen ze.'

Li knikte gelaten.

'Zeg er alsjeblieft niks over tegen mijn moeder. Bellen ze me als ik zijn lichaam kan laten ophalen?'

'Ik zal ervoor zorgen dat ze dat doen.'

Li bedankte hem weer en liep terug naar zijn kantoor. Bosch hoorde zijn nummertje omroepen door de man achter de counter.

9

Op de terugweg naar de stad zei Chu tegen Bosch dat hij in zijn veertien dienstjaren nog nooit een autopsie had bijgewoond en dat hij dat graag zo wilde houden. Hij wilde terug naar het kantoor van de AGU om door te gaan met zijn pogingen de geldman van de triade te identificeren. Bosch zette hem af en reed door naar de Regionale Dienst Lijkschouwing aan Mission Road. Tegen de tijd dat hij zich bij de balie had gemeld, in operatiekleding was gehuld en zaal 3 binnenging, was de autopsie van John Li al een tijdje aan de gang. De RDL deed zesduizend lijkschouwingen per jaar. De autopsiezalen werkten volgens een strak rooster en waren vrijwel voortdurend in bedrijf, dus er werd niet gewacht op een smeris die te laat was. Een goede patholoog-anatoom kon een autopsie in een uur klaren.

Wat Bosch allemaal prima vond. Hij was geïnteresseerd in de uitkomst van de autopsie, niet in het proces zelf.

Het lijk van John Li lag naakt en toegetakeld op de roestvrijstalen tafel. De borstkas was geopend en de organen waren verwijderd. Dokter Sharon Laksmi was bezig aan de tafel ernaast, waar ze weefselmonsters op microscoopglaasjes aanbracht.

'Goedemiddag, dokter,' zei Bosch.

Laksmi draaide haar hoofd een kwartslag en keek hem aan. Door het gezichtsmasker en de plastic haarmuts die Bosch droeg herkende ze hem niet meteen. De tijd dat politiemensen gewoon konden binnenwandelen om mee te kijken lag ver achter hen. De voorschriften vereisten het volledige pakket beschermende kleding.

'Bosch of Ferras?'

'Bosch.'

'Je bent laat. Ik ben alvast begonnen.'

Laksmi was klein van stuk en had een donker uiterlijk. Wat het meest aan haar opviel, was dat haar ogen boven haar masker zwaar waren opgemaakt. Het was alsof ze begreep dat haar ogen, door alle kleding en andere bescherming, het enige waren wat de mensen het merendeel van de tijd van haar zagen. Ze praatte met een licht accent. Maar wie deed dat niet in Los Angeles? Zelfs de hoogste politiebaas klonk alsof hij uit het zuiden van Boston kwam.

'Ja, sorry. Ik was bij de zoon van het slachtoffer en dat liep een beetje uit.'

Hij zei niets over zijn warme lunch, die hem ook enige tijd had gekost.

'Hier heb je waar je waarschijnlijk naar op zoek bent.'

Ze tikte met het lemmet van haar scalpel op een van de vier roestvrijstalen schaaltjes op het werkblad links van haar. Bosch deed een stap ernaartoe en keek erin. In elk van de schaaltjes lag een stukje bewijsmateriaal dat uit het lijk was gehaald. Hij zag drie misvormde kogels en een enkele patroonhuls.

'Heb je een huls gevonden? Op het lijk?'

'Erin, om precies te zijn.'

'In het lijk?'

'Dat klopt. Was blijven steken in het strottenhoofd.'

Bosch dacht aan wat hij had ontdekt toen hij de foto's van de plaats delict bekeek. Het bloed op de vingers, de kin en de lippen van het slachtoffer. Maar niet op de tanden. Zijn vermoeden was juist geweest.

'Zo te zien heb je met een heel sadistische moordenaar te maken, rechercheur Bosch.'

'Waarom zeg je dat?'

'Omdat ofwel híj de huls in de keel van je slachtoffer heeft gepropt, óf de wegspringende huls is op de een of andere manier in de open mond terechtgekomen. Aangezien ik de kans van het laatste een op een miljoen schat, ga ik voor de eerste optie.'

Bosch knikte. Niet omdat hij onderschreef wat ze zei. Maar omdat hij dacht aan een scenario dat dokter Laksmi niet had gezien. Hij meende nu een iets beter beeld te hebben van wat er achter de toonbank van Fortune Liquors was gebeurd. Een van de uitgeworpen hulzen van het wapen van de schutter was op of naast John Li gevallen toen hij stervend op de vloer achter de toonbank lag. Of Li had gezien dat de schutter de hulzen van de vloer raapte, óf hij wist dat die belangrijk bewijsmateriaal konden zijn in het onderzoek naar zijn eigen dood. Met een laatste krachtsinspanning had hij de huls in zijn mond gestopt en geprobeerd die door te slikken om hem voor de schutter te verbergen.

John Li's allerlaatste daad was een poging geweest om Bosch een belangrijke aanwijzing te leveren.

'Heb je de huls schoongemaakt, dokter?' vroeg hij.

'Ja. Het bloed was opgestuwd naar de keelholte en de huls fungeerde als obstakel, zodat er nauwelijks bloed in de mond is gekomen. Ik moest hem schoonmaken om te zien wat het was.'

'Juist.'

Bosch wist dat de kans dat er vingerafdrukken op de huls stonden toch al verwaarloosbaar was. Door de ontbrandingsgassen die vrijkomen wanneer een kogel wordt afgevuurd blijft er van vingerafdrukken op de huls bijna nooit iets over.

Toch kon de huls nuttig zijn bij het vaststellen van het wapen dat was gebruikt, als de gevonden kogels te zeer misvormd waren. Bosch keek in de schaaltjes met de kogels. Hij zag meteen dat het om kogels met een holle punt ging. Ze hadden bij de inslag hun bekende paddenstoelvorm gekregen en waren ernstig misvormd. Hij kon niet zeggen of ze bruikbaar waren voor vergelijkingsdoeleinden. Maar de huls was hoogstwaarschijnlijk een bruikbaar stuk bewijsmateriaal. Met behulp van de krassen die de loop, de slagpin en het uitwerpmechanisme erop hadden achtergelaten konden ze mogelijk een match maken met het gebruikte wapen, als dat ooit werd gevonden. De huls vormde het verband tussen het slachtoffer en het wapen.

'Wil je mijn eerste indruk en er dan vandoor?' vroeg Laksmi.

'Graag, dokter. Laat maar horen.'

Terwijl Laksmi haar eerste bevindingen samenvatte, pakte Bosch een paar bewijszakjes van doorzichtig plastic van de plank boven het werkblad en deed hij de kogels en de huls elk in een apart zakje. De huls zag eruit alsof hij afkomstig was van een 9mm, maar die conclusie zou hij aan Ballistiek overlaten. Hij schreef zijn naam, die van Laksmi en het nummer van de zaak op de vier zakjes, tilde zijn spatschort op en stak ze in de zak van zijn jasje.

'De eerste kogel heeft hem linksboven in de borst geraakt, heeft de rechterhartkamer doorboord, is platgeslagen op een van de ruggenwervels en heeft daarbij de zenuwbanen beschadigd. Het slachtoffer moet onmiddellijk tegen de grond zijn gegaan. De volgende twee kogels hebben hem links en rechts aan de onderkant van het borstbeen getroffen. De volgorde waarin deze twee schoten zijn gelost is niet vast te stellen. De kogels hebben beide longkwabben doorboord en zijn vervolgens blijven steken in het spierweefsel van de rug. Met als gevolg van de drie schoten tezamen dat de hartfunctie is gestopt en de dood vrijwel meteen is ingetreden. Ik zou zeggen dat hij niet langer dan dertig seconden heeft geleefd.'

De schade aan de wervelkolom zette Bosch' aanvankelijke theorie, dat het slachtoffer de patroonhuls bewust had ingeslikt, op losse schroeven.

'Kon hij met die schade aan de wervelkolom zijn arm en hand nog bewegen?'

'Niet lang meer. Zoals ik al zei is de dood vrijwel onmiddellijk ingetreden.'

'Maar hij was dus niet verlamd? Kan hij in die laatste dertig seconden de huls hebben gepakt en die in zijn mond hebben gestoken?'

Laksmi liet dit nieuwe scenario even bezinken voordat ze antwoord gaf.

'Hij kan inderdaad verlamd zijn geraakt. Maar de kogel is afgeketst op de vierde borstwervel en heeft daar de schade aan de zenuwbanen aangericht. Dat kan zeker verlamming tot gevolg hebben gehad, maar die zou pas op dat moment inzetten. Dus het is mogelijk dat hij zijn armen nog kon bewegen, al is de vraag hoe lang nog. Zoals ik al zei zijn binnen een minuut alle lichaamsfuncties weggevallen.'

Bosch knikte. Zijn theorie had het overleefd. Het was nog steeds mogelijk dat Li met een laatste krachtsinspanning de huls had gepakt en die in zijn mond had gestoken.

Bosch vroeg zich af of de schutter dit wist. Hij had waarschijnlijk aan beide kanten van de toonbank moeten kijken om de hulzen te vinden. Die tijd had Li kunnen gebruiken om er een te pakken. Aan het bloed onder Li's lijk was te zien geweest dat het heen en weer was geschoven. Bosch wist nu dat dit hoogstwaarschijnlijk was gebeurd toen de schutter naar de ontbrekende huls zocht.

Bosch voelde zijn opwinding toenemen. De huls was een vondst van betekenis, maar het idee dat de schutter een fout had gemaakt sprak hem nog veel meer aan. Hij wilde zo snel mogelijk met zijn bewijs naar Werktuigsporen & Ballistiek.

'Oké, dokter, verder nog iets?'

'Ja. Iets wat je misschien liever nu wilt zien in plaats van op de foto's te wachten. Maar dan moet je me even helpen hem om te draaien.'

Ze liepen naar de autopsietafel en keerden voorzichtig het lijk om. De rigor mortis had ingezet en was vervolgens weer afgenomen, dus het ging vrij gemakkelijk. Laksmi wees naar de voeten. Bosch boog zich eroverheen en zag dat er op de achterkant van de enkels kleine Chinese symbolen waren getatoeëerd. Twee op de ene enkel, drie op de andere, aan beide kanten van de achillespees.

运气　钱　　　爱　家庭

'Heb je er foto's van gemaakt?'

'Ja. Ze komen in het rapport.'

'Is er hier iemand die deze kan lezen?'

'Dat denk ik niet. Dokter Ming zou het misschien kunnen, maar die heeft deze week vrij.'

'Oké. Kunnen we hem een stukje naar beneden schuiven, zodat ik zijn voeten over de rand kan hangen om er een foto van te maken?'

Ze hielp hem het lijk te verschuiven. De voeten hingen over de rand en Bosch legde ze tegen elkaar aan, zodat de symbolen een groepje vormden. Hij stak zijn hand onder zijn schort en haalde zijn mobiele telefoon uit zijn zak. Hij zette hem in de camerastand en nam een paar foto's van de tatoeages.

'Oké.'

Bosch legde zijn telefoon op de werktafel, waarna ze het lijk weer op de rug draaiden en omhoog schoven.

Bosch trok zijn gummihandschoenen uit, gooide ze in de bak voor medisch afval, pakte zijn telefoon en belde Chu.

'Wat is je e-mailadres? Ik wil je een foto sturen.'

'Een foto waarvan?'

'Chinese symbolen die op de enkels van meneer Li zijn getatoeeerd. Ik wil weten wat ze betekenen.'

'Oké.'

Chu gaf hem zijn e-mailadres op kantoor. Bosch bekeek de foto's die hij had gemaakt, stuurde de duidelijkste naar Chu en stak de telefoon weer in zijn zak.

'Dokter Laksmi, is er nog iets wat ik zou moeten weten?'

'Ik denk dat dit het wel is, rechercheur. Er is misschien wel iets wat de familie zou willen weten.'

'En dat is?'

Ze wees naar een van de orgaanschalen op de werktafel.

'De kogels hebben het onvermijdelijke blootgelegd. Meneer Li had longkanker, in een gevorderd stadium.'

Bosch liep naar de werktafel en keek in de schaal. Beide longen van het slachtoffer waren uit het stoffelijk overschot verwijderd om gewogen en onderzocht te worden. Laksmi had ze doorgesneden om de baan van de kogels te bekijken, en de longzakjes waren donkergrijs van de kankercellen.

'Hij was een roker,' zei Laksmi.

'Ja, dat weet ik,' zei Bosch. 'Hoe lang had hij nog, denk je?'

'Een jaar. Misschien langer.'

'Heb je kunnen vaststellen of hij hiervoor is behandeld?'

'Zo ziet het er niet uit. In ieder geval niet chirurgisch. En ik heb geen sporen gevonden die op chemotherapie of bestraling wijzen.'

Bosch dacht aan zijn eigen longen. Hij had al jaren niet gerookt, maar ze zeggen dat de schade in een vroeg stadium wordt aangericht. Soms, als hij 's morgens wakker werd, voelden zijn longen groot en zwaar aan in zijn borstkas. Hij had een paar jaar terug aan een zaak gewerkt waarbij hij per ongeluk aan een hoge dosis straling was blootgesteld. Artsen hadden gezegd dat er medisch geen schade was aangericht, maar Bosch had altijd stiekem gehoopt dat de golf straling al het kwaadaardige had gedood wat er eventueel in zijn borstkas groeide.

Bosch haalde zijn telefoon weer tevoorschijn en zette hem nog een keer in de camerastand. Hij boog zich over de schaal en maakte een foto van de aangevreten organen.

'Wat doe je?' vroeg Laksmi.

'Ik ga deze foto naar iemand toe sturen.'

Hij bekeek de foto, zag dat die duidelijk genoeg was en stuurde hem naar een e-mailadres.

'Naar wie? Toch niet de familie, hoop ik?'

'Nee, mijn dochter.'

'Je dochter?'

Er zat onmiskenbare boosheid in haar stem.

'Ze moet zien wat roken met je lichaam kan doen.'

'Zal ze leuk vinden.'

Meer zei ze er niet over. Bosch borg zijn telefoon op en keek op zijn horloge. Die had een dubbele tijdsaanduiding, van de tijd in Los Angeles en die in Hongkong. Het was een cadeautje van zijn dochter, nadat hij zich een paar keer te vaak had misrekend en haar in het holst van de nacht had opgebeld. In Los Angeles was het nu een paar minuten over drie. Bij zijn dochter was het vijftien uur later, dus die lag nog te slapen. Over ongeveer een uur zou ze opstaan en zou ze de foto zien. Bosch wist dat ze met een boos telefoontje zou reageren, maar liever dat dan helemaal geen telefoontje.

Hij glimlachte toen hij hieraan dacht en richtte zich weer op zijn werk. Hij was hier klaar.

'Bedankt, dokter,' zei hij. 'En voor je rapport, ik neem het ballistisch bewijs mee naar het lab.'

'Heb je ervoor getekend?'

Ze wees naar een klembord op de werktafel en Bosch zag dat ze al een lijstje had gemaakt. Bosch zette zijn handtekening en bevestigde daarmee dat hij nu in het bezit was van het vermelde bewijsmateriaal. Hij liep naar de deur van de autopsiezaal.

'Geef me een paar dagen om het af te bakken,' zei Laksmi.

Waarmee ze het formele eindrapport bedoelde.

'Oké,' zei Bosch, en hij liep de deur uit.

IO

Op weg naar het lab belde Bosch naar Chu en vroeg hem naar de tatoeages.

'Ik heb ze nog niet kunnen vertalen,' zei Chu.

'Hoe bedoel je? Heb je er nog niet naar gekeken?'

'Jawel, maar ik kan ze niet vertalen. Ik ben nu op zoek naar iemand
die dat wel kan.'

'Chu, ik heb je met mevrouw Li horen praten. Je hebt voor ons vertaald wat ze zei.'

'Bosch, dat ik Chinees spréék betekent nog niet dat ik het kan lezen. De Chinese taal heeft achtduizend van dit soort symbolen. Mijn
hele schoolopleiding is in het Engels geweest. Ik heb thuis Chinees gesproken, maar ik het nooit gelezen.'

'Oké, maar is er daar dan niemand die het voor me kan vertalen?
Jullie zijn toch de Asian Crimes Unit, of niet soms?'

'De Asian Gang Unit. En ja, we hebben hier mensen die dat kunnen, maar die zijn er op dit moment niet. Zodra ik iets weet, bel ik je.'

'Fraai is dat. Oké, bel me.'

Bosch beëindigde het gesprek. Hij had de pest in over het oponthoud. Een zaak moest als een haai door het water glijden. Je mocht die
voortgang niet verstoren, want dat kon fataal zijn. Hij keek op zijn horloge om te zien hoe laat het in Hongkong was, zette zijn auto aan de
kant en stuurde de foto van de enkeltatoeages in een e-mail naar zijn
dochter. Ze zou hem op haar telefoon ontvangen... meteen na de foto
van de longen, die hij haar had gestuurd.

Erg ingenomen met zichzelf voegde Bosch zich weer in het verkeer.
Dankzij haar was hij steeds handiger geworden in digitale communicatie. Ze had erop gestaan dat ze alle hedendaagse middelen zouden
gebruiken om contact met elkaar te houden – e-mail, sms en video's –
en zelfs iets wat Twitter werd genoemd, maar dat laatste was hem te

ver gegaan. Bosch had er op zijn beurt op gestaan dat ze ook op de ouderwetse manier zouden communiceren, door elkaar gewoon te bellen, en had ervoor gezorgd dat ze allebei een abonnement hadden waarmee ze probleemloos internationale gesprekken konden voeren.

Een paar minuten later was hij terug op het bureau en liep meteen door naar Werktuigsporen & Ballistiek op de vierde verdieping. Hij ging met zijn vier plastic zakjes naar een laborant die Ross Malone heette. Het was Malones taak om kogels en hulzen te onderzoeken en vervolgens de fabrikant en het model van het wapen te bepalen waarmee ze waren afgevuurd. Later, als er eventueel een wapen werd gevonden, moest hij door middel van ballistische proeven en analyse aantonen dat de kogels of hulzen uit dat specifieke wapen afkomstig waren.

Malone begon met de huls, haalde die met een groot model pincet uit het zakje en hield hem onder een heel sterk vergrootglas met een verlichte rand. Hij bestudeerde de huls enige tijd voordat hij iets zei.

'Cor Bon negen millimeter,' zei hij. 'Je bent waarschijnlijk op zoek naar een Glock.'

Bosch had verwacht dat hij het kaliber en het merk van de patroon bevestigd zou krijgen, maar niet het merk van het wapen waarmee was geschoten.

'Hoe weet je dat?'

'Kijk zelf maar.'

Malone zat op een hoge kruk achter het vergrootglas, dat met een verstelbare arm op zijn werktafel zat bevestigd. Hij boog zich een stukje opzij zodat Bosch over zijn schouder kon kijken. Hij hield het uiteinde van de huls in het licht onder het vergrootglas. Bosch kon de woorden COR BON, die in de buitenste rand van het slaghoedje waren geperst, duidelijk lezen. In het midden zag hij de indruk die de slagpen van de hamer van het wapen erin had gemaakt toen de kogel werd afgeschoten.

'Zie je hoe langwerpig die indruk is, bijna rechthoekig?' vroeg Malone.

'Ja, ik zie het.'

'Typisch Glock. Alleen Glocks maken zo'n indruk, omdat de slagpen rechthoekig is. Dus je bent op zoek naar een Glock 9mm. Glock heeft diverse modellen die hieraan beantwoorden.'

'Oké, daar kunnen we wat mee. Verder nog iets?'

Malone hield de huls horizontaal onder het vergrootglas en draaide hem langzaam rond.

'Ik zie hier duidelijk krassen van het veer- en uitwerpmechanisme. Als jij me het wapen brengt, denk ik dat ik de match wel kan maken.'

'Zodra ik het heb gevonden. En de kogels?'

Malone deed de huls terug in het zakje en bekeek de kogels een voor een onder het vergrootglas. Lang had hij daar niet voor nodig. Daarna haalde hij de tweede kogel opnieuw uit het zakje en bekeek hem nog een keer. Ten slotte schudde hij zijn hoofd.

'Hier kan ik niet veel mee. Ze zijn in een te slechte staat. Volgens mij is de huls je beste kans op een match. Zoals ik al zei: breng me het pistool, dan maak ik de match.'

Bosch besefte dat het belang van John Li's laatste daad steeds verder toenam. Hij vroeg zich af of de oude man had geweten hoe belangrijk deze later zou blijken te zijn.

Bosch' zwijgen bracht Malone ertoe het woord weer te nemen.

'Heb jij deze huls aangeraakt, Harry?'

'Nee, maar dokter Laksmi van Lijkschouwing heeft het bloed eraf gespoten met water. Ze heeft de huls namelijk ín het slachtoffer gevonden.'

'In het slachtoffer? Dat kan niet. Het is absoluut onmogelijk dat een patroonhuls...'

'Ik bedoel niet dat de huls in zijn lijf was geschoten. Hij heeft geprobeerd hem in te slikken. Hij zat in zijn keel.'

'Ah! Dat is een andere zaak.'

'Ja.'

'En ik mag aannemen dat Laksmi handschoenen aanhad toen ze hem vond?'

'Natuurlijk. Hoezo, Ross?'

'Nou, ik moet ergens aan denken. Ongeveer een maand geleden kregen we een memo van Vingerafdrukken. Daar stond in dat ze wilden beginnen met een of andere nieuwe methode – heel geavanceerd, elektro-nog-iets – om vingerafdrukken van koperen hulzen te halen, en dat ze op zoek waren naar testcases. Je weet wel, om te zien of het als bewijs voor de rechter standhoudt.'

Bosch staarde Malone aan. In al zijn dienstjaren bij de recherche had hij nog nooit gehoord van afdrukken die van een huls waren gehaald nadat die in de kamer van een vuurwapen was afgeschoten. Vingerafdrukken werden gevormd door oliën en vetten die door de huid werden afgescheiden. Beide verbrandden tijdens de explosie in de kamer wanneer de patroon werd afgevuurd.

'Ross, weet je zeker dat je het hebt over afgeschoten patronen?'

'Ja, dat zei ik toch? Teri Sopp is de laborant die zich ermee bezig-houdt. Waarom ga je niet eens met haar praten?'

'Als jij me de huls teruggeeft, ga ik dat meteen doen.'

Een kwartier later meldde hij zich bij Teri Sopp in het vingeraf-drukkenlab van de Forensische Dienst. Sopp was daar de hoofdlabo-rant en ze draaide al bijna net zo lang mee als Harry. Ze konden het goed met elkaar vinden en voelden zich op hun gemak bij elkaar, maar toch had Bosch het gevoel dat hij hun gesprek behoedzaam moest aanpakken en dat hij het initiatief aan Sopp moest laten.

'Harry, wat is je verhaal?'

Zo begroette ze Bosch altijd.

'Mijn verhaal is dat ik gisteren een zaak uit South Los Angeles op mijn bord heb gekregen en dat we vandaag een enkele patroonhuls uit het wapen van de schutter hebben gevonden.'

Bosch liet haar het bewijszakje met de patroonhuls zien. Sopp pak-te het van hem aan, hield het voor haar gezicht en keek door het plas-tic naar de huls.

'Afgevuurd?'

'Yep. Ik weet dat het een slag in de lucht is, maar ik hoop eigenlijk dat er een vingerafdruk op staat. Ik heb op dit moment verder niks waarmee ik aan de slag kan.'

'Nou, laten we dan maar eens kijken. Normaliter zou je op je beurt moeten wachten, maar aangezien we samen vijf korpschefs hebben versleten…'

'Daarom ben ik naar jou toe gekomen, Teri.'

Sopp ging aan haar werktafel zitten en net als Malone gebruikte ze een pincet om de huls uit het zakje te halen. Ze dampte hem op met cyanoacrylaat, wachtte geruime tijd en hield hem toen onder de ultra-violette lamp. Bosch keek mee over haar schouder en wist het ant-woord al voordat Sopp het gaf.

'Er zit een veeg op, hier. Zo te zien heeft iemand hem vastgepakt nadat hij is afgevuurd. Maar dat is alles.'

'Shit.'

Bosch nam aan dat de veeg erop was gekomen toen John Li de huls opraapte en hem in zijn mond stak.

'Het spijt me, Harry.'

Bosch zuchtte en liet zijn schouders hangen. Hij had geweten dat de kans klein was, of dat er helemaal geen kans was, maar hij wilde Sopp ervan overtuigen dat hij heel erg had gehoopt dat ze een vingerafdruk zou vinden.

Sopp wilde de huls weer in het bewijszakje doen.

'Heeft Werktuigsporen er al naar gekeken?'

'Ja, daar kom ik net vandaan.'

Ze knikte. Bosch kon zien dat ze over iets nadacht.

'Harry, vertel me over de zaak. Geef me de parameters.'

Bosch gaf haar een samenvatting, maar zonder het detail over de verdachte die ze van de bewakingsvideo hadden geplukt. Hij deed alsof het onderzoek een vrijwel hopeloze zaak was. Geen bewijs, geen verdachte, geen motief afgezien van een ordinaire beroving. Niks, nada, nul komma nul.

'Nou, er is nog iets anders wat we misschien kunnen doen,' zei Sopp.

'En dat is?'

'We waren van plan het nieuws het eind van deze maand bekend te maken. We gaan ons bezighouden met elektrostatische visualisering. Dit zou misschien een goede eerste zaak voor ons kunnen zijn.'

'Wat is in godsnaam elektrostatische visualisering?'

Sopp lachte als het kind dat nog een snoepje overheeft terwijl jij alles al ophebt.

'Dat is een proces, ontwikkeld in Engeland door de politie van Northamptonshire, waarmee vingerafdrukken op koperen oppervlakken zoals patroonhulzen door middel van elektriciteit zichtbaar kunnen worden gemaakt.'

Bosch keek om zich heen. Hij zag bij een van de andere werktafels een onbezette kruk staan, ging die halen en nam erop plaats.

'Hoe werkt het?'

'Goed dan, het gaat als volgt. Als je patronen in een revolver of in een magazijn van een automatisch pistool laadt, is dat een precies werkje. Je neemt elke patroon tussen je duim en vingers en moet hem goed vasthouden. Je oefent er druk op uit. Dat lijkt de perfecte methode om er afdrukken op achter te laten, nietwaar?'

'Ja, totdat je met het wapen schiet.'

'Precies. Een latente afdruk bestaat in principe uit het transpiratievocht dat zich tussen de papillairlijnen op de vingertoppen bevindt. Het probleem is dat wanneer een wapen wordt afgevuurd en de huls wordt uitgeworpen, de latente afdruk meestal verdwenen is door de explosie in het wapen. Daarom komt het zelden voor dat je een afdruk van een uitgeworpen huls kunt halen, tenzij die is van degene die de huls na het afschieten heeft opgeraapt.'

'Dat weet ik allemaal al,' zei Bosch. 'Vertel me iets wat ik níet weet.'

'Oké, oké. Nou, dit nieuwe proces werkt het beste wanneer er niet meteen met het wapen wordt geschoten. Met andere woorden, voor een succesvol verloop is er een situatie nodig waarin de patroon in het wapen is geladen en er enige tijd in blijft zitten voordat het wapen wordt afgevuurd. Op z'n minst een paar dagen, maar hoe langer, hoe beter. Want zolang de patroon in het wapen zit, krijgt het transpiratievocht, dat in feite de latente afdruk vormt, de kans om op het koper in te werken. Begrijp je?'

'Je bedoelt dat er een chemische reactie plaatsvindt.'

'Een onzichtbare chemische reactie. Ons zweet bestaat uit talloze verschillende zaken, maar het hoofdbestanddeel is natriumchloride… zout. Dat gaat een reactie met het koper aan, een vorm van corrosie, en dat laat sporen achter. Alleen kunnen wij die niet zien.'

'En met elektriciteit maak je ze zichtbaar.'

'Precies. We sturen een lading van vijfentwintighonderd volt door de huls, bestuiven die met koolstof en dan is de afbeelding zichtbaar. We hebben al diverse experimenten gedaan. En met succes. Het is bedacht door ene Bond in Engeland.'

Bosch voelde zijn opwinding groeien.

'Waarom doen we het dan niet?'

Sopp stak haar hand op om hem tot kalmte te manen.

'Ho, wacht even, Harry. Dat gaat zomaar niet.'

'Waarom niet? Waar wachten we op? Moet de korpschef eerst officieel een lint doorknippen of zoiets?'

'Nee, dat is het niet. Deze vorm van bewijs en de procedure zijn nog niet bekend bij het gerechtshof van Californië. We zijn met de procureur bezig om de protocols op te stellen, en niemand wil dit voor het eerst in een zaak toepassen, tenzij we er zeker van zijn dat we die winnen. We moeten aan de toekomst denken. De eerste keer dat we dit tijdens een proces als bewijs opvoeren, zal een precedent scheppen. Als het niet de juiste zaak is, verpesten we misschien alles en zijn we terug bij af.'

'Nou, misschien ís dit wel de juiste zaak. Wie bepaalt dat?'

'De eerste keer is het aan Brenneman om de zaak uit te kiezen, en daarna draagt hij die over aan de procureur.'

Chuck Brenneman was de grote baas van de Dienst Wetenschappelijk Onderzoek. Bosch besefte dat het kiezen weken, zo niet maanden in beslag kon nemen.

'Hoor eens, je zei dat jullie er hier al experimenten mee hebben gedaan, toch?'

'Ja, we moeten er zeker van zijn dat we weten wat we doen.'

'Mooi, experimenteer dan met deze huls. Kijk wat het oplevert.'

'Dat kunnen we niet doen, Harry. We gebruiken neppatronen in gecontroleerde experimenten.'

'Teri, ik heb echt je hulp nodig. Misschien vind je niks, maar het is ook mogelijk dat de vingerafdruk van de moordenaar op die huls staat. Jij kunt daarachter komen.'

Sopp leek te beseffen dat ze in het nauw was gedreven door iemand die niet van plan was het op te geven.

'Goed dan. Luister, de volgende serie experimenten staat pas voor volgende week gepland. Ik kan niks beloven, maar ik zal kijken wat ik voor je kan doen.'

'Bedankt, Teri.'

Bosch schreef het bewijsstuk in op het formulier en liep het lab uit. Hij vond het een opwindend idee dat hem een nieuwe technologie ter beschikking stond om de vingerafdruk van de moordenaar misschien zichtbaar te maken. Hij kreeg bijna het gevoel dat John Li al die tijd had geweten dat er zoiets als elektrostatische visualisering bestond. Door die gedachte voelde hij een ander soort elektriciteit langs zijn ruggengraat omhoog kruipen.

Toen Bosch op de vierde verdieping uit de lift stapte en op zijn horloge keek, zag hij dat het tijd was om zijn dochter te bellen. Ze zou nu over Stubbs Road naar de Happy Valley Academy lopen. Als hij haar nu niet belde, zou hij moeten wachten tot na schooltijd. Hij bleef in de gang staan, een paar meter van de deur van de teamkamer, haalde zijn telefoon uit zijn zak en drukte op de snelkeuzetoets. Het duurde dertig seconden voordat de trans-Atlantische verbinding tot stand was gebracht.

'Papa! Wat moet die foto van die dooie voorstellen?'

Bosch glimlachte.

'Ook goeiedag, meisje. Hoe weet je dat hij dood is?'

'Hm, eens even kijken. Mijn vader doet moordonderzoeken en hij stuurt me een paar blote voeten op een roestvrijstalen tafel. En die andere foto? Zijn dat zijn longen? Bah! Smerig, hoor.'

'Hij was een straffe roker. Ik vond dat je moest zien wat roken met je longen kan doen.'

Het bleef even stil en toen ze weer iets zei, klonk haar stem heel kalm. Van het kleine meisje was in haar stem niets meer te bespeuren.

'Papa, ik rook niet.'

'Ja, nou, je moeder vertelde me dat je soms naar sigarettenrook ruikt als je thuiskomt nadat je met je vrienden in de *mall* bent geweest.'

'Ja, dat is best mogelijk, maar dat betekent niet dat ík rook.'

'Wie rookt er dan wel?'

'Ik niet, papa! De oudere broer van mijn vriendin rookt, en hij gaat soms met ons mee om op haar te passen. Maar ík rook niet en Hei ook niet.'

'Hij? Ik dacht dat je het over een vriendin had.'

Ze zei de naam nog een keer, nu op de Chinese manier. Het klonk als 'haai'.

'Hei is een zij. Zo heet ze, Hei. In het Engels zou ze River heten.'

'Waarom noem je haar dan niet zo?'

'Omdat ze Chinese is en ik haar bij haar Chinese naam noem.'

'Het doet me aan Abbott en Costello denken. Een zij die Hei heet.'

'Wie?'

'Laat maar. En vergeet die foto van die longen, Maddie. Als jij zegt dat je niet rookt, dan geloof ik je. Maar daar bel ik niet voor. Die ta- toeages op zijn enkels, heb je die kunnen ontcijferen?'

'Ja. Enge foto, trouwens. Nu heb ik de voeten van een dooie man in mijn telefoon zitten.'

'Nou, je mag hem wissen nadat je me hebt verteld waar die symbo- len voor staan. Ik weet dat je die dingen op school leert.'

'Ik ga hem niet wissen. Ik ga hem aan iedereen laten zien. Dat vin- den ze vast cool.'

'Nee, doe dat niet. Die foto maakt deel uit van een zaak waar ik mee bezig ben. Niemand anders mag hem zien. Ik heb hem alleen naar je toe gestuurd in de hoop dat jij me een snelle vertaling zou kunnen geven.'

'Bedoel je dat er bij de hele LAPD niemand is die dat weet? Dat je je dochter in Hongkong moet bellen voor zoiets simpels?'

'Op dit ogenblik komt het daarop neer, ja. Je moet roeien met de riemen die je hebt. Weet je wat die symbolen betekenen of niet?'

'Ja, pa. Het is doodsimpel.'

'Nou, waar staan ze dan voor?'

'Ze vormen een soort geluksspreuk. De symbolen op de linkerenkel zijn *Fu* en *Cai*, wat staat voor "geluk" en "geld". En die op de rechterenkel zijn *Ai* en *Xi*, wat "liefde" en "familie" betekent.'

Bosch dacht hierover na. Het kwam hem voor dat de symbolen heel belangrijk voor John Li waren geweest. Dat hij had gehoopt dat die vier dingen altijd bij hem zouden zijn, waar hij ook ging.

Meteen daarna dacht hij aan het feit dat de tatoeages aan weerskanten van zijn achillespezen hadden gestaan. Misschien had Li ze met opzet op die plek laten zetten, met het idee dat de dingen die hij belangrijk vond hem ook kwetsbaar maakten. Dat ze ook zijn achilleshiel vormden.

'Hallo, papa?'

'Ja, ik ben er nog. Ik stond na te denken.'

'En, heb je er iets aan? Heb ik de zaak opengebroken?'

Bosch glimlachte, maar besefte onmiddellijk dat ze dat niet kon zien.

'Dat nog niet, maar het helpt me wel verder.'

'Mooi. Dan sta je bij me in het krijt.'

Bosch knikte.

'Je bent heel slim voor je leeftijd, weet je dat? Hoe oud ben je nu, dertien, maar je doet als twintig?'

'Papa, alsjeblieft...'

'Nou, dan doet je moeder toch nog iets goed.'

'Ongeveer het enige.'

'Hé, zo praat je niet over je moeder.'

'Papa, jij hoeft niet met haar samen te leven. Ik wel. En zo leuk is dat niet. Dat heb ik je verteld toen ik in Los Angeles was.'

'Heeft ze die vriend nog steeds?'

'Ja, en mij ziet ze niet meer staan.'

'Dat is niet waar, Maddie. Het is alleen zo dat ze heel lang alleen is geweest.'

En ik ook, dacht Bosch bij zichzelf.

'Papa, je moet niet altijd haar kant kiezen. Ik heb voortdurend het idee dat ik haar alleen nog maar tot last ben. Maar als ik zeg: "Oké, dan ga ik bij mijn pa wonen," dan mag dat niet.'

'Je hoort bij je moeder te wonen. Zij heeft je grootgebracht. Hoor eens, volgende maand kom ik een week naar je toe. Dan kunnen we erover praten. Met je moeder erbij.'

'Wat je wilt. Ik moet gaan. Ik ben bij school.'

'Oké. Doe Hei de zij de groeten van me.'

'Heel grappig, papa. En stuur me geen foto's van longen meer, wil je?'

'Nee, volgende keer stuur ik er een van een lever. Of van een galblaas misschien. Galblazen doen het heel goed op de foto.'

'Papa!'

Bosch beëindigde het gesprek en klapte zijn telefoon dicht. Hij dacht na over wat er allemaal was gezegd. Hij had gemerkt dat de weken en maanden tussen zijn bezoeken aan Maddie hem steeds moeilijker vielen. Naarmate ze ouder, intelligenter en communicatiever werd, hield hij steeds meer van haar en miste hij haar voortdurend. Ze was afgelopen juli in Los Angeles geweest, had de lange vliegreis voor het eerst alleen gemaakt. Nog maar net een tiener en nu al een wereldreiziger, en heel wijs voor haar leeftijd. Bosch had vrij genomen en ze hadden twee weken lang de stad verkend en leuke dingen gedaan. Ze hadden het allebei heerlijk gevonden en aan het eind van die twee weken had ze voor het eerst tegen hem gezegd dat ze in Los Angeles wilde komen wonen. Bij hem.

Bosch was slim genoeg om te beseffen dat ze deze gevoelens had geuit nadat ze twee weken lang de volledige aandacht van haar vader had gehad, en dat ze elke ochtend had mogen zeggen wat ze die dag wilde doen. Wat iets heel anders was dan het gewone leven met haar moeder, die dag in, dag uit voor haar had gezorgd en er ook nog bij had moeten werken. Toch had Bosch zijn moeilijkste dag ooit als parttime vader gehad toen hij Maddie naar het vliegveld had gebracht en haar alleen op het vliegtuig naar huis had gezet. Het had weinig gescheeld of ze had zich omgedraaid en was weggerend van het vliegtuig, maar uiteindelijk was ze onder protest ingestapt en even later was ze er niet meer. Sindsdien had hij met een hol gevoel in zijn lijf rondgelopen.

Zijn eerstvolgende trip naar Hongkong was pas over een maand en hij wist dat het wachten hem zwaar zou vallen.

'Harry, wat doe je hier?'

Bosch draaide zich om. Het was Ferras, zijn partner, die de teamkamer uit was gekomen, waarschijnlijk om naar het toilet te gaan.

'Ik had behoefte aan privacy. Ik heb met mijn dochter gebeld.'

'Alles goed met haar?'

'Ja, prima. Ik zie je straks binnen.'

Bosch liep naar de deur en stak zijn telefoon in de zak van zijn jasje.

11

Bosch kwam die avond om acht uur thuis met een zak afhaaleten van In-N-Out op Cahuenga in zijn hand.

'Schat, ik ben thuis,' riep hij terwijl hij met de sleutel, de zak en zijn koffertje stond te hannesen.

Glimlachend om zichzelf liep hij meteen door naar de keuken. Hij zette zijn koffertje op het aanrecht, pakte een flesje bier uit de koelkast en liep naar de veranda. Onderweg zette hij de cd-speler aan en liet de schuifdeur openstaan zodat de muziek zich kon vermengen met de verkeersgeluiden op de 101 Freeway in de vallei.

De veranda bood uitzicht in noordoostelijke richting, op Universal City, Burbank en het San Gabriel-gebergte daarachter. Harry begon aan zijn twee hamburgers, hield ze boven de open zak om de druppels vet op te vangen en keek naar de ondergaande zon, die diverse tinten rood over de berghellingen in de verte liet glijden. Ondertussen luisterde hij naar 'Seven Steps to Heaven' van Ron Carter op zijn album *Dear Miles*. Carter was een van de belangrijkste bassisten van de afgelopen vijftig jaar. Hij had met iedereen gespeeld en Bosch had zich vaak afgevraagd wat voor verhalen Carter zou kunnen vertellen over de sessies waaraan hij had meegedaan en alle muzikanten die hij kende. Maar of hij nu met anderen speelde of zijn eigen platen maakte, Carters manier van spelen was altijd herkenbaar. Omdat hij zich als bassist nooit echt op de achtergrond hield, meende Harry. Carter was altijd de motor. Hij gaf het ritme een extra drive, zelfs als hij Miles Davis begeleidde.

Ook het stuk dat nu werd gespeeld had die onmiskenbare drive. Het leek wel een autoachtervolging. Waardoor Bosch moest denken aan zijn eigen jacht en aan de vorderingen die hij de afgelopen dag had gemaakt. Hij was redelijk tevreden over zijn eigen vorderingen, maar helemaal niet blij met het besef dat de zaak was aangekomen op een punt waarop hij afhankelijk was van het werk van anderen. Hij moest wachten tot anderen de geldman van de triade hadden geïdentificeerd. Hij moest wachten tot anderen hadden besloten of ze zijn patroonhuls zouden gebruiken als testcase voor hun nieuwe vingerafdrukkentechnologie. Hij moest wachten tot iemand hem zou bellen.

Bosch voelde zich het meest thuis in een zaak wanneer hij zelf de actie voortstuwde en híj het pad uitzette voor de anderen. Hij was niet iemand die zich op de achtergrond hield. Hij was degene die de zaak de extra drive moest geven. En dat had hij gedaan totdat hij niet verder kon. Hij dacht na over volgende stappen in het onderzoek en besefte dat er maar weinig mogelijkheden waren. Ze konden de Chinese winkels en bedrijfjes in South Los Angeles afgaan met de foto van de geldman. Maar hij wist dat dit nagenoeg zinloos was. De culturele kloof was te groot. Niemand zou vrijwillig een lid van een triade aan de politie verraden.

Toch was hij bereid die weg te gaan als zich niet heel gauw iets anders voordeed. Het zou hem in ieder geval in beweging houden. En beweging was ritme en drive, of je die nu in jazzmuziek of op straat vond, of in het ritme van je eigen hartslag.

Toen het donker begon te worden, stak Bosch zijn hand in zijn zak en pakte het boekje lucifers dat hij altijd bij zich had. Hij deed het open en staarde naar de spreuk. Vanaf de allereerste avond dat hij die had gelezen, had hij hem serieus genomen. Hij geloofde echt dat hij iemand was die rust in zichzelf had gevonden. In de loop der jaren, in ieder geval.

Zijn mobiele telefoon ging over toen hij het laatste hapje van zijn hamburger in zijn mond stak. Hij haalde het toestel tevoorschijn en keek op de display. ONBEKEND NUMMER, maar toch nam hij op.

'Bosch.'

'Harry, David Chu hier. Zo te horen zit je te eten. Waar ben je?'

Chu's stem klonk afgeknepen van opwinding.

'Ik ben thuis. En waar ben jij?'

'In Monterey Park. We hebben hem!'

Bosch wachtte even voordat hij antwoord gaf. Monterey Park was een stadje ten oosten van Los Angeles, met een bevolking die voor driekwart uit Chinezen bestond. Amper een kwartier rijden vanaf het centrum, maar toch een stukje buitenland met een eigen cultuur en een onbegrijpelijke taal.

'Wie heb je?' vroeg hij ten slotte.

'Onze man. De verdachte.'

'Een identificatie, bedoel je?'

'Meer dan dat. We hebben hemzelf. We zitten op dit moment naar hem te kijken.'

Bosch had Chu al een paar dingen horen zeggen die hem allerminst bevielen.

'Ten eerste, wie zijn "we"?'

'Ik ben hier met de politie van Monterey Park. Zij hebben onze man op de foto herkend en hebben me rechtstreeks naar hem toe gebracht.'

Bosch voelde zijn hart kloppen in zijn slapen. Het leed geen twijfel dat de identificatie van de geldman van de triade – als het echt waar was – een grote stap voor het onderzoek betekende. Maar al het andere wat hij hoorde was dat niet. Een ander politiekorps bij de zaak betrekken en de verdachte benaderen waren twee dingen die goed fout konden gaan en die nooit gedaan hadden mogen worden zonder de voorkennis en de toestemming van de leider van het onderzoek. Maar Bosch wist dat hij nu niet tegen Chu kon uitvaren. Nog niet. Hij moest kalm blijven en proberen deze riskante situatie tot een goed einde te brengen.

'Rechercheur Chu, luister goed naar me. Hebben jullie contact met de verdachte gemaakt?'

'Contact? Nee, nog niet. We wachten op het juiste moment. Hij is nu niet alleen.'

Godzijdank, dacht Bosch, maar hij zei het niet.

'Heeft de verdachte jullie gezien?'

'Nee, Harry, we staan aan de andere kant van de weg.'

Bosch slaakte een zucht van opluchting. Hij begon te geloven dat de situatie misschien nog te redden viel.

'Oké. Ik wil dat je niets doet, dat je me vertelt wat je tot nu toe hebt gedaan en waar je precies bent. Hoe kom je in Monterey Park terecht?'

'De AGU heeft goede banden met de politiemensen die zich in Monterey Park met de bendes bezighouden. Vanavond, na mijn werk, ben ik met de foto van onze man naar ze toe gegaan om te zien of iemand hem herkende. Ik kreeg een positieve identificatie van de derde man aan wie ik de foto liet zien.'

'De derde man. En wie was dat?'

'Rechercheur Tao. Ik ben hier nu met hem en zijn partner.'

'Oké. Geef me de naam die je hebt gekregen.'

'Bo-Jing Chang.'

Chu spelde de naam voor hem.

'Dus zijn achternaam is Chang?' vroeg Bosch.

'Klopt. En volgens hun informatie is hij lid van Yung Kim... Moedig Mes. Dat sluit aan bij de tatoeage op zijn arm.'

'Oké. Wat nog meer?'

'Dat is het zo'n beetje. Hij schijnt binnen de triade een kleine jongen te zijn. De jongens die er een gewone baan bij hebben. Hij werkt als verkoper van tweedehands auto's, hier in Monterey. Hij is in de Verenigde Staten sinds 1995 en heeft een dubbele nationaliteit. Geen strafblad... hier in ieder geval niet.'

'En je hebt nu visueel contact met hem?'

'Ja. Hij zit te kaarten. Moedig Mes heeft zich vooral hier in Monterey geconcentreerd. Ze hebben een club waar ze aan het eind van de dag samenkomen. Tao en Herrera hebben me ernaartoe gebracht.'

Herrera was Tao's partner, nam Bosch aan.

'Je zei dat jullie aan de overkant van de weg staan?'

'Dat klopt. De club maakt deel uit van een rijtje winkels. Wij staan aan de overkant van de weg. Vanaf hier is te zien dat ze zitten te kaarten. En Chang kunnen we met de verrekijker zien.'

'Oké. Luister, ik kom naar jullie toe. Ik wil dat jullie je terugtrekken, dat jullie minimaal één blok meer afstand nemen.'

Het duurde enige tijd voordat Chu antwoord gaf.

'Dat is nergens voor nodig. Als we hem niet meer in het zicht hebben, gaat hij er misschien vandoor.'

'Luister goed naar me, rechercheur. Jullie trekken je terug. Als hij hem smeert, is dat míjn verantwoordelijkheid, niet de jouwe. Ik wil niet het risico lopen dat hij ziet dat de politie hem in de gaten houdt.'

'Maar we staan aan de andere kant van de weg,' protesteerde Chu. 'Een brede weg, vier rijbanen.'

'Chu, je luistert niet. Als jullie hem kunnen zien, kan hij jullie ook zien. Dus ga daar weg, nu meteen, verdomme. Ik wil dat jullie je minstens één straat terugtrekken en daar op me wachten. Ik ben er binnen een half uur.'

'Dat is nogal gênant tegenover de anderen,' zei Chu, bijna op fluistertoon.

'Het kan me niet schelen wat het is. Als jij dit op de juiste manier had aangepakt, had je me gebeld zodra je de identificatie had. In plaats daarvan ben je cowboytje gaan spelen in míjn zaak, en ik maak daar een eind aan voordat jullie er een zooitje van maken.'

'Je ziet het verkeerd, Harry. Ik bel je nu toch?'

'Ja, nou, dat waardeer ik. Maar jullie trekken je nu terug. Ik bel je zodra ik in de buurt ben. Hoe heet die tent?'

Na een korte stilte antwoordde Chu op bedeesde toon.

'Club Eighty-eight. Op Garvey, ongeveer vier straten ten westen van Garfield. Als je de 10 neemt...'

'Ik weet hoe ik er moet komen. Ik kom eraan.'

Bosch klapte zijn telefoon dicht om verdere protesten in de kiem te smoren. Chu wist nu hoe hij erover dacht. Als hij zich niet terugtrok of er niet in slaagde de twee politiemensen van Monterey Park in het gareel te houden, zou Bosch hem met een intern onderzoek om de oren slaan.

12

Binnen twee minuten was Harry de deur uit. Hij reed het heuvelland uit en nam de 101 via Hollywood naar het centrum. Daar sloeg hij af en nam de 10 in oostelijke richting. Het was niet druk op de weg, dus over een minuut of tien zou hij in Monterey Park zijn. Onderweg belde hij Ignacio Ferras thuis, hij gaf hem een samenvatting van het gebeurde en bood hem de mogelijkheid er in Monterey Park bij te zijn. Ferras sloeg het aanbod af en zei dat het beter was dat ten minste een van hen de volgende ochtend uitgeslapen was. Bovendien had hij het veel te druk met de forensische analyse van de financiële aspecten van de zaak, om vast te stellen hoe slecht John Li's zaak ervoor stond en hoezeer hij werd uitgeperst door de triade.

Bosch ging akkoord en klapte zijn telefoon dicht. Hij had al verwacht dat zijn partner het aanbod zou afslaan. Ferras' angst voor het werk op straat werd steeds evidenter en Bosch vond dat hij hem inmiddels wel genoeg tijd had gegeven om weer de oude te worden. Maar Ferras leek hem uit de weg te gaan en werk te zoeken dat hij in de teamkamer kon doen. Papierwerk, computeronderzoek en financiële achtergrondinformatie waren zijn specialiteit geworden. Het kwam maar al te vaak voor dat Bosch andere rechercheurs moest ronselen om samen met hem veldwerk te doen, ook al was het maar iets simpels als een getuigenverhoor. Bosch had Ferras de tijd gegeven om zich te herstellen, maar de situatie had nu een punt bereikt waarop hij zich begon af te vragen of de slachtoffers van misdaden wel de hulp kregen waar ze recht op hadden. Het was moeilijk om een volwaardig onderzoek te leiden wanneer je partner aan zijn bureaustoel vastgeplakt zat.

Garfield Avenue was de belangrijkste noord-zuidverbinding en toen Bosch in zuidelijke richting reed, kreeg hij een weids uitzicht op het handelsdistrict. Monterey Park kon gemakkelijk voor een wijk in

Hongkong doorgaan. De neonreclames, de kleuren, de winkels en de taal op de uithangborden waren duidelijk gericht op een Chineessprekende bevolking. Het enige wat hij miste waren de woontorens die hoog boven de stad uitstaken. Hongkong was een verticale stad. Monterey Park was dat niet.

Hij sloeg links af, reed Garvey Avenue op en pakte zijn telefoon om Chu te bellen.

'Oké, ik ben op Garvey. Waar zijn jullie?'

'Rij door tot je rechts van je een grote supermarkt ziet. Wij staan op het parkeerterrein erachter. Je komt langs de club, links van je, ongeveer halverwege.'

'Begrepen.'

Hij klapte zijn telefoon dicht, reed door en keek naar het neonlicht links van hem. Algauw zag hij de rode '88' boven de deur van een kleine club, die er voor het overige volstrekt anoniem uitzag. Nu hij de cijfers zag – niet toen Chu hem de naam van de club noemde – begreep hij waar ze voor stonden. Het ging hier niet om het huisnummer van het pand. Het getal had een symbolische betekenis. Bosch wist van zijn dochter en van zijn vele bezoeken aan Hongkong dat de 8 in de Chinese cultuur als een gelukscijfer werd beschouwd. Het stond voor oneindigheid… oneindig geluk, of liefde, of geld, of wat je maar in het leven wenste. Blijkbaar hoopten de leden van Moedig Mes op dubbele oneindigheid, door '88' boven hun deur te zetten.

Toen hij het pand voorbijreed, zag hij licht achter de grote vooruit. De jaloezieën waren half geopend en Bosch zag een stuk of tien mannen om een tafel zitten en staan. Harry reed door en drie straten verder draaide hij het parkeerterrein van de Big Lau-supermarkt op. Aan het eind zag hij een overheidsmodel Crown Victoria staan. Die zag er te nieuw uit om van de LAPD te kunnen zijn, dus Bosch nam aan dat Chu met de twee politiemensen van Monterey Park was meegereden. Hij parkeerde zijn auto ernaast.

Ze draaiden hun raampjes open en Chu, op de achterbank, stelde iedereen aan elkaar voor. Herrera zat achter het stuur met Tao naast hem. Geen van beiden kwam zelfs maar in de buurt van de dertig, maar dat was te verwachten. De kleine politiekorpsen in de randsteden van Los Angeles fungeerden als kweekvijver voor de LAPD. De agenten meldden zich op jonge leeftijd aan, deden een paar jaar ervaring op en stroomden dan door naar de LAPD of naar een van de sheriffdiensten van Los Angeles County, waar het dragen van een penning meer glamour had en leuker was, en de eerder opgedane ervaring ze scherp maakte.

'Heb jij Chang geïdentificeerd?' vroeg Bosch aan Tao.

'Dat klopt,' zei Tao. 'Ik heb hem zes maanden geleden aangehouden voor een algemene controle. Toen Davy me de foto liet zien, herkende ik hem meteen.'

'Waar was dat?'

Terwijl Tao het woord deed, hield zijn partner zijn blik gericht op Club 88 verderop langs de weg. Af en toe bracht hij zijn verrekijker omhoog om het komen en gaan van de klanten beter te bekijken.

'Ik kwam hem tegen in het loodsendistrict aan het eind van Garvey. Het was laat en hij reed in een grote stationcar. Hij wekte de indruk dat hij verdwaald was. Hij vond het goed dat we achter in de auto keken en daar was niks te zien, maar ik had het vermoeden dat hij daar was om een partij goederen of iets anders op te halen. Er wordt vanuit die loodsen veel imitatiespul verhandeld. Je raakt er gemakkelijk de weg kwijt, want het zijn er zo veel en ze lijken allemaal op elkaar. Maar goed, de auto was niet van hem. Die stond op naam van Vincent Tsing. Tsing woont in South Pasadena, maar wij kennen hem redelijk goed als lid van Moedig Mes. Een bekend gezicht. Hij heeft een handel in tweedehands auto's hier in Monterey Park, en Chang werkt voor hem.'

Bosch kende de procedure. Tao had de stationcar aangehouden, maar zonder directe aanleiding om de auto te doorzoeken of Chang te arresteren was hij afhankelijk geweest van Changs vrijwillige medewerking. Ze hadden de informatie die hij had gegeven ingevuld op een aanhoudingskaart en achter in de auto gekeken nadat Chang daar toestemming voor had gegeven.

'En toen zei hij uit zichzelf dat hij van de Moedig Mes-triade was?'

'Nee,' zei Tao licht geërgerd. 'We zagen zijn tatoeage, wisten wie de eigenaar van de auto was en toen hebben we een en een bij elkaar opgeteld, rechercheur.'

'Goed werk. Had hij een rijbewijs bij zich?'

'Ja. Maar het adres hebben we vanavond al gecheckt. Dat klopt niet. Hij is verhuisd.'

Bosch keek naar Chu op de achterbank. Dit hield in dat als het adres op Changs rijbewijs wel had geklopt, ze de verdachte misschien wel bij zijn huis hadden opgewacht zonder Bosch in te lichten.

Chu zag Bosch kijken en wendde zijn blik af. Bosch riep zichzelf tot de orde en probeerde kalm te blijven. Als hij de drie nú de les las, bracht hij de samenwerking in gevaar en zou de zaak daaronder lijden. Dat wilde hij niet.

'Heb je die pestkaart bij je?' vroeg hij aan Tao.

Tao stak de kaart, ongeveer dertien bij acht centimeter groot, uit het raampje en Bosch pakte hem aan. Hij deed de binnenverlichting aan en las de handgeschreven informatie die erop stond. Aangezien algemene controles door burgerrechtenactivisten werden gezien als ongeoorloofde pesterij, werden de kaarten waarop de informatie werd genoteerd door politiemensen 'pestkaarten' genoemd.

Bosch las de informatie over Bo-Jing Chang. Het meeste was hem zonet al verteld. Maar Tao had zijn algemene controle heel serieus aangepakt. Er stond een mobiel telefoonnummer op de kaart. Dat bood mogelijkheden.

'Is dat telefoonnummer nog goed?'

'Ik weet niet of het nu nog goed is… die gasten veranderen voortdurend van telefoon. Maar toen wel. Ik heb het ter plekke gebeld om te kijken of hij me niet in de zeik nam. Dus het enige wat ik kan zeggen, is dat het toen klopte.'

'Oké, dat moeten we nagaan.'

'Wou je hem gewoon opbellen en zeggen: "Hé, hoe gaat het?"'

'Nee, dat ga jij doen. Blokkeer je nummer en bel hem over precies vijf minuten. Als hij antwoordt, zeg je dat je het verkeerde nummer hebt gebeld. Leen me je verrekijker en, Davy, jij komt met mij mee.'

'Wacht,' zei Tao. 'Wat kan ons die telefoon nou schelen?'

'Als het nummer nog goed is, kunnen we hem laten afluisteren. Geef me je verrekijker. Jij belt terwijl ik hem in de gaten hou en dan weten we het zeker, duidelijk?'

'Wat je wilt.'

Bosch gaf Tao de pestkaart terug en kreeg de verrekijker ervoor in ruil. Chu stapte uit, liep om Bosch' auto heen en stapte bij hem in.

Bosch draaide Garvey weer op, reed terug naar Club 88 en zocht een plek waar hij kon parkeren.

'Waar hebben jullie zonet gestaan?'

'Daar, aan de linkerkant.'

Hij wees de plek aan en Bosch minderde vaart, deed de lichten uit en parkeerde tegenover Club 88 aan de overkant van de weg.

'Jij neemt de verrekijker en kijkt of hij zijn telefoon beantwoordt,' zei hij tegen Chu.

Terwijl Chu zich op Chang concentreerde, hield Bosch het hele pand van de club in de gaten om te zien of er iemand uit het raam hun kant op keek.

'Wie van die gasten is Chang?' vroeg hij.

'Hij zit links, aan het hoofd van de tafel, naast die man met dat hoedje.'

Bosch pikte hem eruit. Maar de afstand was te groot om te kunnen zien of Chang de man van de bewakingsvideo van Fortune Liquors was.

'Wat denk jij, is hij het of ga je gewoon mee met Tao's identificatie?' vroeg hij.

'Nee, die identificatie is goed,' zei Chu. 'Hij is het.'

Bosch keek op zijn horloge. Herrera had al moeten bellen. Hij begon ongeduldig te worden.

'Wat zijn we eigenlijk aan het doen?' vroeg Chu.

'We leggen het fundament voor een zaak, rechercheur. We bevestigen of dat nummer goed is en vragen een gerechtelijk bevel om het af te tappen. We luisteren hem af en dan komen we dingen te weten. Met wie hij belt, wat hij van plan is. Misschien zegt hij wel iets over Li. En als hij dat niet doet, maken we hem aan het schrikken en kijken we wie hij dan belt. We besluipen hem. Waar het om gaat is dat we er de tijd voor nemen en dat we het goed doen. We stormen niet als cowboys wild om ons heen schietend op hem af.'

Chu reageerde niet. Hij hield de verrekijker tegen zijn ogen gedrukt.

'Zeg eens,' zei Bosch. 'Vertrouw jij die jongens, Tao en Herrera?'

Chu aarzelde niet.

'Ja, ik vertrouw ze. Jij niet?'

'Ik ken ze niet, dus kan ik ze ook niet vertrouwen. Het enige wat ik weet is dat jij mijn zaak en mijn verdachte hebt overgenomen en dat je al onze informatie aan dat politiekorps hebt laten zien.'

'Hoor eens, ik probeerde alleen tot een doorbraak in de zaak te komen en dat is me gelukt. We hebben hem geïdentificeerd.'

'Ja, en ik hoop voor jou dat onze verdachte dat niet te weten komt.'

Chu liet de verrekijker zakken en keek Bosch aan.

'Volgens mij heb je alleen de pest in omdat het niet jouw doorbraak was.'

'Nee, Chu, het maakt me niet uit wie van ons tot de doorbraak komt, als het maar goed wordt gedaan. Mijn kaarten laten zien aan mensen die ik niet ken is niet mijn idee van goed beheer van een moordonderzoek.'

'Man, vertrouw je dan helemaal niemand?'

'Let jij nou maar op de club,' zei Bosch stug.

Chu bracht de verrekijker weer naar zijn ogen zoals hem was opgedragen.

'Ik vertrouw op mezelf,' zei Bosch.

'Ik vraag me wel af of het niet iets met mij en Tao te maken heeft. Of dat de reden is.'

'Begin nou niet weer met die shit, Chu. Het kan me niet schelen wat jij je afvraagt. Voor mijn part ga je terug naar de agu en blijf je verder met je poten van mijn zaak af. Ik was niet degene die jou erbij heeft gehaald, dus…'

'Chang neemt het telefoontje aan!'

Bosch keek naar de club. Hij meende de man die Chu als Chang had geïdentificeerd met zijn telefoon tegen zijn oor te zien staan. Toen liet de man zijn arm weer zakken.

'Hij bergt zijn telefoon op,' zei Chu. 'Het nummer is goed.'

Bosch reed achteruit de parkeerplek af en ging weer op weg naar de supermarkt.

'Ik begrijp nog steeds niet waarom dat telefoonnummer zo belangrijk is,' zei Chu. 'Waarom pakken we hem niet gewoon op? We hebben hem op dvd. Dezelfde dag, dezelfde tijd. Dat kunnen we gebruiken om hem aan het praten te krijgen.'

'En als hij dat weigert? Dan hebben we verder niks. De openbaar aanklager lacht ons vierkant uit als we alleen met die beelden komen. We hebben meer nodig. Dat is wat ik je probéér te leren.'

'Ik heb geen behoefte aan een leraar, Bosch. En ik denk nog steeds dat we hem aan de praat kunnen krijgen.'

'Ja, ga jij maar naar huis, politiefilms op tv kijken. Waarom zou hij verdomme ook maar iets tegen ons zeggen? Die gasten krijgen het vanaf de allereerste dag ingepeperd: word je gepakt, dan hou je je mond. Als je voor schut gaat, ga je voor schut en zorgen wij verder voor je.'

'Je had me verteld dat je nooit eerder een triadezaak had gedaan.'

'Dat is ook zo, maar sommige dingen zijn universeel, en dit is er een van. Je krijgt in dit soort zaken maar één kans. Dus moet je het meteen goed doen.'

'Oké, we doen het op jouw manier. Wat nu?'

'We rijden terug naar het parkeerterrein en sturen je vrienden naar huis. Vanaf hier nemen wij het weer over. Het is onze zaak, niet de hunne.'

'Dat zullen ze niet leuk vinden.'

'Dat is hun zorg. Maar zo gaat het gebeuren. Bedenk maar iets om ze op een aardige manier te lozen. Zeg maar dat ze weer mogen meedoen als we onze man gaan oppakken.'

'Ik?'

'Ja, jij. Jij hebt ze erbij gehaald, dus jij stuurt ze de laan uit.'

'Je wordt bedankt, Bosch.'

'Graag gedaan, Chu. Welkom bij Moordzaken.'

13

Bosch, Ferras en Chu zaten aan de ene kant van de vergadertafel, tegenover hoofdinspecteur Gandle en commissaris Bob Dodds, het hoofd van Berovingen-Moordzaken. Tussen hen in op het hoogglans tafelblad lagen de dossiers, papieren en foto's van de zaak, met de foto van Bo-Jing Chang, van de bewakingscamera van Fortune Liquors, prominent in het midden.

'Ik ben niet overtuigd,' zei Dodds.

Het was donderdagochtend, amper zes uur nadat Bosch en Chu hun surveillance van Chang, toen hij naar een woonhuis in Monterey Park was gegaan en zich blijkbaar had teruggetrokken voor de nacht, hadden beëindigd.

'Nou, chef, u zóú ook niet overtuigd moeten zijn,' zei Bosch. 'Daarom willen we de surveillance voortzetten en willen we die telefoontap.'

'Wat ik bedoel, is dat ik er niet van overtuigd ben dat dit de juiste aanpak is,' zei Dodds. 'Surveillance is prima. Maar een telefoontap betekent een hoop werk en manuren, en het resultaat moet je altijd maar afwachten.'

Bosch begreep wat hij bedoelde. Dodds had een uitstekende reputatie als rechercheur, maar hij was nu beleidsman en even ver verwijderd van het echte recherchewerk als een Texaanse oliebaron van een pompbediende. Hij hield zich nu bezig met personele bezetting en budgetten. Hij moest manieren bedenken om meer te doen met minder mensen en geld, zonder ook maar één concessie te doen aan de statistieken van verrichte arrestaties en afgesloten zaken. Dat had een realist van hem gemaakt, en de realiteit was dat elektronische surveillance heel duur was. Alleen al het verzoek om toestemming van de rechter, dat meestal meer dan vijftig pagina's telde, kostte hem dubbele manuren. En als de toestemming eenmaal was verleend, moest er een afluisterkamer worden ingericht en moest daar vierentwintig uur per dag iemand aanwezig zijn. Vaak groeide een telefoontap van een enkel nummer uit tot taps van meerdere nummers, waarvoor per stuk toestemming van de rechter moest worden verkregen en die allemaal dag en nacht moesten worden gemonitord. Zo'n operatie kostte dan algauw een vermogen aan overuren. Het budget voor overuren van het hoofdbureau was flink gekrompen door de bezuinigingen op het hele politiedepartement en Dodds voelde er weinig voor om het te besteden aan het onderzoek naar de moord op een drankhandelaar in South Los Angeles. Hij hield het geld liever apart als appeltje voor de dorst... of voor een grote zaak die veel media-aandacht zou krijgen.

Dodds sprak het natuurlijk niet hardop uit, maar net als alle anderen in de vergaderzaal wist Bosch heel goed dat dit het probleem was waarmee de commissaris worstelde, de ware reden dat hij niet overtuigd was.

Bosch deed nog een poging hem over de streep te trekken.

'Dit is slechts het topje van de ijsberg, chef,' zei hij. 'We hebben het niet alleen over een moord in een drankwinkel. Dit is nog maar het begin. Tegen de tijd dat we de zaak hebben afgerond, hebben we misschien een hele triade opgerold.'

'Hebben afgerond? Over negentien maanden ga ik met pensioen, Bosch. Dit soort zaken kan zich tot in de eeuwigheid voortslepen.'

Bosch haalde zijn schouders op.

'We zouden de FBI erbij kunnen betrekken, een samenwerkingsverband aangaan. Die zijn altijd wel te porren voor een internationale zaak, en ze hebben het geld voor telefoontaps en surveillance.'

'Maar dan moeten we alles met ze delen,' zei Gandle, die doelde op de opbrengst van de operatie. Krantenkoppen, persconferenties, al die dingen.

'Dat doe ik liever niet,' zei Dodds, en hij hield de foto van Bo-Jing Chang op.

Bosch gooide zijn laatste troef op tafel.

'En als we geen overuren schrijven?' vroeg hij.

De commissaris had een pen in zijn hand. Waarschijnlijk om zichzelf eraan te herinneren dat hij hier de baas was. Hij was degene die dingen ondertekende. Hij zat ermee te spelen terwijl hij nadacht over Bosch' onverwachte voorstel, maar algauw schudde hij zijn hoofd.

'Je weet dat ik dat niet van jullie kan vragen,' zei hij. 'Ik mag het niet eens wéten.'

Het was waar. Het departement was al zo vaak aangeklaagd voor ongeoorloofde arbeidspraktijken dat niemand met een beleidsfunctie er ook maar aan dácht een rechercheur toestemming te geven om onbetaald werk te verrichten.

Bosch' frustratie aangaande budgetten en bureaucratie kreeg ten slotte de overhand.

'Wat moeten we dan doen? Chang oppakken? We weten allemaal dat hij geen woord zal zeggen en dat de zaak daarmee op een dood spoor komt.'

De commissaris draaide de pen rond tussen zijn vingers.

'Bosch, je weet wat het alternatief is. Je werkt door totdat je iets vindt. Je verhoort de getuigen nog een keer. Je gaat opnieuw aan de slag met het bewijs. Er is altijd wel een verband te vinden. Ik heb vijftien jaar gedaan wat jij doet en je weet net zo goed als ik dat er altijd iets onopgemerkt blijft. Zorg dat je dat vindt. Een telefoontap is een slag in het duister en dat weet je heel goed. Doodgewoon speurwerk levert negen van de tien keer meer op. Nou, was er verder nog iets?'

Harry voelde dat zijn gezicht begon te gloeien. De commissaris liet hem zakken. Maar wat hem nog meer stak, was dat hij wist dat Dodds gelijk had.

'Bedankt, chef,' zei hij kortaf, en hij stond op.

De rechercheurs lieten de commissaris en de hoofdinspecteur achter in de vergaderzaal en verzamelden zich op Bosch' werkplek. Bosch gooide de pen die hij in zijn hand had op zijn bureau.

'Wat een eikel,' zei Chu.

'Nee, dat is hij niet,' zei Bosch meteen. 'Hij heeft gelijk en daarom is hij hoofdcommissaris en wij niet.'

'Wat doen we nu?'

'We blijven Chang schaduwen. Aan overuren doen we niet en wat de chef niet weet, kan hem ook niet deren. We observeren Chang en wachten tot hij een fout maakt. Het kan me niet schelen hoe lang het duurt. Desnoods maak ik er mijn nieuwe hobby van.'

Bosch keek de andere twee aan, verwachtte min of meer dat ze zouden weigeren om mee te werken aan een surveillance die hoogstwaarschijnlijk de grens van hun achturige werkdag zou overschrijden.

Tot zijn verbazing knikte Chu.

'Ik heb het al met mijn baas besproken. Ik ben aan deze zaak toegewezen, dus ik doe mee.' Bosch knikte en voor het eerst bedacht hij dat het niet eerlijk van hem was geweest dat hij zo weinig vertrouwen in Chu had gehad. Meteen daarna dacht hij echter dat zijn argwaan wel degelijk gerechtvaardigd was en dat Chu's bereidwilligheid alleen een manier was om nauw bij het onderzoek betrokken te blijven en Bosch in de gaten te houden.

Harry wendde zich tot zijn partner.

'En jij?'

Ferras knikte met tegenzin en gebaarde naar de vergaderzaal achter in de teamkamer. Achter de glazen wand waren Dodds en Gandle nog steeds druk met elkaar in gesprek.

'Je weet dat ze heel goed weten wat wij nu aan het doen zijn,' zei Ferras. 'Ze betalen ons geen cent extra en laten het aan ons over of we het doen of niet. Het is verdomme niet eerlijk.'

'Nee, nou en?' vroeg Bosch. 'Het hele leven is niet eerlijk. Doe je mee of niet?'

'Ja, ik doe mee, maar niet onbeperkt. Ik heb een gezin, man. Ik ga niet de hele nacht in een auto zitten. Dat kan ik niet maken. Zeker niet onbetaald.'

'Oké, goed dan,' zei Bosch, hoewel aan zijn stem te horen was dat hij teleurgesteld was in Ferras. 'Je doet wat je kunt. Jij doet het binnenwerk en Chu en ik nemen Chang voor onze rekening.'

Ferras, die de teleurstelling in Bosch' stem ook had gehoord, deed nog een poging zich te verdedigen.

'Hoor eens, Harry, jij weet niet wat het is. Drie kinderen... probeer jij het thuis maar eens te verkopen. Dat je de hele nacht in een auto zit om een of andere triadegast in de gaten te houden en dat je loonstrookje er precies hetzelfde uitziet ongeacht alle uren die je extra van huis bent.'

Bosch stak zijn handen op alsof hij wilde zeggen: ik heb genoeg gehoord.

'Je hebt helemaal gelijk. Ik hóéf dit thuis niet te verkopen. Ik doe gewoon wat er gedaan moet worden. Dat hoort bij het werk.'

14

Bosch zat in zijn eigen auto en keek naar Chang, die zijn weinig interessante werk bij Tsing Motors in Monterey Park deed. De autohandel was gevestigd op het terrein van een voormalig benzinestation uit de jaren vijftig, met twee grote garages en een aangebouwd kantoor. Bosch' auto stond een half blok verderop, aan de andere kant van de drukke Garvey Avenue, dus de kans dat hij werd gespot was minimaal. Chu stond een half blok de andere kant op, op een parkeerterrein, ook in zijn eigen auto. Privéauto's gebruiken voor surveillance was tegen de regels van het departement, maar Bosch had de politiegarage gebeld en er waren geen undercover auto's beschikbaar geweest. Dus de keus was beperkt: óf ze hadden moeten gaan in hun ongemerkte dienstauto's, die net zo goed in zwart-wit gespoten hadden kunnen zijn, zo vielen ze op, óf ze moesten de regels overtreden. Bosch vond dat in dit geval niet erg, want hij had een wisselaar voor zes cd's in zijn auto. Vandaag had hij die geladen met cd's van zijn laatste ontdekking. Tomasz Stańko was een Poolse trompettist die klonk als de geest van Miles Davis. Zijn geluid was helder, scherp en vol soul. Prima surveillancemuziek, die Bosch bij de tijd hield.

Ze hadden al bijna drie uur zitten kijken naar hun verdachte, terwijl hij zijn dagelijkse werkzaamheden verrichtte. Hij had de auto's gewassen, had de banden geteerd om ze er nieuwer te laten uitzien, en hij had zelfs een proefrit gemaakt met een potentiële klant, in een Mustang uit 1989. En het afgelopen half uur was hij bezig geweest de ongeveer vijfendertig auto's allemaal op een andere plek te zetten, om de schijn te wekken dat het aanbod was vernieuwd, dat er auto's waren verkocht en dat de zaken dus goed gingen.

Om vier uur 's middags begon de cd-speler aan *Soul of things* en bedacht Bosch dat zelfs Miles zou moeten toegeven, hoewel misschien met tegenzin, dat Stańko er wat van kon. Harry tikte met zijn vingers het ritme mee op het stuur toen hij zag dat Chang het kantoortje binnenging. Hij kwam even later weer naar buiten in een schoon shirt en hield het blijkbaar voor gezien voor vandaag. Hij stapte in de Mustang en reed het terrein af.

Bosch' telefoon ging onmiddellijk over. Het was Chu. Harry zette de muziek uit.

'Heb je hem?' vroeg Chu. 'Hij gaat op pad.'

'Ja, ik zie het.'

'Zo te zien naar Freeway 10. Denk je dat hij klaar is voor vandaag?'

'Hij heeft een schoon shirt aangetrokken, dus ik denk het wel. Ik rij voorop en jij zit klaar om het over te nemen.'

Bosch hield ongeveer dertig meter afstand en verkleinde die toen Chang rechts afsloeg en de 10 naar de stad nam. Hij ging dus niet naar huis. Bosch en Chu hadden hem de vorige avond gevolgd naar een huis in Monterey Park – ook eigendom van Vincent Tsing – en hadden een uur voor het huis gepost nadat het licht was uitgegaan en ze er min of meer van overtuigd waren dat Chang naar bed was gegaan.

Nu reed hij naar Los Angeles en Bosch' intuïtie vertelde hem dat Chang zich met triadezaken ging bezighouden. Hij gaf gas en reed de Mustang voorbij, met zijn telefoon tegen zijn oor zodat Chang zijn gezicht niet kon zien. Hij belde Chu en zei dat hij het moest overnemen.

Bosch en Chu bleven elkaar aflossen terwijl Chang de 101 Freeway nam en via de noordkant van Hollywood naar de Valley reed. De middagspits was al begonnen en het volgen van hun verdachte leverde geen problemen op. Het kostte Chang bijna een uur om naar Sherman Oaks te rijden, waar hij de afslag naar Sepulveda Boulevard nam. Bosch belde Chu.

'Volgens mij gaat hij naar de andere winkel,' zei hij tegen zijn surveillancepartner.

'Ik denk dat je gelijk hebt. Moeten we Robert Li bellen om hem te waarschuwen?'

Bosch dacht even na. Dat was een goede vraag. Hij moest nu bepalen of Robert Li al dan niet gevaar liep. Als dat zo was, moest hij worden gewaarschuwd. Maar liep hij geen gevaar, dan zou een waarschuwing hun hele operatie kunnen verpesten.

'Nee, nog niet. Laten we kijken wat er gebeurt. Als Chang de winkel binnengaat, gaan wij hem achterna. En we grijpen in als het misgaat.'

'Weet je het zeker, Harry?'

'Nee, maar zo doen we het wel. Zorg ervoor dat je het stoplicht haalt.'

Ze bleven telefonisch contact houden. Het stoplicht aan het eind van de afrit was net op groen gesprongen. Bosch zat vier auto's achter Chang, maar Chu minstens een stuk of acht.

Het verkeer schoot langzaam op en Bosch kroop met de rest mee terwijl zijn blik op het stoplicht gericht bleef. Het sprong op oranje toen hij op de kruising was. Hij was erdoor, maar Chu zou het niet halen.

'Oké, ik ben bij hem,' zei hij in de telefoon. 'Geen paniek.'

'Mooi zo. Ik ben er over drie minuten.'

Bosch klapte zijn telefoon dicht. Op hetzelfde moment hoorde hij een sirene vlak achter zich en zag hij een blauw zwaailicht in zijn achteruitkijkspiegel.

'Shit!'

Hij keek voor zich uit en zag Chang in zuidelijke richting op Sepulveda rijden. Hij was nog maar vier straten verwijderd van Fortune Fine Foods & Liquor. Bosch stuurde snel naar de kant en ging op zijn rem staan. Hij opende het portier en stapte uit. Hij hield het leren mapje met zijn penning geopend omhoog en liep naar de motoragent die hem had aangehouden.

'Ik ben met een surveillance bezig. Ik heb nu geen tijd!'

'Mobiel bellen achter het stuur is verboden.'

'Schrijf maar een bon en stuur die naar mijn baas. Ik ben niet van plan mijn surveillance hiervoor te onderbreken.'

Bosch draaide zich om en liep terug naar zijn auto. Hij wrong zich het verkeer weer in en keek of hij Changs Mustang zag. Die was nergens te bekennen. Het eerstvolgende stoplicht sprong op rood en hij moest weer wachten. Hij sloeg met de muis van zijn hand op het stuur en vroeg zich opnieuw af of hij Robert Li moest bellen.

Zijn telefoon ging over. Het was Chu.

'Ik sla nu af. Waar ben je?'

'Maar één straat verder dan jij. Ik werd aangehouden door een motoragent omdat ik zat te bellen.'

'Fraai is dat. Waar is Chang?'

'Die rijdt ergens voor ons uit. Ik kan weer door.'

Het verkeer bewoog zich traag over de kruising. Bosch was niet al te zeer in paniek, want voor zover hij kon zien was het overal druk, dus zó ver kon Chang niet op hem zijn uitgelopen. Hij bleef in zijn rijbaan, want hij wist dat hij Changs aandacht in de spiegels zou trekken als hij zigzaggend door het verkeer schoot om sneller naar voren te komen.

Twee minuten later was hij bij de grote kruising van Sepulveda en Ventura Boulevard. In de verte, net achter de eerstvolgende kruising op Sepulveda, kon hij de lichtjes van Fortune Fine Foods & Liquor al zien. Maar Changs Mustang zag hij nergens. Hij belde Chu.

'Ik sta bij het stoplicht op Ventura, maar ik zie hem niet. Misschien is hij daar al.'

'Ik sta één stoplicht achter je. Wat doen we nu?'

'Ik rij door naar de winkel en ga naar binnen. Jij blijft buiten en kijkt uit naar zijn auto. Bel me als je hem of zijn auto ziet.'

'Ga je rechtstreeks naar Li?'

'Dat zie ik daar wel.'

Zodra het licht op groen sprong gaf Bosch gas, zijn auto schoot de kruising over en bijna raakte hij in botsing met iemand die vanaf rechts door rood was gereden. Hij reed een blok door, minderde vaart en draaide rechtsaf het parkeerterrein van de winkel op. Changs auto zag hij niet, en ook geen vrije parkeerplek, op één na, maar die was duidelijk zichtbaar voor gehandicapten gereserveerd. Bosch draaide het steegje achter de winkel in en stopte bij een container met een grote sticker waarop VERBODEN TE PARKEREN stond. Hij sprong uit de auto en liep in looppas terug langs het parkeerterrein naar de hoofdingang van de winkel.

Net toen Bosch bij de automatische schuifdeur met IN kwam, ging de deur met UIT open en kwam Chang naar buiten. Bosch bracht zijn hand omhoog en haalde zijn hand door zijn haar, zodat Chang zijn gezicht niet kon zien. Hij ging naar binnen en haalde zijn telefoon uit zijn jaszak.

Hij liep tussen de kassa's door. Erachter stonden twee vrouwen, andere dan die van de vorige dag, op hun klanten te wachten.

'Waar is meneer Li?' vroeg Bosch zonder in te houden.

'Achter,' zei de ene vrouw.

'In zijn kantoor,' zei de andere.

Bosch belde Chu terwijl hij door het brede gangpad naar de achterkant van de winkel liep.

'Hij is net de winkel uit gelopen. Blijf bij hem. Ik ga bij Li kijken.'

'Begrepen.'

Bosch verbrak de verbinding en stak het toestel in zijn zak. Hij nam dezelfde route naar Li's kantoor als de vorige dag. Toen hij daar aankwam, was de deur dicht. Zijn adrenaline begon te stromen toen zijn hand naar de deurknop ging.

Zonder te kloppen duwde hij de deur open en hij zag Li en een andere Aziatische man achter hun bureaus zitten. Ze waren druk aan het praten maar hielden abrupt hun mond toen hij binnenkwam. Li sprong op en Bosch zag meteen dat hij ongedeerd was.

'Rechercheur!' riep Li. 'Ik wilde je net bellen! Hij is hier geweest. De man van de foto die je me liet zien. Hij was hier!'

'Dat weet ik. We schaduwen hem. Alles in orde met je?'

'Alleen bang, dat is alles.'

'Wat is er precies gebeurd?'

Li stotterde, zocht naar woorden.

'Ga zitten en kom tot jezelf,' zei Bosch. 'Daarna kun je me vertellen wat er is gebeurd. En wie ben jij?'

Bosch wees naar de man die achter het andere bureau zat.

'Dit is Eugene, mijn assistent-manager.'

De man stond op en stelde zich voor.

'Eugene Lam, rechercheur.'

Bosch schudde de uitgestoken hand.

'Waren jullie hier toen Chang binnenkwam?' vroeg hij.

'Chang?' vroeg Li.

'Zo heet hij. De man op de foto die ik je heb laten zien.'

'Ja, Eugene en ik waren allebei hier. Hij kwam gewoon het kantoor binnenlopen.'

'Wat wilde hij?'

'Hij zei dat ík de triade nu moest betalen. Dat mijn vader er niet meer was, dus dat ik nu moest betalen. Hij zei dat hij over een week zou terugkomen en dat ik ervoor moest zorgen dat ik het geld had.'

'Zei hij iets over de moord op je vader?'

'Alleen dat hij er niet meer was en dat ik nu moest betalen.'

'Zei hij wat er zou gebeuren als je dat niet deed?'

'Dat hoefde hij niet te zeggen.'

Bosch knikte. Li had gelijk. Het dreigement was overduidelijk, zeker na wat er met Li's vader was gebeurd. Bosch voelde zijn opwinding toenemen. Dat Chang naar Robert Li toe was gekomen, vergrootte hun kansen. Chang probeerde Li af te persen, waarvoor ze hem konden arresteren en wat een bruikbaar verband bood om hem van de moord op Li's vader te beschuldigen.

Harry wendde zich tot Lam.

'En jij bent er getuige van geweest, van alles wat er is gezegd?'

Lam aarzelde zichtbaar, maar ten slotte knikte hij. Bosch vermoedde dat hij liever niet bij de zaak betrokken wilde worden.

'Nou, ben je er getuige van geweest of niet, Eugene? Je zei zonet dat je hier in het kantoor was.'

Lam knikte weer voordat hij antwoord gaf.

'Ja, ik heb hem gezien, maar... ik spreek geen Chinees. Ik kan het een beetje verstaan, maar lang niet alles.'

Bosch keek Li weer aan.

'Sprak hij Chinees tegen je?'

Li knikte.

'Ja.'

'Maar je begreep wat hij zei en het was je duidelijk dat jij de wekelijkse betalingen moet doen nu je vader er niet meer is.'

'Ja, dat is duidelijk. Maar...'

'Maar wat?'

'Gaan jullie hem arresteren? En moet ik dan voor de rechter getuigen?'

Het was duidelijk dat dit vooruitzicht hem beangstigde.

'Luister, het is nog te vroeg om te zeggen of wat wij hier nu bespreken ooit dit kantoor uit zal komen. We willen die knaap niet alleen voor afpersing pakken. Als hij jouw vader heeft vermoord, dan pakken we hem dáárvoor, voor moord met voorbedachten rade. En ik ben ervan overtuigd dat je al het nodige zult doen om ons te helpen de moordenaar van je vader achter de tralies te krijgen.'

Li knikte, maar Bosch zag dat hij nog steeds aarzelde. Gezien hetgeen er met zijn vader was gebeurd, voelde Robert er blijkbaar weinig voor om met Chang of de triades de degens te kruisen.

'Ik moet even mijn partner bellen,' zei Bosch. 'Ik ga een minuutje het kantoor uit, maar daarna kom ik terug.'

Bosch liep het kantoor uit, sloot de deur achter zich en belde Chu.

'Ben je nog bij hem?'

'Ja, hij rijdt naar de snelweg. Wat is er gebeurd?'

'Hij heeft tegen Li gezegd dat Li vanaf nu de betalingen moet doen die zijn vader tot nu toe deed. Aan de triade.'

'Grote god! We hebben onze zaak!'

'Juich niet te vroeg. Misschien kunnen we hem voor afpersing pakken... en dat alleen als Robert Li meewerkt. We zijn nog ver verwijderd van een beschuldiging van moord.'

Chu zei niets en Bosch vond het opeens flauw van zichzelf dat hij Chu's opwinding in de kiem had gesmoord.

'Maar je hebt gelijk,' zei hij. 'We beginnen dichter in de buurt te komen. Welke kant gaat hij op?'

'Hij rijdt in de rechterbaan van de een-nul-een in zuidelijke richting. Zo te zien heeft hij haast. Hij zit bijna op de bumper van de auto die voor hem rijdt, maar daar schiet hij weinig mee op.'

Het leek erop dat Chang terugreed zoals hij was gekomen.

'Oké, ik ga nog wat met die jongens hier praten en daarna meld ik me. Bel me als Chang ergens stopt.'

'"Jongens", meervoud? Wie is er bij Robert Li?'

'Zijn assistent-manager, ene Eugene Lam. Hij was in het kantoor toen Chang binnenkwam en tegen Li zei wat er vanaf nu van hem werd verwacht. Het probleem is alleen dat Chang Chinees sprak en dat Lam alleen Engels spreekt. Dus behalve als getuige om Changs aanwezigheid in het kantoor te bevestigen hebben we niet veel aan hem.'

'Oké, Harry,' zei Chu. 'We gaan nu de snelweg op.'

'Blijf bij hem, en ik bel je zodra ik hier klaar ben,' zei Bosch.

Bosch klapte zijn telefoon dicht en ging het kantoor weer binnen. Li en Lam zaten nog steeds achter hun bureau op hem te wachten.

'Heb je hier bewakingscamera's in de winkel?' was Bosch' eerste vraag.

'Ja,' zei Li. 'Hetzelfde systeem als in de winkel in South. Alleen hebben we hier meer camera's. En een multiscreenrecorder. Acht opnamen in één beeld.'

Bosch keek op naar het plafond en de bovenkant van de muren.

'Maar je hebt hier geen camera, hè?'

'Nee, rechercheur,' zei Li. 'Niet in het kantoor.'

'Nou, ik wil toch graag de disk meenemen, om te kunnen bewijzen dat Chang naar het kantoor is gelopen om met je te praten.'

Li knikte, onzeker, als de jongen die de dansvloer op wordt getrokken door iemand met wie hij liever niet wil dansen.

'Eugene,' zei hij, 'wil jij de disk voor rechercheur Bosch gaan halen?'

'Nee,' zei Bosch snel. 'Ik moet erbij zijn als jij hem uit de recorder haalt. Rechtmatig verkregen bewijs en dat soort zaken. Ik ga met je mee.'

'Oké, geen probleem.'

Bosch bleef nog een kwartier in de winkel. Eerst bekeek hij de bewakingsbeelden en werd bevestigd dat Chang de winkel was binnengekomen, was doorgelopen naar Li's kantoor achterin, na drie minuten weer naar buiten was gekomen en was nagekeken door Li en Lam. Daarna stopte hij de disk in een bewijszakje en gingen ze terug naar het kantoor om Li's verklaring over Changs bezoek nog een laatste keer door te nemen. Li's weerstand leek toe te nemen naarmate Bosch hem meer gedetailleerde vragen stelde. Harry begon te geloven dat de zoon van het slachtoffer uiteindelijk zou weigeren mee te werken aan de berechting van de verdachte. Toch hadden deze laatste ontwikkelingen ook een positieve kant. Changs poging tot afpersing kon ook op andere manieren worden gebruikt. Die kon hun gerede twijfel leveren. En met gerede twijfel konden ze Chang arresteren, diens bezittingen doorzoeken en mogelijk bewijzen van de moord vinden, of Li nu later aan de berechting meewerkte of niet.

Toen Bosch door de automatische deur de winkel uit liep, voelde hij de opwinding. De zaak was tot leven gekomen. Hij haalde zijn telefoon tevoorschijn om naar de verdachte te informeren.

'We zijn terug bij zijn huis,' zei Chu. 'Geen tussenstops. Ik denk dat hij zich opmaakt voor de nacht.'

'Daar is het veel te vroeg voor. Het is nog niet eens donker.'

'Nou, het enige wat ik kan zeggen is dat hij zich in zijn huis heeft teruggetrokken. En dat hij de gordijnen heeft dichtgedaan.'

'Oké. Ik kom naar je toe.'

'Zou je voor mij een tofu-hotdog willen meebrengen, Harry?'

'Nee, wacht maar tot ik er ben, dan kun je er zelf een gaan halen, Chu.'

Chu begon te lachen.

'Daar was ik al bang voor,' zei hij.

Bosch klapte zijn telefoon dicht. Het was duidelijk dat de opwinding van de zaak Chu ook te pakken had.

15

Chang kwam pas op vrijdagochtend om negen uur zijn huis weer uit. En toen dat gebeurde, had hij iets bij zich wat Bosch onmiddellijk in de hoogste staat van paraatheid bracht.

Een grote koffer.

Bosch belde Chu om te checken of hij wakker was. Ze hadden de surveillance van de afgelopen nacht opgesplitst in brokken van vier uur, waarna ze om de beurt zittend in hun auto hadden geslapen. Chu zou van vier tot acht slapen, maar hij had zich nog niet bij Bosch gemeld.

'Ben je wakker? Chang komt in actie.'

Chu's stem klonk slaperig toen hij antwoord gaf.

'Ja. Wat doet hij? Je zou me om acht uur wakker maken.'

'Hij heeft een koffer in zijn auto gelegd. Hij smeert 'm. Ik denk dat hij is getipt.'

'Over ons?'

'Nee, over de aandelen van Microsoft. Doe niet zo onnozel.'

'Harry, wie zou hem getipt moeten hebben?'

Chang stapte in de auto en reed achteruit de parkeerhaven van het appartementencomplex af.

'Dat is een verdomd goeie vraag,' zei Bosch. 'Maar als iemand er het antwoord op weet, ben jij het.'

'Wil je beweren dat ík de verdachte in een belangrijk moordonderzoek heb getipt?'

De verontwaardigde woede van de onterecht beschuldigde was duidelijk hoorbaar in Chu's stem.

'Ik weet niet wat je hebt gedaan,' zei Bosch. 'Maar jij bent degene die onze informatie door heel Monterey Park hebt rondgebazuind, dus nu kunnen we er alleen nog naar raden wie hem heeft getipt. Het enige wat ik op dit moment weet, is dat het er alle schijn van heeft dat onze man de benen neemt.'

'"Door heel Monterey Park"? Zit je die bullshit ter plekke te verzinnen?'

Bosch volgde de Mustang, die in noordelijke richting wegreed, en hield een heel huizenblok afstand.

'Je hebt me verteld dat Chang was herkend door de derde man aan wie je de foto liet zien. Oké, dat zijn drie politiemensen die alle drie een partner hebben en die tijdens het ochtendappèl alles met hun collega's bespreken.'

'Nou, misschien zou dit niet gebeurd zijn als we Tao en Herrera niet de laan uit hadden gestuurd alsof we ze niet vertrouwden.'

Bosch keek in zijn achteruitkijkspiegel of hij Chu zag. Hij probeerde zich niet te laten afleiden door zijn boosheid. Ze mochten Chang nu niet kwijtraken.

'Geef wat meer gas. We rijden naar de 10. Als hij die neemt, los je me af en neem jij de leiding.'

'Begrepen.'

Chu klonk nog steeds boos. Het kon Bosch niet schelen. Als Chang was getipt over het onderzoek, zou Harry uitzoeken wie dat had gedaan en zou hij hem tot de grond toe afbranden, ook al was het Chu.

Chang nam Freeway 10 in westelijke richting en algauw werd Bosch' auto gepasseerd door die van Chu. Bosch keek naar links en zag dat Chu zijn middelvinger naar hem opstak.

Bosch ging een baan naar rechts, minderde vaart en belde hoofdinspecteur Gandle.

'Harry, wat is er loos?'

'We zitten met een paar problemen.'

'Vertel op.'

'Het eerste is dat onze man vanochtend een koffer in zijn auto heeft gehesen en nu op de 10 naar het vliegveld rijdt.'

'Shit, wat nog meer?'

'Ik heb de indruk dat hij is getipt, dat iemand misschien heeft gezegd dat hij beter de stad uit kon gaan.'

'Of het was allang afgesproken dat hij zou verdwijnen nadat hij Li had omgelegd. Hecht er niet te veel waarde aan, Harry. Niet totdat je het zeker weet.'

Het ergerde Bosch dat zijn eigen baas hem niet bijviel, maar daar kon hij wel tegen. Als Chang was getipt en hun onderzoek was op een zeker moment aangetast door de kanker van de corruptie, dan zou

Harry het gezwel weten te vinden. Daar was hij van overtuigd. Hij liet dat nu los en beperkte zich tot de keuze die met betrekking tot Chang moest worden gemaakt.

'Pakken we Chang op?' vroeg hij.

'Weet je zeker dat hij op de vlucht is? Misschien gaat hij wel iets afleveren of zoiets. Hoe groot is die koffer?'

'Groot. Van het soort dat je pakt als je niet van plan bent terug te komen.'

Gandle zuchtte omdat er weer eens een dilemma op zijn bord werd gelegd en er een beslissing moest worden genomen.

'Oké, laat me even met een paar mensen praten en dan bel ik je terug.'

Bosch nam aan dat hij commissaris Dodds bedoelde, en misschien iemand van het OM.

'Ik heb ook nog goed nieuws, hoofdinspecteur,' zei hij.

'Lieve hemel, is dat schrikken!' riep Gandle uit. 'Wat voor goed nieuws?'

'We hebben Chang gisteren naar de andere winkel gevolgd. Die van de zoon van het slachtoffer, in de Valley. Hij perst nu hém af, heeft tegen die jongen gezegd dat híj moet betalen nu zijn ouweheer er niet meer is.'

'Wat, dat is geweldig! Waarom heb je dat niet verteld?'

'Dat doe ik nu.'

'Dit geeft ons de gerede twijfel voor een arrestatie.'

'Voor een arrestatie wel, maar waarschijnlijk niet voor een berechting. De zoon wil liever niet getuigen, vermoed ik. Dan moet hij zich openlijk uitspreken en ik denk niet dat hij dat durft. En bovendien is het dan geen beschuldiging van moord. En dat willen we.'

'Nou, we kunnen er tenminste mee voorkomen dat onze verdachte in een vliegtuig stapt.'

Bosch knikte, en in zijn gedachten diende zich het begin van een plan aan.

'Het is nu vrijdag. Als we hem oppakken en hem pas laat in de middag officieel in hechtenis nemen, wordt hij op z'n vroegst maandagmiddag voorgeleid. Dat geeft ons tweeënzeventig uur om de zaak hard te maken.'

'Met de afpersing om in het ergste geval op terug te vallen.'

'Precies.'

Bosch hoorde een piepje; er kwam nóg een gesprek binnen op zijn telefoon, en hij nam aan dat het Chu was. Hij vroeg Gandle hem terug te bellen zodra hij het scenario met de hoge heren had besproken.

Zonder op het schermpje te kijken nam hij het tweede gesprek aan.

'Ja?'

'Harry?'

Het was een vrouw. Hij herkende de stem, maar kon die niet meteen plaatsen.

'Ja. Met wie spreek ik?'

'Teri Sopp.'

'O, hallo, Teri, ik had mijn partner verwacht. Wat heb je voor me?'

'Ik wilde je alleen laten weten dat ik ze zover heb gekregen dat ze jouw huls zullen gebruiken voor de proef met de elektrostatische visualisering. We gaan kijken of we er een afdruk van af kunnen halen.'

'Teri, je bent een held! Wanneer gaan ze dat doen? Vandaag?'

'Nee, niet vandaag. Pas begin volgende week. Dinsdag, denk ik.'

Bosch vond het niet leuk om een gunst te vragen nadat hem er net een was bewezen, maar in dit geval vond hij dat hij geen keus had.

'Teri, is het op de een of andere manier mogelijk dat de proef op maandagochtend wordt gedaan?'

'Maandag? Ik geloof niet dat we alle benodigde apparatuur dan al...'

'Het is namelijk zo dat er een grote kans is dat we onze verdachte voor het eind van vandaag in hechtenis hebben. We denken dat hij probeert het land uit te vluchten en dat we hem moeten arresteren om dat te voorkomen. Dat geeft ons tot maandag om met bewijs te komen, Teri. Dus we hebben dringend behoefte aan alles wat we kunnen krijgen.'

Er viel een korte stilte voordat ze antwoord gaf.

'Ik zal kijken wat we kunnen doen. Zorg jij er dan voor dat je zijn vingerafdrukken neemt zodra je hem hebt opgepakt, en dat je die naar mij stuurt, zodat ik de vergelijking kan doen zodra we iets zichtbaar hebben gemaakt. Als we dat voor elkaar krijgen.'

'Afgesproken, Teri. Duizendmaal dank.'

Bosch klapte zijn telefoon dicht en concentreerde zich weer op de weg. Hij probeerde de auto's te vinden, maar hij zag noch die van Chu – een rode Mazda Miata – noch Changs zilverkleurige Mustang. Hij ontdekte dat hij ver achter was geraakt. Hij pakte zijn telefoon weer en belde Chu.

'Chu, waar ben je?'

'Op South vier-nul-vijf. Hij gaat naar het vliegveld.'

Bosch reed nog op de 10 en zag de afslag van de 405 naderen.

'Oké, ik kom eraan.'

'Wat is het laatste nieuws?'

'Gandle belt me zo om te zeggen of we hem mogen arresteren of niet.'

'We kunnen hem niet laten gaan.'

'Dat heb ik ook gezegd. Laten we afwachten wat hij besluit.'

'Wil je dat ik mijn baas erbij betrek?'

Bosch had bijna geantwoord dat hij niet wilde dat er nóg een baas bij werd betrokken nu de mogelijkheid bestond dat er ergens een lek in de pijpleiding zat.

In plaats daarvan antwoordde hij diplomatiek: 'Laten we eerst afwachten wat Gandle te vertellen heeft.'

'Akkoord.'

Bosch beëindigde het gesprek en werkte zich langs het andere verkeer in een poging zijn achterstand te verkleinen. Toen hij op het viaduct reed dat hem in een grote bocht van de 10 naar de 405 voerde, kon hij een kleine kilometer voor zich uit zowel Chu's auto als die van Chang onderscheiden. Die zaten vast in een langzaam rijdende file waar de rijbanen van de weg werden samengevoegd.

Nadat hij Chu had ingehaald en ze elkaar nog twee keer hadden afgelost, volgden ze Chang via Century Boulevard naar vliegveld LAX. Het was nu overduidelijk dat Chang van plan was de stad te verlaten en dat zij dat moesten voorkomen. Bosch belde Gandle weer en werd in de wacht gezet.

Eindelijk, na twee minuten wachten, kreeg hij Gandle aan de lijn.

'Harry, wat is er?'

'Hij rijdt op Century Boulevard, nog maar vier blokken van LAX.'

'Ik heb nog niemand te pakken kunnen krijgen.'

'Ik vind dat we hem moeten arresteren. We nemen hem in hechtenis voor moord en in het ergste geval brengen we hem maandag voor de rechter voor afpersing. Dan komt hij op borgtocht vrij, maar de rechter zal hem zeker een reisverbod opleggen, zeker na wat hij vandaag heeft geprobeerd.'

'Jouw beslissing, Harry, maar ik zal je steunen.'

Wat inhield dat het nog steeds Bosch zou zijn die het op zijn brood kreeg als maandag alles in duigen viel en Chang als vrij man het gerechtshof uit zou wandelen, om vervolgens Los Angeles te verlaten en nooit meer terug te komen.

'Bedankt, hoofdinspecteur. Ik zal u op de hoogte houden.'

Kort nadat Bosch zijn telefoon had opgeborgen sloeg Chang rechts af en reed het terrein voor lang parkeren op, waar een shuttledienst was om de reizigers naar de diverse terminals te brengen. Chu belde, zoals te verwachten was.

'Dit is het moment. Wat doen we nu?'

'We pakken hem. We wachten tot hij zijn auto heeft weggezet en de koffer eruit heeft gehaald. We voeren hem af en halen een gerechtelijk bevel om de koffer te doorzoeken.'

'Waar doen we het?'

'Ik zet mijn auto altijd op dit parkeerterrein als ik naar Hongkong ga. De rijen auto's zijn eindeloos lang en er is een shuttledienst om je naar het luchthavengebouw te brengen. We rijden het terrein op en zetten onze auto ergens neer. We doen alsof we reizigers zijn en we pakken hem bij de halte van de shuttle.'

'Oké.'

Ze verbraken de verbinding. Bosch reed op dat moment voorop, dus hij draaide meteen achter Chang het parkeerterrein op en trok een kaartje uit de automaat. De slagboom ging omhoog en hij reed door. Hij volgde Chang door het brede middenpad en toen Chang rechts afsloeg, reed Bosch rechtdoor, in de hoop dat Chu het had gezien en ook rechts zou afslaan.

Bosch zette zijn auto op de eerste de beste vrije plek, stapte uit en liep snel terug naar waar Chang en Chu waren afgeslagen. Hij zag Chang in de volgende rij, waar hij achter de Mustang met zijn grote reiskoffer stond te hannesen. Chu stapte acht auto's verderop uit zijn Mazda.

Chu meende blijkbaar dat hij er zonder bagage verdacht zou uitzien op dit parkeerterrein, dus haalde hij een regenjas en een attachékoffertje uit zijn auto en begon hij als een man op zakenreis naar de dichtstbijzijnde opstapplaats van de shuttle te lopen.

Bosch had niets bij zich om zich te vermommen, dus bleef hij dicht bij de geparkeerde auto's en gebruikte die als dekking.

Chang draaide zijn auto op slot en ging met zijn zware koffer op weg naar de opstapplaats van de shuttle. Het was een ouderwets exemplaar, zonder wieltjes, die tegenwoordig onder koffers van elk formaat leken te zitten. Toen hij bij de opstapplaats kwam, stond Chu daar al te wachten. Bosch liep mee met een passerend minibusje en kwam daarna pas tevoorschijn. Hierdoor had Chang heel weinig tijd om te bedenken dat de naderende man geen bagage bij zich had.

'Bo-Jing Chang,' zei Bosch met luide stem toen hij dichtbij genoeg was.

De verdachte draaide zich met een ruk om naar Bosch. Van dichtbij zag hij er sterk, breed en ontzagwekkend uit. Bosch zag dat hij zijn spieren aanspande.

'U staat onder arrest. Doe uw handen achter uw rug, alstublieft.'

Changs vecht-of-vluchtreactie kreeg niet de kans zich te openbaren. Chu stond al achter hem, haakte de stalen handboei behendig om Changs rechterpols en greep de linker vast met zijn hand. Even probeerde Chang zich te verzetten, maar hij was voornamelijk verrast, en toen Chu de andere helft van de handboei om zijn linkerpols klikte, was de arrestatie verricht.

'Wat moet dit?' protesteerde Chang. 'Wat ik gedaan?'

Hij sprak een beetje Engels, maar met een zwaar accent.

'Nou, daar hebben we het later wel over, meneer Chang. Als we u naar het Hoofdbureau van Politie hebben gebracht.'

'Ik moet vlucht halen.'

'Vandaag niet.'

Bosch liet hem zijn penning en legitimatie zien, stelde Chu aan hem voor en zei er met nadruk bij dat Chu van de Asian Gang Unit was. Bosch wilde dat die mededeling door Changs hoofd zou spoken.

'Arrestatie waarvoor?' vroeg de verdachte.

'Voor de moord op John Li.'

Bosch zag geen verbazing op Changs gezicht. Hij had zich al mentaal afgesloten voor wat hem te wachten stond.

'Ik wil advocaat,' zei hij.

'Ho, niet zo snel, meneer Chang,' zei Bosch. 'We zullen u eerst uw rechten voorlezen.'

Bosch knikte naar Chu, die het kaartje met de tekst uit zijn binnenzak haalde. Hij las Chang zijn rechten voor en vroeg of hij die begreep. Changs enige reactie was dat hij opnieuw om een advocaat vroeg. Hij kende het klappen van de zweep.

Bosch was nu verplicht een patrouillewagen te bellen om Chang naar de stad te brengen, plus een sleepwagen om Changs auto naar de politiegarage te slepen. Bosch maakte geen enkele haast; hoe langer het duurde om Chang naar de stad terug te brengen, hoe kleiner de kans dat hij nog voor twee uur 's middags kon worden voorgeleid. Als ze lang genoeg tijd rekten, was de rechter naar huis en kon Chang het weekend als gast van de stad Los Angeles in de cel verblijven.

Nadat ze bijna vijf minuten niets hadden gezegd terwijl Chang op het bankje van de opstapplaats van de shuttle zat te wachten, draaide Bosch zich naar hem om, wees naar de koffer en begon op conversatietoon, alsof vraag en antwoord hem niet echt konden schelen, tegen Chang te praten.

'Dat ding ziet er loodzwaar uit,' zei hij. 'Waar was u van plan naartoe te gaan?'

Chang zei niets. Je praatte niet over koetjes en kalfjes als je onder arrest stond. Hij staarde recht voor zich uit en liet op geen enkele manier blijken dat hij Bosch' vraag had gehoord. Chu stelde hem dezelfde vraag in het Chinees, maar ook hij kreeg geen reactie.

Bosch haalde zijn schouders op alsof het hem niet uitmaakte of Chang antwoord gaf of niet.

'Harry?' zei Chu.

Bosch voelde zijn telefoon twee keer kort trillen in zijn zak, het signaal dat iemand hem een bericht had gestuurd. Hij wenkte Chu en ze liepen een paar meter weg van de opstapplaats om te overleggen zonder dat Chang het hoorde.

'Wat denk jij?' vroeg Chu.

'Nou, hij is niet van plan iets tegen ons te zeggen en hij heeft om een advocaat gevraagd. Dat is dus duidelijk.'

'Wat doen we nu?'

'Het eerste wat we moeten doen is de zaak vertragen. We nemen ruim de tijd om hem naar de stad te brengen en hem officieel in hechtenis te nemen. Hij mag zijn advocaat pas bellen als dat is gebeurd en met een beetje geluk is dat niet voor vanmiddag twee uur. In de tussentijd moeten wij onze gerechtelijke bevelen zien te krijgen. Voor zijn auto, zijn koffer en zijn mobiele telefoon, als hij die bij zich heeft. Daarna richten we ons op zijn woning en het kantoortje op zijn werk. Alles waar de rechter ons toestemming voor geeft. En dan maar hopen dat we voor maandagmiddag iets vinden, zoals het gebruikte vuurwapen. Want lukt dat niet, dan wandelt hij waarschijnlijk de deur uit.'

'En de afpersing dan?'

'Die geeft ons gerede twijfel, maar daar komen we niet ver mee als Robert Li niet meewerkt.'

Chu knikte.

'*High Noon,* Harry. Dat is een film. Een western.'

'Heb ik nooit gezien,' zei hij tegen Chu.

Bosch keek langs de lange rijen auto's en zag een patrouillewagen hun kant op komen. Hij stak zijn hand op en zwaaide.

Hij haalde zijn telefoon tevoorschijn om te kijken van wie hij een bericht had ontvangen. Op het schermpje las hij dat het een video van zijn dochter was.

Daar zou hij later naar kijken. Het was laat in de avond in Hongkong en hij wist dat zijn dochter al in bed zou liggen. Misschien kon ze niet slapen en verwachtte ze van hem dat hij antwoord gaf. Maar hij had werk te doen. Hij stak de telefoon in zijn zak toen de patrouillewagen kwam aanrijden en voor hen stopte.

'Ik rij met ze mee,' zei hij tegen Chu. 'Voor het geval hij besluit iets te zeggen.'

'En jouw auto dan?'

'Die haal ik later wel op.'

'Misschien kan ik beter met hem meerijden.'

Bosch keek Chu aan. Dit was een belangrijk moment. Harry wist dat het beter was wanneer Chu met Chang meereed, omdat hij beide talen sprak en zelf Chinees was. Maar het hield wel in dat Bosch een deel van zijn controle over de zaak uit handen gaf.

Het betekende ook dat hij Chu liet blijken dat hij hem vertrouwde, amper een uur nadat hij hem van het lekken van informatie had beschuldigd.

'Oké,' zei Bosch ten slotte. 'Jij rijdt met hem mee.'

Chu knikte, leek het belang van Bosch' besluit te beseffen.

'Maar neem de lange route,' zei Bosch. 'Deze jongens werken waarschijnlijk vanuit Pacific. Breng hem eerst naar hun bureau en dan bel je mij. Dan zeg ik tegen jou dat de plannen zijn gewijzigd en dat hij alsnog naar de stad gebracht moet worden. Op die manier pakken we weer een uur tijd.'

'Begrepen,' zei Chu. 'Zo moet het lukken.'

'Zal ik in jouw auto terugrijden?' vroeg Bosch. 'Ik vind het niet erg om de mijne hier te laten staan.'

'Nee, dat hoeft niet, Harry. Ik haal hem later wel op. Ik denk niet dat jij wilt horen wat ik in mijn cd-speler heb zitten.'

'Het muzikale equivalent van tofu-hotdogs?'

'Ja, voor jou waarschijnlijk wel.'

'Goed, dan neem ik mijn eigen auto.'

Bosch gaf de twee patrouilleagenten opdracht Chang achter in hun auto te zetten en de koffer in de bagageruimte te leggen. Daarna nam hij Chu nog een keer apart.

'Ik ga Ferras aan het werk zetten om de gerechtelijke bevelen voor Changs bezittingen te krijgen. Alle eventuele nieuwe informatie kan hem verder helpen met de claim van de gerede twijfel. Door tegen ons te zeggen dat hij zijn vliegtuig moest halen, heeft hij toegegeven dat hij het land uit wilde vluchten. Probeer hem daarover aan de praat te krijgen als je straks naast hem zit.'

'Maar hij heeft al gezegd dat hij een advocaat wilde.'

'Doe het quasi-achteloos, niet alsof je hem probeert te verhoren. Probeer te weten te komen waar hij naartoe wilde. Dat helpt Ignacio bij zijn aanvragen. En vergeet vooral niet alles flink te rekken. Neem de toeristische route.'

'Begrepen. Ik weet wat ik moet doen.'

'Oké. Ik blijf hier op de sleepwagen wachten. Als je eerder op het hoofdbureau bent dan ik, zet je Chang in een verhoorkamer en laat je hem daar sudderen. Let er wel op dat je de videocamera aanzet... Ignacio kan je vertellen hoe dat moet. Je weet nooit, soms zitten dat soort gasten een uur lang alleen in een verhoorkamer en beginnen ze alles ineens tegen de muur te bekennen.'

'Komt voor elkaar.'

'Succes.'

Chu stapte achter in de patrouillewagen, ging naast Chang zitten en trok het portier dicht. Bosch gaf met vlakke hand twee klapjes op het dak en keek de auto na toen die wegreed.

16

Het was bijna één uur toen Bosch de teamkamer in kwam. Hij had op de sleepwagen gewacht, had de tijd genomen om terug te rijden, was niet ver van het vliegveld bij een In-N-Out gestopt voor een hamburger en had die onderweg opgegeten. Hij trof Ignacio Ferras op zijn werkplek, bezig op zijn computer.

'Hoever zijn we?' vroeg hij.

'Ik ben bijna klaar met de aanvraag voor het huiszoekingsbevel.'

'En wat hebben we verder?'

'Ik heb één gezamenlijke aanvraag voor de koffer, de telefoon en de auto ingediend. Ik neem aan dat de auto in de politiegarage staat?'

'Ja, die is net binnengesleept. En de woning?'

'Ik heb de hulplijn van het OM gebeld en verteld waar we mee bezig waren. Die vrouw daar stelde voor het in tweeën te doen. Eerst deze drie, en hopelijk komen we dan wat tegen wat ons de gerede twijfel voor de woning geeft. Ze zei dat de woning een twijfelgeval was op grond van wat we nu hebben.'

'Oké. Heb je al een rechter benaderd?'

'Ja, ik heb de griffier van rechter Champagne gesproken. Ze zet me op zijn agenda zodra ik hier klaar ben.'

Het klonk alsof Ferras zijn zaken goed op orde had en lekker opschoot. Bosch was onder de indruk.

'Klinkt goed. Waar is Chu?'

'Het laatste wat ik heb gehoord was dat hij in de videokamer naar onze man zit te kijken.'

Voordat Bosch doorliep naar Chu, ging hij naar zijn werkplek en gooide zijn sleutels op zijn bureau. Hij zag dat Chu de zware koffer van Chang bij hem had neergezet en Changs andere bezittingen op zijn bureau had uitgestald. Hij zag plastic bewijszakjes met Changs portefeuille, zijn paspoort, zijn geldclip, zijn sleutels, zijn mobiele telefoon en de instapkaart van zijn vlucht, die hij zo te zien thuis had geprint.

Bosch pakte de instapkaart op, bekeek hem door het plastic en zag dat Chang bij Alaska Airlines een vlucht naar Seattle had geboekt. Dat gaf Harry stof tot nadenken, want hij had verwacht dat Chang naar China zou vliegen. Een vlucht naar Seattle vormde niet bepaald een basis voor hun beschuldiging dat Chang het land uit probeerde te vluchten om aan arrestatie te ontkomen.

Hij legde het zakje weer neer en pakte dat met Changs mobiele telefoon. Het zou doodsimpel zijn om snel het zakje open te maken en de namen en nummers van Changs handlangers uit zijn gesprekkenlijst te halen. Misschien zou hij zelfs het nummer vinden van iemand van de politie van Monterey Park, of van Chu, of wie het ook was geweest die Chang had getipt dat er een onderzoek naar hem was gestart. Of misschien zat er een e-mail of sms'je in waarmee ze hun aanklacht van moord tegen Chang hard konden maken.

Maar Bosch besloot alles volgens de regels te doen. Dit was een grijs gebied en zowel het politiedepartement als het OM had rechercheurs op het hart gedrukt eerst toestemming van de rechter te vragen voordat ze gegevens in de telefoon van een verdachte bekeken. Tenzij die verdachte er zelf toestemming voor had gegeven, uiteraard. Een telefoon doorzoeken werd juridisch hetzelfde behandeld als het openen van de kofferbak van een auto bij een verkeerscontrole. Je moest het op de juiste manier doen, anders zou alles wat je vond door het gerechtshof als onrechtmatig verkregen bewijs kunnen worden gezien.

Bosch legde het zakje met de telefoon terug op zijn bureau. Misschien bevatte het toestel de sleutel tot de zaak, maar hij zou wachten totdat hij de goedkeuring van rechter Champagne had. Hij wilde net weglopen toen de telefoon op zijn bureau overging. Hij keek op het schermpje en zag xxxxx, wat betekende dat het gesprek was doorgeschakeld vanuit Parker Center. Hij nam op.

'Bosch hier.'

Stilte aan de andere kant van de lijn.

'Hallo, met rechercheur Bosch. Wat kan ik voor u doen?'

'Bosch... jij kunt iets voor jezelf doen.'

De stem was onmiskenbaar Aziatisch.

'Met wie spreek ik?'

'Doe jezelf een plezier en hou je gedeisd, Bosch. Chang staat niet alleen. We zijn met velen. Laat ons verdomme met rust. Doe je dat niet, dan zal dat consequenties hebben.'

'Luister goed, vuile...'

Maar er was al opgehangen. Bosch zette het toestel in de standaard en staarde naar het lege schermpje. Hij wist dat hij de dienst Communicatie op Parker Center kon bellen om het nummer van de beller op te vragen. Maar hij wist ook dat iemand die hem belde om hem te bedreigen zijn nummer geblokkeerd zou hebben, vanuit een telefooncel belde of een illegaal mobiel toestel had gebruikt. Zo iemand was echt niet zo stom om daarvoor een traceerbaar nummer te gebruiken.

In plaats van er aandacht aan te besteden, concentreerde hij zich op de timing en inhoud van het gesprek. Op de een of andere manier waren Changs handlangers bij de triade te weten gekomen dat Chang was opgepakt. Bosch pakte het zakje met de instapkaart weer en zag dat het vliegtuig om 11.20 uur zou vertrekken. Dat betekende dat het nu nog in de lucht was en dat iemand die Chang opwachtte in Seattle niet kon weten dat hij niet aan boord was. Toch wisten Changs mensen dat hij in handen van de politie was gevallen. Bovendien wisten ze dat hij Bosch heette.

Opnieuw pakten duistere gedachten zich samen in Bosch' hoofd. Tenzij Chang op LAX een medereiziger zou ontmoeten of vanaf het begin van Bosch' onderzoek door zijn eigen mensen in de gaten was gehouden, was het telefoontje opnieuw een aanwijzing dat het lek zich binnen het onderzoek bevond.

Hij verliet zijn werkplek en liep door naar de videoruimte, een kleine kamer vol elektronica, die zich tussen de twee verhoorkamers van het hoofdbureau bevond. Beide verhoorkamers waren voorzien van camera's en microfoons om verdachten te observeren en verhoren vast te leggen.

Bosch opende de deur en zag dat zowel Chu als Gandle op een van de monitors Changs doen en laten volgde. Er bleef weinig ruimte over nu Bosch was binnengekomen.

'En?' vroeg Bosch.

'Tot nu toe geen woord,' zei Gandle.

'En in de auto?'

'Ook niks,' zei Chu. 'Ik heb geprobeerd een gesprek met hem te beginnen, maar het enige wat hij zei is dat hij een advocaat wilde. Toen wist ik genoeg.'

'Het is een harde, die gast,' zei Gandle.

'Ik heb zijn instapkaart bekeken,' zei Bosch. 'Seattle helpt ons ook niet verder.'

'Nou, volgens mij toch wel,' zei Chu.

'Hoe dan?'

'Ik ben ervan uitgegaan dat hij naar Seattle wilde om van daaruit de grens met Canada over te steken en naar Vancouver te gaan. Ik heb een contact bij de RCMP en hij heeft de passagierslijsten van het vliegveld daar gecheckt. Chang had voor vanavond een vlucht van Vancouver naar Hongkong geboekt. Bij Cathay Pacific Airways. Dus hij was wel degelijk van plan er stiekem tussenuit te knijpen.'

Bosch knikte.

'De Royal Canadian Mounted Police? Jij komt nog eens ergens, Chu. Knap werk.'

'Dank je.'

'Heb je dit doorgegeven aan Ignacio? Changs poging een rookgordijn op te trekken geeft ons een sterkere gerede twijfel voor het huiszoekingsbevel.'

'Hij weet ervan. Hij heeft het in zijn aanvraag verwerkt.'

'Mooi.'

Bosch keek naar de monitor. Chang zat aan de tafel, met zijn handen nu vóór zijn lichaam geboeid en de boeien bevestigd aan een stalen ring in het midden van de tafel. Met zijn brede, gespierde schouders zag hij eruit alsof hij ieder moment uit zijn shirt kon barsten. Hij zat kaarsrecht op zijn stoel en staarde onbewogen naar de muur tegenover hem.

'Hoofdinspecteur, hoe lang kunnen we dit volgens u rekken voordat we hem officieel in hechtenis nemen?'

Er kwam een bezorgde uitdrukking op Gandles gezicht. Hij hield er niet van zich openlijk uit te spreken over zaken die hem later konden opbreken.

'Nou, ik denk dat we de grens al hebben bereikt. Chu vertelde me dat jullie hem via de toeristische route hiernaartoe hebben gebracht. Als we nog veel langer wachten, zal de rechter er zeker een punt van maken.'

Bosch keek op zijn horloge. Ze moesten nog vijftig minuten tijd zien te rekken voordat Chang zijn advocaat belde. De inhechtenisneming vereiste papierwerk, het nemen van vingerafdrukken en de verdachte overbrengen naar het cellencomplex, waar hij recht op zijn telefoontje had.

'Oké, laten we er dan maar mee beginnen. Maar we doen het heel rustig aan. Chu, jij gaat naar hem toe en begint met het invullen van de formulieren. Met een beetje geluk weigert hij mee te werken en levert dat ons alleen maar meer tijd op.'

Chu knikte.

'Begrepen.'

'Hij mag op z'n vroegst om twee uur bij het cellencomplex aankomen.'

'Ik weet het.'

Chu wrong zich tussen de hoofdinspecteur en Bosch door en liep de kamer uit. Gandle wilde hem achternagaan, maar Bosch tikte zijn baas op de schouder en gebaarde hem nog even te blijven. Bosch wachtte totdat de deur dicht was voordat hij het woord nam.

'Ik ben zonet gebeld. Ik ben bedreigd. Iemand zei dat ik me er niet mee moest bemoeien.'

'Waarmee?'

'Met deze zaak. Chang. Met alles.'

'Hoe weet je dat het om deze zaak gaat?'

'Omdat de beller een Aziaat was en omdat hij Chang bij naam noemde. Hij zei dat Chang niet alleen stond, dat ik me gedeisd moest houden en dat het consequenties zou hebben als ik dat niet deed.'

'Heb je geprobeerd het nummer te traceren? Denk je dat het serieus is?'

'Het nummer traceren is tijdverspilling. En wat het dreigement zelf betreft, laat ze maar komen. Ik lust ze rauw. Maar waar het om gaat is: hoe zijn ze het te weten gekomen?'

'Wat?'

'Dat we Chang hebben gearresteerd. We pakken hem op en nog geen twee uur later belt een van die klotevriendjes van zijn triade me op en zegt dat ik me gedeisd moet houden. We zitten met een lek, meneer. Eerst wordt Chang getipt dat we naar hem op zoek zijn en nu weten ze dat we hem hebben opgepakt. Er moet iemand zijn die…'

'Ho, ho, wacht even, dat weten we niet, Harry. Er kunnen andere verklaringen zijn.'

'O ja? Hoe kunnen ze dan weten dat wij Chang hebben?'

'Er kunnen diverse redenen zijn, Harry. Hij had een mobiele telefoon. Misschien had hij iemand moeten bellen als hij op het vliegveld was. Het kan van alles zijn.'

Bosch schudde zijn hoofd. Zijn intuïtie vertelde hem een ander verhaal. Er zat ergens een lek. Gandle deed de deur van het kamertje open. Het gesprek beviel hem niet en hij wilde weg. Maar voordat hij vertrok, keek hij Bosch recht aan.

'Ik zou hier heel voorzichtig mee zijn als ik jou was,' zei hij. 'Totdat je keihard bewijs hebt, zou ik goed op mijn tellen passen.'

Gandle deed de deur achter zich dicht en Bosch bleef alleen achter in het kamertje. Hij keek naar de monitor en zag dat Chu al in de verhoorkamer was. Hij zat tegenover Chang aan de tafel, met een klembord en een pen om het arrestatieformulier in te vullen.

'Meneer Chang, ik moet u nu een paar vragen stellen.'

Chang reageerde niet. Aan de blik in zijn ogen of zijn lichaamstaal was niet te zien of hij de vraag zelfs maar had gehoord.

Chu stelde dezelfde vraag in het Chinees, maar opnieuw zei Chang niets en verroerde hij zich niet. Voor Bosch was dit geen verrassing. Hij liep het kamertje uit en ging terug naar de teamkamer, nog steeds bezorgd en van streek door de telefonische bedreiging en Gandles ogenschijnlijke onwil om die serieus te nemen of iets te doen aan het lek dat eraan ten grondslag moest liggen.

Ferras' werkplek was verlaten en Bosch nam aan dat hij al met zijn aanvragen naar rechter Champagne toe was.

Alles hing af van het huiszoekingsbevel. Ze konden Chang pakken voor poging tot afpersing van Robert Li – als Li tenminste aangifte deed en bereid was te getuigen – maar een aanklacht voor moord zat er nog lang niet in. Bosch hoopte op een wonder. Het eerste gerechtelijke bevel kon de bewijzen opleveren waarmee de twee huiszoekingsbevelen binnen hun bereik kwamen, en die op hun beurt konden leiden tot de hoofdprijs – het moordwapen – verstopt in Changs woning of in het kantoortje op zijn werk.

Bosch ging achter zijn bureau zitten en overwoog Ferras te bellen om hem te vragen of de rechter haar handtekening al had gezet, maar hij wist dat het daar te vroeg voor was en dat Ferras hém zou bellen als ze het groene licht hadden gekregen. Het hele onderzoek lag stil totdat de rechter haar handtekening had gezet. Het enige wat hij kon doen was wachten.

Toen herinnerde hij zich dat hij eerder die dag een videoboodschap van zijn dochter had gekregen en dat hij die nog steeds niet had bekeken. Hij wist dat zijn dochter allang lag te slapen, want het was nu zaterdagochtend 4.15 uur in Hongkong. Tenzij ze bij een vriendinnetje sliep, in welk geval ze misschien de hele nacht wakker bleven, maar dan zou ze helemaal niet door haar vader willen worden gebeld.

Hij haalde zijn telefoon tevoorschijn en klapte hem open. Hij moest nog steeds wennen aan alle technologische toeters en bellen van het toestel. Toen zijn dochter de laatste keer in Los Angeles was, waren ze op de laatste dag naar een telefoonwinkel gegaan en had zij voor hen beiden een toestel uitgezocht, een model waarmee ze op verschillende manieren met elkaar konden communiceren. De e-mailfunctie gebruikte hij niet vaak, maar hij wist hoe hij e-mails moest openen en hoe hij de filmpjes van een halve minuut, die ze hem regelmatig stuurde, moest afspelen. Hij had ze allemaal bewaard en bekeek ze om de zoveel tijd opnieuw.

Bo-Jing Chang verdween tijdelijk uit zijn gedachten. Zijn bezorgdheid over het lek nam af. Er kwam een verwachtingsvolle glimlach op Bosch' gezicht toen hij op het knopje drukte om haar laatste videoboodschap te openen.

17

Bosch kwam de verhoorkamer binnen en liet de deur openstaan. Chu was bezig een vraag te stellen, maar hij stopte abrupt en keek wie hem kwam storen.

'Wil hij nog steeds niks zeggen?' vroeg Bosch.

'Geen woord.'

'Laat mij het eens proberen.'

'O, natuurlijk, wat je wilt, Harry.'

Chu stond op en Bosch ging opzij zodat hij de kamer uit kon gaan. Voordat hij dat deed, gaf hij het klembord aan Bosch.

'Succes, Harry.'

'Bedankt.'

Chu liep de verhoorkamer uit en deed de deur achter zich dicht. Bosch wachtte even totdat hij zeker wist dat Chu weg was, liep om de tafel heen en ging achter Chang staan. Hij sloeg hem boven op zijn hoofd met het klembord en haakte zijn arm om zijn keel. Hij was buiten zinnen van woede. Hij zette kracht en nam Chang in een wurggreep die bij de politie al jaren tegen de regels was. Hij voelde Chang verstrakken toen hij geen adem meer kon halen.

'Oké, smerige schoft. De camera's staan uit en we zijn in een geluiddichte kamer. Waar is ze? Ik vermoord je als je niet onmiddellijk…'

Chang kwam grommend overeind van zijn stoel en trok de schroefbout van de stalen ring waaraan zijn handboeien waren bevestigd dwars door het tafelblad heen. Hij wierp Bosch achteruit tegen de muur en ze vielen allebei op de grond. Maar Bosch' wurggreep hield stand en hij gebruikte alle kracht die hij in zich had. Chang vocht terug als een tijger, zette zich met zijn voeten af tegen de in de vloer verankerde stalen poten van de tafel en beukte Bosch een paar keer met zijn rug tegen de muur.

'Waar is ze?' schreeuwde Bosch.

Chang stootte een grommend gekreun uit maar vertoonde geen tekenen dat zijn kracht aan het afnemen was. Zijn handen waren aan elkaar geboeid, maar hij kon ze nog wel achteruit over zijn hoofd zwaaien en samengebald als moker gebruiken. Hij probeerde Bosch in zijn gezicht te raken terwijl hij de rest van zijn lichaam gebruikte om Bosch klem te zetten in de hoek van de kamer.

Bosch merkte dat zijn wurggreep niet afdoende was, dat hij Chang moest loslaten en op een andere manier de aanval moest kiezen. Hij liet los en greep Changs pols vast toen die hem weer achterwaarts probeerde te slaan. Hij verplaatste zijn gewicht en gaf een harde ruk aan Changs arm. Changs schouders draaiden mee, waardoor hij werd omgekeerd en Bosch boven op hem kon gaan zitten. Bosch klemde zijn handen ineen, hief ze hoog boven zijn hoofd en liet ze zo hard mogelijk op Changs nek terechtkomen.

'Ik zei: waar is…'

'Harry!'

De stem kwam van achter hem. Het was Chu.

'Hé!' riep Chu in de richting van de teamkamer. 'Help!'

Door de afleiding zag Chang kans zich op te richten en op zijn knieën te gaan zitten. Toen zette hij zich af, werd Bosch achteruit tegen de muur geworpen en viel hij op de grond. Chu wierp zich op Changs rug en probeerde hem plat op de vloer te krijgen. Ze hoorden rennende voetstappen en algauw drongen meer politiemensen de kleine verhoorkamer binnen. Ze dromden samen om Chang, schoven hem hard met zijn gezicht in de hoek en drukten hem tegen de vloer. Bosch rolde weg en probeerde op adem te komen.

Even zei niemand iets en was het enige geluid dat van mannen die naar adem hapten. Toen verscheen hoofdinspecteur Gandle in de deuropening.

'Wat is hier verdomme aan de hand?'

Hij boog zich naar binnen en keek naar het gat in het tafelblad. De schroefbout was aan de onderkant niet goed gezekerd geweest. Een van de tekortkomingen van het nieuwe gebouw, waarvan er nog veel meer aan de oppervlakte zouden komen.

'Ik weet het niet,' zei Chu. 'Ik kwam terug om mijn jasje te halen en toen was de hel al losgebroken.'

Alle ogen werden op Bosch gericht.

'Ze hebben mijn dochter gekidnapt,' zei hij.

18

Bosch stond in Gandles kantoor. Hij stond niet stil. Dat kon hij niet. Hij ijsbeerde getergd heen en weer voor Gandles bureau. De hoofdinspecteur had al twee keer gezegd dat hij moest gaan zitten, maar Bosch kon het niet. Niet met de enorme ongerustheid die hij in zijn lijf voelde.

'Wat is er precies aan de hand, Harry?'

Bosch haalde zijn telefoon tevoorschijn en klapte hem open.

'Ze hebben haar.'

Hij drukte op *play* van de videofunctie en gaf het toestel aan Gandle, die achter zijn bureau was gaan zitten.

'Hoe bedoel je: ze hebben…'

Hij stopte abrupt met praten toen hij de videobeelden zag.

'O, jezus. O, god… Harry, hoe weet je dat dit echt is?'

'Waar hebt u het over? Natuurlijk is het echt. Ze hebben haar en die schoft weet waar en door wie ze wordt vastgehouden!'

Hij wees met zijn duim in de richting van de verhoorkamer. Hij begon weer te ijsberen, sneller, als een gekooide tijger.

'Hoe werkt dit? Ik wil het nog een keer zien.'

Bosch nam het toestel van hem over en startte de video opnieuw.

'Ik moet naar hem toe,' zei Bosch terwijl Gandle naar de video keek. 'Ik móét ervoor zorgen dat hij me vertelt…'

'Jij komt niet meer bij hem in de buurt,' zei Gandle zonder op te kijken. 'Harry, waar is ze? In Hongkong?'

'Ja, in Hongkong, en hij was van plan naar Hongkong te gaan. Daar komt hij vandaan en daar is de thuisbasis van zijn triade. En als dat nog niet genoeg is, ze hebben me gebeld. Dat heb ik u verteld. Ze zeiden dat het consequenties zou hebben als ik…'

'Ze zegt niks in de video. Niemand zegt iets. Hoe weet je dat het om Changs mensen gaat?'

'Het zijn de mensen van de triade! Die hóéven niks te zeggen. De beelden zeggen genoeg. Ze hebben haar. Dat is de boodschap.'

'Oké, oké, laat me even nadenken. Ze hebben haar gekidnapt, maar wat is de boodschap? Wat willen ze van je?'

'Dat we Chang laten gaan.'

'Hoe bedoel je? Dat we hem gewoon het bureau uit laten wandelen?'

'Dat weet ik niet. Ja, ik denk het, dat we het onderzoek op de een of andere manier staken. Dat we het bewijs verduisteren, of, beter nog, dat we ophouden met zoeken naar bewijs. Op dit moment hebben we niet genoeg om hem na maandag nog vast te houden. Ik denk dat ze dat willen, dat we hem laten gaan. Hoor eens, ik heb hier geen tijd voor. Ik moet...'

'Die video moet naar het lab. Dat is het eerste wat we moeten doen. Heb je je ex-vrouw al gebeld om te vragen wat zij ervan weet?'

Bosch besefte dat hij, in zijn acute paniek toen hij de video had gezien, zijn ex-vrouw, Eleanor Wish, nog niet had gesproken. Hij had eerst geprobeerd zijn dochter te bellen. Toen ze niet had geantwoord, was hij meteen de confrontatie met Chang aangegaan.

'U hebt gelijk. Mag ik mijn toestel terug?'

'Harry, dat moet naar het lab...'

Bosch boog zich over het bureau en griste het toestel uit Gandles hand. Hij schakelde naar de belfunctie en drukte op het knopje van Eleanors voorgeprogrammeerde nummer. Hij keek op zijn horloge terwijl hij wachtte totdat de verbinding tot stand was gebracht. Het was bijna vijf uur 's ochtends op zaterdag in Hongkong. Hij begreep niet waarom hij nog niets van Eleanor had gehoord als hun dochter werd vermist.

'Harry?'

Haar stem klonk helder en wakker. Hij had haar niet uit haar slaap gehaald.

'Eleanor, wat is er aan de hand? Waar is Madeline?'

Hij liep Gandles kantoor uit en ging terug naar zijn werkplek.

'Dat weet ik niet. Ze heeft me niet gebeld en ze beantwoordt mijn telefoontjes niet. Hoe weet jij dat er iets aan de hand zou zijn?'

'Dat weet ik ook niet zeker, maar... ik heb een bericht van haar ontvangen. Vertel me wat jij weet.'

'Nou, wat stond er dan in dat bericht?'

'Daar stond niks in. Het is een video. Hoor eens, vertel me wat er vandaag is gebeurd.'

'Ze is na school niet thuisgekomen. Het was vrijdag en dan gaat ze altijd naar de mall met haar vriendinnen. Meestal belt ze dan om een uur of zes op om te vragen of ze langer mag blijven, maar gisteren heeft ze dat niet gedaan. Toen het me te lang duurde voor ze thuiskwam heb ik haar gebeld, maar ze antwoordde niet. Daarna heb ik haar een paar sms'jes gestuurd en begon ik pas echt boos te worden. Je kent haar, dus nu is ze waarschijnlijk boos op mij en daarom niet naar huis gekomen. Ik heb haar vriendinnen gebeld, maar die zeggen allemaal dat ze haar niet hebben gezien.'

'Eleanor, het is daar vijf uur in de ochtend. Heb je de politie niet gebeld?'

'Harry...'

'Wat?'

'Ze heeft het al eens eerder gedaan.'

'Waar heb je het over?'

Bosch liet zich in zijn bureaustoel vallen, boog zich voorover en drukte zijn telefoon hard tegen zijn oor.

'Ze is een keer een nacht bij een vriendin blijven slapen om me "een lesje te leren",' zei Eleanor. 'Ik heb toen de politie gebeld en dat was nogal gênant, want die hebben haar toen in het huis van haar vriendin aangetroffen. Sorry dat ik het je nooit heb verteld. Maar zij en ik hebben de laatste tijd nogal eens problemen met elkaar. Het is de leeftijd, begrijp je? Ze gedraagt zich alsof ze vijf jaar ouder is en ik heb sterk de indruk dat ze me op het ogenblik niet erg aardig vindt. Ze heeft al een paar keer gezegd dat ze bij jou in Los Angeles wil komen wonen. Ze...'

Bosch onderbrak haar.

'Luister, Eleanor, ik begrijp dat allemaal, maar dit is iets anders. Er is iets gebeurd.'

'Wat bedoel je?'

Paniek klonk door in haar stem. Bosch herkende zijn eigen angst erin. Hij had haar liever niet over de videoboodschap verteld, maar hij had geen keus. Ze moest het weten. Hij gaf haar een beschrijving van de dertig seconden video en liet niets weg. Eleanor kreunde, een hoog, jankend geluid dat alleen gemaakt kan worden door een moeder die haar kind kwijt is.

'O mijn god, o mijn god.'

'Ik weet het, maar we gaan alles doen om haar terug te vinden, Eleanor. Ik...'

'Waarom hebben ze die video naar jou gestuurd, en niet naar mij?'

Hij hoorde haar zachtjes huilen. Ze begon in te storten. Hij gaf geen antwoord op haar vraag, want hij wist dat hij het dan alleen maar erger zou maken.

'Luister naar me, Eleanor, we moeten ons hoofd erbij houden. Je moet sterk zijn, voor haar. Want jij bent daar, ik niet.'

'Wat willen ze? Geld?'

'Nee...'

'Wat dan?'

Bosch probeerde rustig te blijven praten, in de hoop dat het hetzelfde effect op haar zou hebben als de betekenis van zijn woorden tot haar doordrong.

'Ik denk dat het een boodschap voor mij is, Eleanor. Ze hebben niet om geld gevraagd. Ze hebben me alleen duidelijk gemaakt dat ze haar hebben gekidnapt.'

'Voor jou? Waarom? Waarom zouden ze... Harry, wat heb je gedaan?'

Ze stelde de laatste vraag op een verwijtende toon. Bosch was bang dat het de vraag kon zijn die hem de rest van zijn leven zou achtervolgen.

'Ik werk aan een zaak waarbij een Chinese triade betrokken is. Ik denk dat ze...'

'Hebben ze haar gekidnapt om jóú te bedreigen? Hoe weten ze überhaupt van haar bestaan?'

'Daar ben ik nog niet achter, Eleanor. Ik ben ermee bezig. We hebben een verdachte in hechtenis...'

Opnieuw onderbrak ze hem, deze keer met een ander soort kreun. Dit was het geluid van een moeder die haar ergste nachtmerrie werkelijkheid ziet worden. Op dat moment wist Bosch wat hij ging doen. Hij deed nóg meer zijn best om rustig te praten.

'Eleanor, luister naar me. Je moet proberen kalm te blijven. Je moet zo meteen mensen gaan bellen. Ik kom naar je toe. Vóór zondagochtend vroeg ben ik in Hongkong. In de tussentijd bel jij haar vriendinnen. Je moet te weten zien te komen met wie ze naar de mall is gegaan en waar ze precies is geweest. Alles wat je kunt ontdekken over wat er is gebeurd. Hoor je me, Eleanor?'

'Ik hang nu op en bel de politie.'

'Nee!'

Bosch keek om zich heen en zag dat zijn uitroep de aandacht van de anderen in de teamkamer had getrokken. Na het incident in de verhoorkamer hadden zijn collega's hun bezorgdheid al laten blijken. Hij reed zijn stoel nog een stukje naar voren en boog zich dieper over zijn bureau, zodat de anderen hem niet konden zien.

'Waarom niet? Harry, we moeten...'

'Luister eerst naar me, en doe dan pas wat je denkt dat nodig is. Ik vind dat je de politie niet moet bellen. Nog niet. We kunnen niet het risico nemen dat de kidnappers het op die manier te weten komen. Dan zien we haar misschien nooit meer terug.'

Ze zei niets. Bosch hoorde haar huilen.

'Eleanor? Luister naar me. Wil je haar terug of niet? Roep jezelf dan verdomme tot de orde! Je bent FBI-agent geweest. Je kunt dit aan. Ik wil dat je aan de slag gaat als de agent die je vroeger was, totdat ik er ben. Ik moet eerst de video laten analyseren. In de video maakte ze een schoppende beweging naar de camera en toen verschoof het beeld. Ik heb een raam gezien. Misschien herkent iemand het. Ik stap vanavond op het vliegtuig en kom naar je toe zodra ik ben geland. Heb je gehoord wat ik zei?'

Het bleef lange tijd stil voordat Eleanor antwoord gaf. Toen ze dat deed, klonk haar stem beheerst. De boodschap was overgekomen.

'Ik heb het gehoord, Harry. Toch vind ik dat we de politie van Hongkong moeten bellen.'

'Als jij dat echt vindt, goed, doe dat dan. Ken je daar iemand? Iemand die je kunt vertrouwen?'

'Nee, maar ze hebben een triadebureau. Hun mensen komen in het casino.'

In de bijna twintig jaar na haar tijd als FBI-agent had Eleanor zich ontwikkeld tot professioneel kaartspeelster. Ze woonde al meer dan zes jaar in Hongkong en werkte in het Cleopatra Casino in het nabijgelegen Macau. Alle zakenjongens van het vasteland kwamen ernaartoe om tegen de *gweipo* – de blanke vrouw – te spelen. Ze was een plaatselijke attractie. Ze speelde met geld van het huis en deelde alleen mee in de winst, niet in het verlies. Een comfortabel leven. Zij en Maddie woonden in een torenflat in Happy Valley en als het tijd was om naar haar werk te gaan, stuurde het casino een helikopter, die haar oppikte op het dak van de flat.

Een comfortabel leven tot nu toe.

'Praat met de mensen die je van het casino kent,' zei Bosch. 'Als zij een naam noemen van iemand die je kunt vertrouwen, bel dan pas. Ik moet nu ophangen, want ik moet hier aan de slag. Je hoort van me voordat ik in het vliegtuig stap.'

Ze antwoordde alsof ze uit een roes ontwaakte.

'Oké, Harry.'

'Als je iets bedenkt, wat het ook is, bel me.'

'Oké, Harry.'

'En, Eleanor?'

'Ja?'

'Kijk of je een pistool voor me kunt regelen. Ik kan het mijne niet meenemen.'

'Je gaat hier de gevangenis in voor wapenbezit.'

'Dat weet ik, maar jij kent mensen in het casino. Regel een pistool voor me.'

'Ik zal mijn best doen.'

Bosch aarzelde toen hij het gesprek moest beëindigen. Hij wou dat hij haar kon aanraken, om te proberen haar ergste angsten te bezweren. Maar dat kon natuurlijk niet. Trouwens, hij was niet eens in staat zijn eigen angst te bezweren.

'Goed dan, ik moet nu gaan. Probeer kalm te blijven, Eleanor. Doe het voor Maddie. Als we kalm blijven, kunnen we dit tot een goed einde brengen.'

'We krijgen haar terug, hè, Harry?'

Bosch knikte voordat hij antwoord gaf.

'Ja, zo is het. We krijgen haar terug.'

19

De Digital Image Unit, een onderafdeling van de Dienst Wetenschappelijk Onderzoek, was nog steeds gevestigd in het oude politiebureau in Parker Center. Bosch overbrugde de twee blokken afstand tussen het oude en het nieuwe bureau als iemand die een vliegtuig moet halen. Tegen de tijd dat hij aankwam bij het gebouw waar hij zovele jaren als rechercheur had gewerkt en de glazen deuren openduwde, hijgde hij als een paard en stond het zweet op zijn voorhoofd. Hij legitimeerde zich bij de balie en nam de lift naar de tweede verdieping.

De DWO was zich aan het voorbereiden op de verhuizing. De oude bureaus en werktafels zouden blijven staan, maar alle apparatuur, de papieren en persoonlijke bezittingen moesten in dozen worden gepakt. Het was een operatie die zorgvuldig was gepland en die de wetenschappelijke kant van de strijd tegen de misdaad, die toch al niet al te snel vorderde, nog verder vertraagde.

De DIU zat in een grote kamer en suite achter in het gebouw. Bosch ging het eerste vertrek binnen en zag tegen de zijwand een stuk of vijftien verhuisdozen gestapeld staan. Er hingen geen foto's of posters meer aan de muren en de meeste planken waren leeg. In het achterste vertrek was één technicus aan het werk.

Barbara Starkey was een veteraan die al bijna veertig jaar bij de politie werkte en die binnen de DWO diverse specialismen beheerste. Bosch had haar leren kennen toen hij als beginnend agentje de wacht moest houden bij de restanten van een uitgebrand huis waar de politie een lang en hevig vuurgevecht had geleverd met leden van de Symbionese Liberation Army. Deze links-radicalen claimden dat ze Patty Hearst, de dochter van de krantenmagnaat, in gijzeling hadden. Starkey maakte deel uit van het forensisch team dat moest vaststellen of de stoffelijke resten van Patty Hearst zich in de rokende ruïne van het huis bevonden. In die tijd was het bij de politie de gewoonte om vrouwelijke personeelsleden door te schuiven naar functies waarin lichamelijke confrontaties en de noodzaak een vuurwapen te gebruiken minimaal waren. Starkey had gewoon smeris willen worden. Ze was echter terechtgekomen bij de DWO en was daar als een van de eersten getuige geweest van de explosieve groei van technologische toepassingen in politieonderzoek. Zoals ze nieuwe laboranten en technici graag vertelde, toen zíj met forensisch onderzoek begon, was DNA niet meer dan een drietal letters uit het alfabet. Nu was ze deskundig op vrijwel alle terreinen en werkte haar zoon, Michael, ook bij de DWO als bloedspatexpert.

Starkey keek op van haar werkplek, waar ze op twee beeldschermen de korrelige videobeelden van een bankroof zat te bekijken. De beelden waren hetzelfde, hoewel op de ene monitor scherper dan op de andere: die van een man die een pistool op de kassier van de bank richtte.

'Harry Bosch! De man met een plan.'

Bosch had geen tijd voor inleidende praatjes. Hij liep naar haar toe en kwam meteen ter zake.

'Barb, ik heb je hulp nodig.'

Starkey fronste haar wenkbrauwen toen ze de spanning in zijn stem hoorde.

'Wat is er aan de hand, lieve jongen?'

Bosch liet haar zijn telefoon zien.

'Er zit een videofilmpje in mijn telefoon. Wat ik wil is dat je de beelden opblaast en vertraagt, zodat ik kan kijken of ik de locatie herken. Het is een kidnapping.'

Starkey gebaarde naar de monitors en zei: 'Ik zit midden in deze 2-11 in West…'

'Het gaat om mijn dochter, Barbara. Je moet me echt helpen.'

Deze keer aarzelde Starkey geen moment.

'Laat zien.'

Bosch klapte het toestel open, startte de video en gaf het aan haar. Ze keek ernaar zonder een woord te zeggen en op haar gezicht geen andere uitdrukking dan een puur professionele. Als Bosch een reactie zag, was het dat ze rechter op haar stoel ging zitten en dat er een aura van professionele ernst op haar neerdaalde.

'Oké. Kun je hem naar mijn computer doorsturen?'

'Geen idee. Ik weet alleen hoe ik hem kan sturen naar je telefoon.'

'Als een e-mail met een bijlage, naar deze computer, bedoel ik.'

'Een e-mail sturen kan ik wel, maar met een bijlage heb ik nog nooit gedaan.'

Starkey vertelde hem wat hij moest doen en even later had hij de video als bijlage naar haar computer gemaild.

'Oké, nu moeten we wachten totdat ik hem binnen heb.'

Voordat Bosch kon vragen hoe lang dat zou duren, liet haar computer een *ping* horen.

'Dat zal 'm zijn.'

Starkey sloot de beelden van de bankroof af, opende haar e-mail en downloadde de video. Vervolgens speelde ze die af op het linkerbeeldscherm. In *full screen* was het beeld nogal vaag door het geringe aantal pixels. Starkey verkleinde het tot de helft en het werd duidelijker. Veel duidelijker en indringender dan toen Bosch de beelden op zijn telefoon had gezien. Harry keek naar zijn dochter en moest zijn best doen zijn blik niet af te wenden.

'Wat erg voor je, Harry,' zei Starkey.

'Ja. Laten we het er maar niet over hebben.'

Op het grote beeldscherm zat Maddie Bosch, dertien jaar oud, vastgebonden op een stoel. Haar mond was gekneveld, strak, met een helderrode lap. Ze had haar schooluniform aan: een blauwgeruite rok en een witte blouse met het embleem van de school op de linkerborst. Ze keek recht in de camera – die van haar eigen mobiele telefoon – met een blik die Bosch' hart in tweeën scheurde. 'Wanhoop' en 'doodsangst', het waren de enige woorden waarmee hij de blik kon beschrijven.

Er was geen geluid bij de video, of, beter gezegd, niemand zei iets gedurende de eerste helft. Vijftien seconden lang bleef de camera op haar gericht en dat was meer dan genoeg. Ze werd aan hem getoond. Bosch' woede laaide weer op. En zijn gevoel van machteloosheid.

Op dat moment kwam de hand van de persoon achter de camera in beeld en werd de knevel even van Maddies mond getrokken.

'Papa!'

De knevel werd meteen weer teruggeschoven, waardoor Bosch onmogelijk kon verstaan wat ze daarna nog riep.

Toen zakte de hand om een van de borsten van het meisje te betasten. Ze verzette zich heftig, rukte aan de touwen om zich weg te draaien en schopte met haar linkerbeen naar de uitgestoken hand. Het beeld schokte, zwenkte wild opzij en werd toen weer op Maddie gericht. Ze was met stoel en al omgevallen. De laatste vijf seconden bleef de camera op haar gericht. Daarna werd het beeld zwart.

'Er wordt niks geëist,' zei Starkey. 'Ze laten haar alleen zien.'

'Het is een boodschap voor mij,' zei Bosch. 'Ze willen me dwingen mijn onderzoek te staken.'

Starkey reageerde niet meteen. Haar beide handen ging naar het mediapaneel naast haar toetsenbord. Bosch wist dat ze door aan de twee schijven te draaien de video met grote precisie voor- en achteruit kon sturen.

'Harry, ik ga dit nu beeld voor beeld doornemen,' zei ze. 'Maar dat kan even duren, want we hebben hier dertig seconden video.'

'Ik kijk met je mee.'

'Nou, ik denk dat het beter is dat je me mijn werk laat doen en dat ik je bel zodra ik iets heb gevonden. Geloof me, Harry. Ik besef heel goed dat het om je dochter gaat.'

Bosch knikte. Hij wist dat hij haar de kans moest geven haar werk te doen zonder dat er iemand in haar nek stond te hijgen. Dat zou het beste resultaat opleveren.

'Oké. Kunnen we dan alleen even naar de schop kijken, dat ik je daarna met rust laat? Ik wil weten of er dan iets te zien is. Hij draait opzij als ze naar hem schopt, en ik meende een lichtflits te zien. Misschien een raam?'

Starkey ging terug naar het moment waarop Maddie naar haar belager had geschopt. In *real time* was het beeld vaag, door de abrupte beweging van de camera, die werd gevolgd door een kort moment licht en een tweede beweging waarmee de camera weer op het meisje werd gericht.

Maar nu ze het beeld voor beeld afspeelden, zag Bosch de camera naar links zwenken, door een kamer, tot aan een raam, en daarna weer terug.

'Goed gezien, Harry,' zei Starkey. 'Misschien kunnen we hier iets mee.'

Bosch zakte een stukje door zijn knieën om over haar schouder te kunnen kijken. Starkey spoelde de video terug en bewoog hem daarna beeld voor beeld vooruit. Door Maddies schoppende beweging naar de gestrekte arm van haar belager was de camera eerst naar links gezwenkt en daarna op de vloer gericht. Vervolgens werd hij weer omhoog gericht, waardoor het raam in beeld kwam, en toen weer naar rechts.

De kamer zag eruit als die van een goedkoop hotel, met een eenpersoonsbed en een tafeltje met een lamp direct achter de stoel waarop ze Maddie hadden vastgebonden. Op de vloer, zag Bosch, lag een grauw beige kleed met een verscheidenheid aan vlekken erop. De muur boven het bed zat vol gaten van de spijkers waaraan muurdecoraties hadden gehangen. De schilderijtjes en prenten zelf waren weggehaald, vermoedelijk om de kamer anoniemer te maken.

Starkey spoelde terug naar het raam en zette het beeld stil. Het raam was hoog en vrij smal, met een enkele ruit, en scharnieren aan de ene zijkant. Geen hor, zo te zien. Het raam stond open, op het laatste gaatje van de haak, en in de ruit was de weerspiegeling van een stukje stad te zien.

'Waar denk je dat dit is, Harry?'

'Hongkong.'

'Hongkong?'

'Ze woont daar met haar moeder.'

'O, nou…'

'Wat?'

'Dat maakt het voor ons een stuk moeilijker om de locatie vast te stellen. Hoe goed ken je Hongkong?'

'Ik ben er in de afgelopen zes jaar twee keer per jaar geweest. Maak dit wat scherper, als je kunt. Of kun je het ook groter maken?'

Met de muis zette Starkey een kader om het raam en kopieerde het naar het rechterscherm. Daar maakte ze het beeldvullend en probeerde ze de scherpte te vergroten.

'We hebben niet genoeg pixels, Harry, maar ik heb een programmaatje waarmee we de ruimten tussen de pixels kunnen invullen, waardoor het totaalbeeld scherper wordt. Misschien kun je iets herkennen in de reflectie in de ruit.'

Bosch knikte, hoewel hij achter haar stond.

Op het rechterscherm werd de reflectie in de ruit verscherpt en bleek deze uit drie dimensies te bestaan. Het eerste wat Bosch opviel was dat de kamer zich op een hogere verdieping moest bevinden. Wat hij zag was een straatbeeld met een gracht, vanaf een hoogte van ongeveer tien verdiepingen, schatte hij. Hij zag een deel van de gebouwen aan die straat, en de rand van een grote lichtreclame met de Engelse letters N-O. Wat hij ook zag, onder aan het beeld, waren borden met Chinese karakters, maar die waren kleiner en lang niet zo duidelijk.

Door de reflectie heen zag Bosch hoge gebouwen in de verte. Een daarvan herkende hij door de witte H boven op het dak: twee radioantennes met een dwarsbalk ertussen, waardoor het ding Bosch altijd deed denken aan een doel van American football.

Door de contouren van de gebouwen zag hij een derde reflectie: een bergkam die werd onderbroken door een enkel bouwwerk, koepelvormig en met dikke pilaren aan weerszijden.

'Heb je hier iets aan, Harry?'

'Ja, ja, absoluut. Dit moet Kowloon zijn. Het beeld in de ruit bestrijkt de haven tot aan Central, en de bergrug daarachter. Dit gebouw met die sprieten is de Bank of China, een befaamd onderdeel van de skyline. En daarachter is Victoria Peak. Het bouwwerk dat je door die doelpalen op het dak ziet, hier naast die andere woontoren, is een soort observatorium. Om dit allemaal te weerspiegelen ben ik er redelijk zeker van dat je aan de overkant van de haven van Kowloon moet zijn.'

'Ik ben er nooit geweest, dus mij zegt het niets.'

'Central Hongkong is in feite een eiland. Maar eromheen liggen nog meer eilanden en tegenover de haven ligt Kowloon, plus een gebied dat de New Territories wordt genoemd.'

'Het klinkt me allemaal veel te ingewikkeld. Maar als jij er iets aan hebt...'

'Ik heb er heel veel aan. Kun je hier een print van maken?'

Hij wees naar het rechterscherm, met het bewerkte beeld van het raam.

'Ja zeker. Maar er is iets wat ik een beetje raar vind.'

'En dat is?'

Ze gebruikte de muis en zette een kadertje om de letters N en O, die deel uitmaakten van een Engels woord op een lichtreclame.

'Ja, wat is daarmee?'

'Nou, het gaat hier om een reflectie in een ruit. Die werkt als een spiegel, dus alles wordt omgekeerd. Begrijp je?'

'Ja.'

'Oké, dus alle letters zouden achterstevoren moeten staan, maar deze twee staan niet achterstevoren. Goed, aan de o kun je dat niet zien. Die ziet er altijd hetzelfde uit, achterstevoren of niet. Maar de N staat niet achterstevoren, Harry. Dus als je in gedachten houdt dat het hier om een spiegelbeeld gaat, zou dat betekenen...'

'Dat het woord in spiegelbeeld staat?'

'Ja. Dat moet wel, anders kan het er in een reflectie niet zo uitzien.'

Bosch knikte. Ze had gelijk. Het was inderdaad vreemd, maar hij had nu geen tijd om daar lang bij stil te staan. Het was tijd om actie te ondernemen. Hij wilde Eleanor bellen om haar te vertellen dat hun dochter in Kowloon gevangen werd gehouden. Misschien bracht dat bij haar een belletje aan het rinkelen. Het was in ieder geval een begin.

'Kan ik die afdruk krijgen?'

'Hij is al aan het printen. Het duurt een paar minuten, want het is een printer met een heel hoge resolutie.'

'Aha.'

Bosch staarde naar het beeld op het scherm en zocht naar andere details die hem zouden kunnen helpen. Het meest in het oog springende was een gedeeltelijke reflectie van het gebouw waarin zijn dochter werd vastgehouden. Hij zag de airconditioners onder de raamkozijnen. Dat betekende dat het om een ouder gebouw ging, en dat kon hem misschien helpen het te herkennen.

'Kowloon,' zei Starkey. 'Klinkt onheilspellend, op de een of andere manier.'

'Mijn dochter heeft me verteld dat het "negen draken" betekent.'

'Zie je, ik zei het je toch? Wie noemt zijn stad nou "negen draken", tenzij je de mensen de stuipen op het lijf wilt jagen?'

'Het vindt zijn oorsprong in een legende. Tijdens een van de oude dynastieën was de keizer, die nog maar een jongetje was, op de vlucht voor de Mongolen en kwam hij terecht in het gebied dat we nu als Hongkong kennen. Hij zag dat het werd begrensd door acht bergtoppen en wilde het daarom "acht draken" noemen. Maar een van de mannen die hem beschermden herinnerde hem eraan dat de keizer zelf ook een draak was. Dus noemden ze het "negen draken". Kowloon.'

'Heb je dit allemaal van je dochter?'

'Ja. Dat heeft ze op school geleerd.'

Er viel een stilte. Bosch luisterde naar het zoemen van de printer, ergens achter hem, totdat het ophield. Starkey stond op, verdween achter een stapel verhuisdozen en haalde de print uit het apparaat.

Ze gaf hem aan Bosch. Het beeld was afgedrukt op hoogglans foto-papier en net zo duidelijk als op het beeldscherm van haar computer.

'Bedankt, Barbara.'

'Ik ben nog niet klaar, Harry. Zoals ik al zei zal ik de video beeld voor beeld bekijken – dertig beelden per seconde – en als er iets is waar je misschien iets aan kunt hebben, zal ik het weten te vinden. En ik haal het geluidsspoor eraf en onderzoek dat apart.'

Bosch knikte alleen en keek naar de print in zijn hand.

'Je vindt haar terug, Harry. Ik weet het zeker.'

'Ja. Ik ook.'

20

Op de terugweg naar het hoofdbureau belde Bosch zijn ex-vrouw. Ze nam op met een panische stem en een vraag.

'Harry, weet je al iets?'

'Niet veel, maar er wordt aan gewerkt. Ik ben er zeker van dat de video die ik heb ontvangen is opgenomen in Kowloon. Zegt dat jou iets?'

'Nee. Kowloon? Waarom daar?'

'Geen idee. Maar misschien kunnen we ontdekken waar ze wordt vastgehouden.'

'De politie, bedoel je?'

'Nee, ik bedoel jij en ik, Eleanor. Als ik naar je toe kom. O, ik moet mijn vlucht nog boeken. Heb je al iemand gebeld? Wat ben je te weten gekomen?'

'Ik weet helemaal niks!' riep ze uit, waarmee ze Bosch aan het schrikken maakte. 'Mijn dochter wordt ergens gevangen gehouden en ik kan niks doen. De politie gelooft me niet eens!'

'Wat? Heb je ze gebeld?'

'Ja, natuurlijk heb ik ze gebeld. Ik kan hier niet blijven duimendraaien totdat jij morgen komt. Ik heb het triadebureau gebeld.'

Bosch voelde iets verstrakken in zijn borstkas. Hij had er moeite mee om op onbekenden te vertrouwen, deskundig of niet, als het om het leven van zijn dochter ging.

'Wat zeiden ze?'

'Ze hebben mijn naam in de computer gevoerd en kregen een hit. De politie heeft een dossier over me. Wie ik ben, voor wie ik werk. En ze wisten het van de vorige keer. Toen ik dacht dat ze was weggelopen en bleek dat ze bij een vriendinnetje was blijven slapen. Dus ze geloven me niet. Ze denken dat ze weer van huis is weggelopen en dat haar vriendinnen tegen me liegen. Ze zeiden dat ik maar een dagje moest wachten en moest terugbellen als ze dan nog niet boven water was.'

'Heb je hun verteld over de videoboodschap?'

'Ja, maar daar hechtten ze geen waarde aan. Ze zeiden dat als er geen losgeld werd geëist, de video waarschijnlijk is geënsceneerd door haar en haar vriendinnen om de aandacht te trekken. Ze geloven me gewoon niet!'

Ze begon te huilen van frustratie en angst, maar toen Bosch nadacht over de reactie van de politie, meende hij dat die in hun voordeel kon werken.

'Hoor eens, Eleanor, ik denk dat dit goed is.'

'Goed? Hoe kan dit nou goed zijn? De politie weigert naar haar uit te kijken.'

'Zoals ik al zei wil ik de politie er liever niet bij betrekken. De mensen die haar vasthouden zien de politie van een kilometer afstand aankomen. Maar mij niet.'

'Dit is Los Angeles niet, Harry. Je kent hier de weg niet zoals daar.'

'Die vind ik wel, als jij me helpt.'

Er viel een lange stilte voordat ze weer iets zei. Bosch was bijna terug bij het hoofdbureau.

'Harry, je moet me beloven dat je haar terugvindt.'

'Dat ben ik ook van plan, Eleanor,' antwoordde hij zonder enige aarzeling. 'Ik beloof het je. Ik vind haar terug.'

Hij liep de lobby van het hoofdbureau binnen en hield zijn jasje opzij zodat de penning aan zijn broekriem gelezen kon worden door de nieuwe, geavanceerde receptiebalie.

'Ik moet nu met de lift naar boven,' zei hij tegen Eleanor. 'Dus de verbinding zal waarschijnlijk worden verbroken.'

'Oké, Harry.'

Maar toen hij bij de lift kwam, bleef hij staan.

'Ik moet opeens aan iets denken,' zei hij. 'Heette een van de vriendinnen die je hebt gesproken Hei?'

'Hij?'

'Nee, H-E-I. Maddie zei dat het "rivier" betekent. Ze vertelde me dat een van haar vriendinnen met wie ze altijd naar de mall gaat zo heette.'

'Wanneer was dat?'

'Dat ze dat vertelde, bedoel je? Een paar dagen geleden. Voor jou afgelopen donderdag. Donderdagochtend, toen ze naar school liep. Ik had haar gebeld om het met haar te hebben over dat roken waar jij me onlangs over had verteld. Ze…'

Eleanor onderbrak hem met een soort kreet van afkeer.

'Wat is er?' vroeg Bosch.

'Daarom behandelde ze me de laatste tijd als een stuk vuil,' zei ze. 'Je hebt me verraden.'

'Nee, zoiets was het niet. Ik had haar een foto gestuurd om haar op stang te jagen, zodat ze me zou bellen en ik zelf met haar over roken kon beginnen. Ze trapte erin. En toen ik haar vertelde dat ze beter niet aan roken kon beginnen, begon ze over Hei. Ze zei dat Hei's oudere broer vaak met hen meeging naar de mall, om op zijn zusje te passen, en dat hij degene was die rookte.'

'Ik heb haar nooit gehoord over ene Hei of haar broer. Waaruit blijkt hoe slecht het contact is tussen mij en mijn eigen kind, neem ik aan.'

'Hoor eens, Eleanor, in een situatie als deze zullen we ons allebei twee keer moeten afvragen wat we allemaal hebben gezegd en gedaan. Maar het leidt wel af van waar we ons nu op moeten concentreren. Begrijp je? Wat je hebt gedaan en hebt nagelaten is nu even niet belangrijk, oké? We moeten haar terugvinden; laten we ons daarop concentreren.'

'Oké. Ik ga haar vriendinnen weer bellen, voor zover ik die ken. En ze vragen naar Hei en haar broer.'

'Probeer te weten te komen of hij connecties met een triade heeft.'

'Ik zal mijn best doen.'

'Ik moet nu ophangen, maar nog één laatste vraag. Heb je dat andere al gevonden waar ik je om had gevraagd?'

Bosch knikte naar een paar rechercheurs die naar de lift kwamen lopen. Ze waren van Onopgeloste Zaken, die hun eigen teamkamer hadden, en ze keken hem niet aan alsof ze wisten wat hem was overkomen. Goed zo, dacht Bosch. Zo te zien hield Gandle het stil.

'Dat pistool, bedoel je?' vroeg Eleanor.

'Ja, dat.'

'Harry, het is hier nog niet eens dag. Ik ga erachteraan zodra ik de mensen niet uit hun bed hoef te bellen.'

'Juist, ik begrijp het.'

'Maar ik ga wel achter Hei aan, nu meteen.'

'Oké, goed. Laten we elkaar bellen zodra er nieuws is.'

'Dag, Harry.'

Bosch klapte zijn telefoon dicht en liep het halletje van de lift in. De andere rechercheurs waren er niet meer en Bosch wachtte tot de lift terugkwam. Alleen in de lift op weg naar boven keek hij naar de telefoon in zijn hand en dacht aan wat Eleanor zonet had gezegd, over dat de dag in Hongkong nog moest beginnen. In de video die hem was gestuurd was het licht geweest. Dat betekende dat er al twaalf uur verstreken kon zijn sinds ze zijn dochter hadden gekidnapt.

Er was geen tweede bericht gekomen. Hij drukte op de snelkeuzetoets van haar nummer en werd weer meteen doorgestuurd naar haar voicemail. Hij verbrak de verbinding en stak het toestel in zijn zak.

'Ze is nog in leven,' zei hij tegen zichzelf. 'Ze is nog in leven.'

Zonder de aandacht te trekken bereikte hij zijn werkplek in de teamkamer. Ferras en Chu waren nergens te bekennen. Bosch haalde een adresboekje uit zijn la en bladerde naar de pagina met de luchtvaartmaatschappijen die vanaf LAX op Hongkong vlogen. Dat waren er diverse, maar wat tijd betreft had hij weinig keus. Alle vluchten vertrokken tussen elf uur 's avonds en één uur 's nachts en arriveerden vroeg in de ochtend in Hongkong. Met een reistijd van ruim veertien uur en een tijdverschil van vijftien uur zou tijdens de vlucht zijn hele zaterdag in het niets verdwijnen.

Bosch belde Cathay Pacific en kon er een raamplaats op de eerstvolgende vlucht boeken. Het toestel zou zondagochtend om 5.25 uur in Hongkong landen.

'Harry?'

Bosch draaide zijn bureaustoel een kwartslag en zag Gandle in de opening van zijn werkplek staan. Bosch gebaarde hem even te wachten om zijn telefoontje te voltooien en de afhaalcode voor zijn ticket op te schrijven. Daarna verbrak hij de verbinding.

'Hoofdinspecteur, waar is iedereen?'

'Ferras is nog op het gerechtshof en Chu brengt Chang naar het cellencomplex.'

'Wat is de aanklacht?'

'We gaan toch voor moord, ook al hebben we nauwelijks iets om het hard te maken.'

'En zijn poging om het land te ontvluchten?'

'Die komt daar nog eens bij.'

Bosch keek op de klok boven het mededelingenbord. Het was half drie. Met de aanklacht voor moord plus Changs poging het land uit te vluchten zou de borg automatisch op twee miljoen dollar worden gesteld. Bosch wist dat het voor een advocaat te laat op de dag was om het hof om verlaging van de borg te verzoeken, of het gebrek aan bewijs voor de aanklacht aan te vechten. De griffies zouden zo sluiten voor het weekend, dus het was onwaarschijnlijk dat ze Chang zouden laten gaan tenzij er iemand twee miljoen cash voor hem betaalde. Het verlagen van de borg kon pas maandag in behandeling worden genomen. Alles bij elkaar hield dit in dat ze tot maandagochtend hadden om het bewijs dat hun aanklacht voor moord staande moest houden bij elkaar te krijgen.

'Hoe vergaat het Ferras?'

'Dat weet ik niet. Hij is daar nog en hij heeft nog niet gebeld. Wat belangrijker is, hoe vergaat het jou? Heb je het lab naar de video laten kijken?'

'Barbara Starkey is er op dit moment mee bezig. Ze heeft dit al voor me gemaakt.'

Bosch haalde de print van het raam uit de zak van zijn jasje en vouwde hem open. Hij legde Gandle de betekenis ervan uit en dat het tot nu toe zijn enige aanwijzing was.

'Het klonk alsof je een vlucht boekte. Wanneer ga je?'

'Vanavond. Ik kom daar zondagochtend vroeg aan.'

'Raak je een hele dag kwijt?'

'Ja, maar die pak ik weer terug als ik terugkom. Ik heb de hele zondag om haar te zoeken. Op maandagochtend vlieg ik terug en dan kom ik hier op maandagochtend aan. Dan gaan we naar de openbaar aanklager en laten we Chang voorgeleiden. Het moet lukken, meneer.'

'Luister, Harry, maak je geen zorgen over een dag meer of minder. Laat de zaak maar aan ons over. Ga naar Hongkong en probeer haar te vinden. Blijf zo lang als nodig is. Wij handelen de zaak wel af.'

'Oké.'

'En de politie? Heeft je ex-vrouw die al ingeschakeld?'

'Dat heeft ze geprobeerd. Ze tonen geen interesse.'

'Wat? Heb je die video niet naar ze doorgestuurd?'

'Nog niet. Maar ze weten ervan, van mijn ex-vrouw. Ze weigeren in actie te komen.'

Gandle zette zijn beide handen in zijn zij. Hij deed dat wanneer iets hem heel erg dwarszat, of wanneer hij zijn autoriteit moest laten gelden.

'Harry, hoe kan dat nou?'

'Ze denken dat ze gewoon van huis is weggelopen en vinden dat we maar moeten wachten totdat ze weer opduikt. Wat ik trouwens prima vind, want ik wil de politie er niet bij betrekken. Nog niet.'

'Luister, ze hebben daar vast eenheden die zich uitsluitend met triades bezighouden. Je ex heeft waarschijnlijk een of ander bureau-agentje aan de lijn gehad. Je hebt nu behoefte aan expertise, en die kunnen zij je bieden.'

Bosch knikte alsof hij dat allemaal al wist.

'Meneer, ik ben er zeker van dat ze daar hun experts hebben. Maar de triades hebben het al meer dan driehonderd jaar overleefd. Ze doen het beter dan ooit. Dat krijg je niet voor elkaar als je geen contacten binnen het politiekorps hebt. Als het om een van uw dochters ging, zou u dan mensen inschakelen die u niet kunt vertrouwen, of zou u het zelf afhandelen?'

Hij wist dat Gandle twee dochters had. Ze waren allebei ouder dan Maddie. De ene woonde aan de Oostkust, studeerde aan Hopkins, en Gandle maakte zich voortdurend zorgen om haar.

'Ik begrijp wat je bedoelt, Harry.'

Bosch wees naar de print.

'Ik wil alleen de zondag. Ik heb een vermoeden waar dit is, en ik ga ernaartoe om haar terug te halen. Als ik haar niet vind, stap ik op maandagochtend naar de politie. Dan ga ik met hun triademensen praten en desnoods bel ik de plaatselijke fbi. Ik zal alles doen wat nodig is, maar eerst ga ik haar zondag zelf zoeken.'

Gandle knikte en keek naar de grond. Het leek erop dat hij nog iets wilde zeggen.

'Wat is er?' vroeg Harry. 'Laat me raden. Chang dient een aanklacht tegen me in omdat ik hem heb geprobeerd te wurgen. Dat is grappig, want hij heeft mij harder geraakt dan ik hem. Die gast is oersterk.'

'Nee, nee, dat is het niet. Hij heeft verdomme nog steeds geen woord gezegd. Dus dat is het niet.'

'Wat dan wel?'

Gandle knikte en pakte de print van het bureau.

'Nou, ik wilde alleen zeggen dat als het niet lukt, zondag, dan bel je me. We weten allebei dat dit soort gasten toch nooit op het rechte pad blijven. Er komt vast een volgende keer, een volgend vergrijp. We kunnen Chang altijd later nog eens oppakken.'

Hoofdinspecteur Gandle liet Bosch weten dat hij bereid was Chang te laten gaan als hij daarmee bereikte dat Harry's dochter weer veilig thuiskwam. Dan zou de openbaar aanklager op maandag te horen krijgen dat ze onvoldoende bewijs hadden om Chang voor moord aan te klagen en zou hij worden vrijgelaten.

'U bent een goed mens, meneer.'

'En natuurlijk heb ik hier geen woord over gezegd.'

'Het zal zo ver niet komen, maar ik waardeer het aanbod zeer. Trouwens, de droevige waarheid is dat we onze man maandag waarschijnlijk tóch zullen moeten laten gaan. Tenzij we het komende weekend of bij het doorzoeken van zijn spullen op iets bruikbaars stuiten.'

Bosch bedacht dat hij Teri Sopp een kopie van Changs vingerafdrukken had beloofd, zodat ze die bij de hand zou hebben wanneer de elektrostatische visualisering van de huls die ze uit John Li's keel hadden gehaald iets opleverde. Hij vroeg Gandle of hij Ferras of Chu op het hart wilde drukken dat ze die kopie zou krijgen. De hoofdinspecteur beloofde het. Hij gaf Bosch de print van het raam terug en besloot met wat hij altijd tegen Bosch zei, dat hij hem op de hoogte moest houden. Daarna ging hij terug naar zijn kantoor.

Bosch legde de print op zijn bureau en zette zijn leesbril op. Vervolgens haalde hij een vergrootglas uit zijn bureaula en begon de print centimeter voor centimeter te bekijken, in de hoop iets te vinden wat hij nog niet had gezien en waar hij iets aan kon hebben. Hij was daar ongeveer tien minuten mee bezig, zonder iets nieuws te vinden, toen zijn mobiele telefoon overging. Het was Ferras, die nog niets wist van de ontvoering van Bosch' dochter.

'Harry, het is voor elkaar. We hebben toestemming om de telefoon, de koffer en de auto te doorzoeken.'

'Ignacio, je bent een schrijver van wereldklasse. Nog steeds een honderdprocentscore.'

Het was waar. In de drie jaar dat ze partners waren had Ferras nog nooit een aanvraag voor een gerechtelijk bevel ingediend die níét door de rechter was gehonoreerd. Hij mocht dan wat straatangst hebben, in het gerechtshof stond hij zijn mannetje. Hij scheen precies te weten wat hij in een aanvraag moest zetten en wat hij beter kon weglaten.

'Dank je, Harry.'

'Ben je daar nu klaar?'

'Ja, ik kom terug naar het bureau.'

'Waarom ga je niet naar de politiegarage en regel jij daar de zaken? Ik heb de telefoon en de koffer hier. Ik duik er meteen in. Chu is met Chang naar het cellenblok.'

Ferras aarzelde. Als hij naar de politiegarage ging om het doorzoeken van Changs auto te begeleiden, overschreed hij de psychologische grens van de vertrouwdheid die de teamkamer hem bood.

'Eh, Harry, is het niet beter als ík de telefoon voor mijn rekening neem? Ik bedoel, jij hebt je eerste mobiele telefoon met meer functies amper een maand.'

'Ik denk dat ik er wel uit kom.'

'Weet je het zeker?'

'Ja, ik weet het zeker. En ik heb hem al voor me liggen. Ga jij naar de garage en let op dat ze de deurpanelen en de luchtfilter niet vergeten. Ik heb vroeger zelf een Mustang gehad. Je kunt met gemak een .45 in de luchtfilter verstoppen.'

Met 'ze' bedoelde hij de monteurs van de politiegarage. Zij waren degenen die onder supervisie van Ferras de auto van Chang uit elkaar zouden halen.

'Oké, komt voor elkaar,' zei Ferras.

'Mooi,' zei Bosch. 'En bel me als je de jackpot vindt.'

Bosch klapte zijn telefoon dicht. Hij voelde zich nog niet genoodzaakt om Ferras in te lichten over de ontvoering van zijn dochter. Ferras had zelf drie jonge kinderen, en als Bosch hem eraan herinnerde hoe kwetsbaar ze in feite waren, deed hij dat liever niet op een moment waarop er van Ferras werd verwacht dat hij zijn beste werk zou leveren.

Harry reed zijn stoel een stukje achteruit, draaide die een halve slag en keek naar Changs grote koffer, die tegen de achterwand van zijn werkplek stond. 'De jackpot' betekende dat ze het moordwapen in de bezittingen van de verdachte vonden. Aangezien Chang al bijna in het vliegtuig had gezeten toen ze hem oppakten, wist Bosch dat ze het zeker niet in de koffer zouden vinden. Als hij nog in het bezit was van het wapen waarmee John Li was gedood, was het waarschijnlijker dat ze het in de auto of in het huis zouden vinden. Of misschien had hij het allang gedumpt.

Toch kon de inhoud van de koffer waardevolle informatie en belastend bewijs opleveren… een druppel bloed van het slachtoffer op de manchet van een shirt, bijvoorbeeld. Misschien hadden ze geluk. Maar Bosch draaide zich weer om naar zijn bureau en besloot de mobiele telefoon eerst onder handen te nemen. Hij ging voor een ander soort hoofdprijs. De digitale jackpot.

21

Het kostte Bosch nog geen vijf minuten om vast te stellen dat Bo-Jing Changs mobiele telefoon weinig tot niets zou bijdragen aan het onderzoek. De belstaten had hij zo gevonden, maar er stonden maar twee uitgaande gesprekken op, allebei naar gratis nummers, en één binnenkomend gesprek. Alle drie hadden die ochtend plaatsgevonden. Verder was er niets vastgelegd. Het geheugen van de telefoon was gewist.

Er was Bosch verteld dat je een digitaal geheugen nooit helemaal kunt wissen. Hij wist dat een uitgebreide forensische analyse van de telefoon iets kon opleveren, door de gewiste data te herstellen, maar op de korte termijn had hij daar niets aan. Hij belde de twee 800-nummers en kwam te weten dat ze van Hertz-autoverhuur en Cathay Pacific Airways waren. Chang had ze vermoedelijk gebeld voor deel twee van zijn plan: met de auto van Seattle naar Vancouver rijden en daar het vliegtuig naar Hongkong nemen. Hij belde ook het nummer van het inkomende gesprek en kreeg Tsing Motors, Changs werkgever, aan de lijn. Hoewel niet duidelijk werd waar dat gesprek over was gegaan, droeg het nummer geen bewijs of nieuwe informatie bij aan de zaak.

Bosch had gehoopt dat de telefoon niet alleen iets bevatte wat ze in hun zaak tegen Chang konden gebruiken, maar mogelijk ook een aanwijzing over waar Chang in Hongkong naartoe zou gaan, en daarmee dus de verblijfplaats van Madeline. De teleurstelling was groot, en hij wist dat hij scherp moest blijven en er niet aan toe mocht geven. Hij deed de telefoon terug in het bewijszakje en maakte ruimte op zijn bureaublad voor de koffer.

Hij tilde de koffer erop en schatte dat die minstens dertig kilo woog. Met een schaar knipte hij de bewijstape door die Chu over de ritssluiting had geplakt. De rits was afgesloten met een klein, goedkoop hangslotje. Bosch pakte zijn slothaakjes en opende het in nog geen dertig seconden. Hij trok de rits open en tilde het deksel op.

Changs koffer bestond uit twee gelijke helften. Bosch begon met de linkerhelft en klikte de kruislingse banden los die de inhoud op de plaats moesten houden. Een voor een haalde hij de kledingstukken eruit en bekeek ze aandachtig. Hij legde ze in stapeltjes op de plank boven zijn bureau, die nog helemaal vrij was, want sinds de verhuizing naar het nieuwe gebouw had hij nog niet de kans gehad er iets op te leggen.

Zo te zien had Chang al zijn bezittingen in de koffer gepropt. De kleding was niet opgevouwen, maar tot strakke bundeltjes geknoopt. En in elk bundeltje zat een sieraad of een andere persoonlijke bezitting. Bosch vond een horloge in het ene, en een ouderwetse babyrammelaar in het andere. In het laatste bundeltje zat een bamboe fotolijstje met een vergeelde foto van een vrouw. Changs moeder, nam Bosch aan.

Chang was niet van plan terug te komen, concludeerde Bosch nadat hij pas de halve koffer had doorzocht.

De rechterhelft werd beschermd door een klep, die Bosch losmaakte en naar links vouwde. Ook hier bundeltjes kleding en schoenen, en een toilettas met een rits. Bosch begon weer met de kleding maar vond geen opmerkelijke zaken in de bundeltjes. In het eerste zat een jaden beeldje van Boeddha, met een kommetje waarin je wierook of iets anders kon branden. Het tweede bundeltje was gewikkeld om een mes in een leren schede.

Het was een siermes, met een lemmet dat maar twaalf centimeter lang was en een greep van bewerkt bot. Het tafereel op de greep zag eruit als een oorlog waarin ongewapende mannen, die leken te bidden in plaats van zich te verzetten, werden afgeslacht door soldaten met messen, speren en bijlen. Bosch nam aan dat het hier ging om het bloedbad dat onder de Shaolin-monniken was aangericht, waarvan Chu hem had verteld dat het de oorsprong van de triades was geweest. De vorm van het mes leek heel veel op die van de tatoeage aan de binnenkant van Changs onderarm.

Het mes was een interessante vondst, die mogelijk bewees dat Chang lid was van de Moedig Mes-triade, maar het bewees niet dat er een misdaad was gepleegd. Bosch legde het op de plank naast de andere bezittingen en ging door met zoeken.

Kort daarna was de koffer leeg. Hij streek met zijn hand over de voering om te checken of er niets onder was verstopt, maar voelde niets. Daarna tilde hij de koffer op, in de hoop dat die te zwaar zou aanvoelen voor een lege koffer. Maar dat was niet zo, en Bosch was er zeker van dat hij niets over het hoofd had gezien.

Het laatste waar hij naar keek waren de twee paar schoenen die Chang had ingepakt. Hij had ze al vluchtig bekeken en vervolgens opzijgezet. Bosch wist dat je een schoen alleen grondig kon onderzoeken als je die uit elkaar haalde. Gewoonlijk was dat niet iets wat hij graag deed, omdat ze daardoor onbruikbaar werden, en Bosch nam mensen niet graag hun schoenen af, of ze nu verdacht waren of niet. Deze keer kon het hem niet schelen.

Hij begon met de werkschoenen die hij Chang de vorige dag had zien dragen. Ze waren oud en versleten, maar hij kon zien dat Chang ze goed had verzorgd. Er zaten nieuwe veters in en het leer zag eruit alsof het regelmatig werd gepoetst. Bosch trok de veters eruit zodat hij de tong naar voren kon vouwen en er beter in kon kijken. Met de punten van de schaar wipte hij de binnenzolen omhoog om te zien of de hak niet als een geheime bergplaats was gebruikt. Bij de eerste schoen leverde dat niets op, maar toen hij hetzelfde bij de tweede deed, vond hij een visitekaartje dat tussen de twee dunne binnenzooltjes was verstopt.

Bosch' adrenaline begon onmiddellijk te stromen toen hij de werkschoen opzijzette om het kaartje te bekijken. Eindelijk had hij iets gevonden.

Het kaartje was aan beide kanten bedrukt. Een Chinese tekst aan de ene kant en een Engelse aan de andere. Bosch las natuurlijk eerst de Engelse tekst.

JIMMY FONG
MANAGER
CAUSEWAY TAXISERVICE

Eronder stonden een adres in Causeway Bay en twee telefoonnummers. Voor het eerst sinds Bosch met het doorzoeken van de koffer was begonnen ging hij zitten en bleef hij naar het kaartje kijken. Hij vroeg zich af wat hij in zijn hand had... of het wel iets te betekenen had. Causeway Bay was niet ver van Happy Valley en de mall waar zijn dochter hoogstwaarschijnlijk was gekidnapt. En het feit dat een visite-kaartje van een taxibaas in Changs schoen was verstopt, was een reden om je af te vragen waarom.

Hij draaide het kaartje om en bekeek de Chinese kant. Ook hier drie regels tekst, net als op de Engelse kant, met het adres en de tele-foonnummers eronder. Zo te zien stond op beide kanten hetzelfde ge-drukt.

Bosch kopieerde het kaartje en deed het origineel in een bewijs-zakje, zodat Chu ernaar kon kijken. Daarna richtte hij zijn aandacht op het tweede paar schoenen. Na nog eens twintig minuten was hij klaar en had hij niets nieuws gevonden. Het visitekaartje bleef hem in-trigeren, maar toch was hij teleurgesteld over het resultaat van zijn zoekwerk. Hij deed alle bezittingen terug in de koffer, ongeveer zoals hij ze had aangetroffen, klapte de linkerhelft om en trok de ritssluiting dicht.

Nadat hij de koffer weer tegen de achterwand had gezet belde hij zijn partner. Hij was benieuwd of het doorzoeken van de auto meer had opgeleverd dan zijn speurwerk met de telefoon en de koffer.

'We zijn nog maar net halverwege,' zei Ferras. 'Ze zijn begonnen met de kofferbak.'

'En?'

'Tot nu toe niks.'

Bosch voelde zijn hoop vervliegen. Chang zou niets prijsgeven. En dat betekende dat hij aanstaande maandag vrijuit ging.

'Heb je iets uit de telefoon kunnen halen?' vroeg Ferras.

'Nee, niks. Het geheugen is gewist. En de koffer heeft ook nauwe-lijks iets opgeleverd.'

'Shit.'

'Zeg dat wel.'

'Maar zoals ik al zei, we hebben het interieur van de auto nog niet gedaan. Alleen de kofferbak. En we moeten de deurpanelen en de luchtfilter ook nog doen.'

'Oké. Hou me op de hoogte.'

Bosch beëindigde het gesprek en belde Chu.

'Ben je nog steeds in de gevangenis?'

'Nee, man, dat is een half uur geleden al gebeurd. Ik ben nu op het gerechtshof en wacht op rechter Champagne om haar het HGT-formu-lier te laten tekenen.'

Wanneer je een verdachte van moord in hechtenis neemt, moet een rechter zijn handtekening zetten op een HGT-formulier – hechtenis op grond van gerede twijfel – dat vergezeld gaat van het arrestatierapport en het bewijs dat tot de arrestatie van de verdachte heeft geleid. De drempel voor een arrestatie op grond van gerede twijfel was veel lager dan die wanneer je een verdachte in staat van beschuldiging wilde stellen. Het HGT-formulier laten tekenen was ambtelijke routine, maar desondanks had Chu er goed aan gedaan om terug te gaan naar de rechter die hun aanvragen van de gerechtelijke bevelen had gehonoreerd.

'Goed zo. Ik wilde het alleen even checken.'

'Wordt aan gewerkt. Maar wat ben jij daar aan het doen, Harry? Is er nog nieuws over je dochter?'

'Ze is nog steeds spoorloos.'

'Wat erg voor je. Kan ik iets doen?'

'Je kunt me vertellen hoe de inschrijving is verlopen.'

Het duurde even voordat Chu de switch had gemaakt van Bosch' dochter naar het afleveren van Chang bij Los Angeles City Jail.

'Er valt niet veel over te vertellen. Hij heeft geen woord gezegd. Hij heeft een paar keer gegromd, dat was alles. Ze hebben hem in eenzame opsluiting gezet en hopelijk blijft hij daar tot maandag.'

'Die gaat de komende dagen nergens naartoe. Heeft hij een advocaat gebeld?'

'Hij kreeg zijn recht op een telefoongesprek zodra hij in hechtenis was genomen. Dus zeker weet ik het niet, maar ik neem aan van wel.'

'Oké.'

Bosch was maar aan het vissen, zocht naar iets wat hem een aanwijzing zou kunnen geven en wat zijn adrenalinestroom op gang zou houden.

'De gerechtelijke bevelen zijn gehonoreerd,' zei hij. 'Maar de telefoon heeft niks opgeleverd en in de koffer zat ook niks waar we wat aan hebben. Het enige wat ik heb gevonden is een visitekaartje, verstopt onder de binnenzool van een van zijn schoenen. Met een Engelse tekst op de ene kant en een Chinese op de andere. Ik wil weten of er aan beide kanten hetzelfde op staat. Ik weet dat jij geen Chinees kunt lezen, maar als ik het naar de AGU fax, kan iemand er dan naar kijken?'

'Ja, maar dan zou ik het wel meteen doen, Harry. Over een half uur is er waarschijnlijk niemand meer.'

Bosch keek op zijn horloge. Het was half vijf, vrijdagmiddag. Alle teamkamers in Los Angeles waren aan het leeglopen.

'Ik ga het meteen doen. Bel ze en zeg dat het eraan komt.'

Hij klapte zijn telefoon dicht en liep naar het faxapparaat aan de andere kant van de teamkamer.

Half vijf. Over zes uur moest Bosch op het vliegveld zijn. Hij wist dat zijn onderzoek op een laag pitje zou komen te staan zodra hij in het vliegtuig stapte. Gedurende de veertien uur dat hij in de lucht was zouden er dingen met zijn dochter en met de zaak blijven gebeuren, maar zelf had hij er dan geen invloed op. Als een ruimtereiziger in een film, die in complete afzondering zijn lange reis naar huis maakt.

Hij wist dat hij niet met lege handen in het vliegtuig kon stappen. Hij moest op de een of andere manier een doorbraak forceren voor het zover was.

Nadat hij het visitekaartje naar de Asian Gang Unit had gefaxt, ging hij terug naar zijn werkplek. Hij had zijn telefoon op zijn bureau laten liggen en zag dat hij een telefoontje van zijn ex-vrouw had gemist. Ze had niets ingesproken, dus belde hij haar terug.

'Ben je iets te weten gekomen?' vroeg hij.

'Ik heb lange gesprekken met twee van Maddies vriendinnen gehad. Ze waren nu wel bereid te praten.'

'Met Hei?'

'Nee, niet met Hei. Ik heb geen achternaam of telefoonnummer van haar. De meisjes die ik heb gesproken wisten die ook niet.'

'Wat hebben ze je verteld?'

'Dat Hei en haar broer niet op hun school zitten. Ze zien elkaar in de mall, maar ze schijnen niet in Happy Valley te wonen.'

'Wisten ze waar ze wel vandaan komen?'

'Nee, maar in ieder geval niet uit de buurt. Ze zeiden dat Maddie echt dikke maatjes was met Hei, en dat later haar broer op het toneel is verschenen. Het zou allemaal in de afgelopen maand gebeurd moeten zijn. Nadat ze was teruggekeerd van haar bezoek aan jou, schijnt het. Beide meisjes zeiden dat er sindsdien enige afstand tussen hen en haar was ontstaan.'

'Hoe heet die broer?'

'Quick. Dat is de enige naam die ik te horen heb gekregen. Hij had gezegd dat hij Quick heette, maar net als bij zijn zus hebben ze nooit een achternaam gehoord.'

'Daar schieten we dan niet veel mee op. Verder nog iets?'

'Nou, ze bevestigden wat Maddie aan jou had verteld, dat Quick degene was die rookte. Ze zeiden dat hij nogal een ruige bink was. Met tatoeages en gouden armbanden, en ik vermoed… tja, ik denk dat ze zich wel aangetrokken voelden tot zijn gevaarlijke uitstraling.'

'Zij of Madeline?'

'Maddie vooral.'

'Denken ze dat ze vrijdag na school misschien met hém is meegegaan?'

'Ze hebben het niet letterlijk gezegd, maar ik denk inderdaad dat ze me dat duidelijk probeerden te maken.'

'Heb je gevraagd of die Quick ooit heeft gezegd dat hij lid van een triade was?'

'Ik heb het wel gevraagd, maar ze zeiden dat ze het daar nooit over hadden gehad. Dat zou trouwens weinig zin hebben.'

'Waarom niet?'

'Omdat er hier nooit over dat soort dingen wordt gepraat. De triades zijn volstrekt anoniem. Je ziet ze overal, maar niemand zegt er iets over.'

'Ik begrijp het.'

'Weet je, je hebt me nog steeds niet verteld wat er volgens jou écht aan de hand is. Ik ben niet gek. Ik weet waar je mee bezig bent. Je hebt me ontzien om me niet te zeer van streek te maken, maar ik denk dat het nu van belang is dat ik de feiten ook ken, Harry.'

'Goed dan.'

Bosch wist dat ze gelijk had. Als hij haar optimale inzet wilde, moest ze alles weten wat hij wist.

'Ik doe onderzoek naar de moord op een Chinese man, de eigenaar van een drankwinkel in South Los Angeles. Hij betaalde regelmatig beschermingsgeld aan de triade. Hij werd vermoord op dezelfde dag en rond dezelfde tijd dat hij zijn wekelijkse betaling had moeten doen. Dat bracht ons bij Bo-Jing Chang, de geldman van de triade. Het probleem is dat dit het enige is wat we hebben. Er is geen bewijs dat hem direct in verband brengt met de moord. Toen, vandaag, hebben we Chang moeten arresteren omdat hij op weg was naar het vliegveld en probeerde het land uit te vluchten. We konden niet anders. Dus waar het op neerkomt, is dat we alleen dit weekend hebben om genoeg bewijs te vinden om hem in staat van beschuldiging te stellen, anders moeten we hem laten lopen, stapt hij op het eerste het beste vliegtuig en zien we hem nooit meer terug.'

'En wat heeft dit met onze Maddie te maken?'

'Eleanor, ik moet samenwerken met mensen die ik niet ken. Met de Asian Gang Unit, die met de LAPD samenwerkt, en met de politie van Monterey Park. Iemand heeft Chang of de triade getipt dat wij hem op de hielen zaten en daarom probeerde hij het land uit te komen. Op dezelfde simpele manier is het mogelijk dat ze mij hebben doorgelicht, Madeline zijn tegengekomen als een manier om mij onder druk te zetten en me de boodschap hebben gestuurd dat ik me gedeisd moet houden. Ik ben telefonisch bedreigd. Iemand zei tegen me dat het consequenties zou hebben als ik Chang niet met rust liet. Ik heb er natuurlijk geen rekening mee gehouden dat die consequenties...'

'Maddie zouden betreffen,' zei Eleanor, die de zin voor hem afmaakte.

Er viel een lange stilte en Bosch vermoedde dat zijn ex-vrouw haar best deed haar emoties in bedwang te houden, dat ze Bosch van alles de schuld gaf maar dat ze tegelijkertijd op hem moest vertrouwen om hun dochter terug te vinden.

'Eleanor?' vroeg hij ten slotte.

'Wat is er?'

Haar stem klonk beheerst, maar de ingehouden woede was onmiskenbaar aanwezig.

'Hebben Maddies vriendinnen gezegd hoe oud die Quick ongeveer was?'

'Ja. Ze zeiden allebei dat hij minstens zeventien was. En dat hij een auto had. Ik heb ze apart gesproken, maar hierover zeiden ze allebei hetzelfde. Ik ga ervan uit dat ze me alles hebben verteld wat ze wisten.'

Bosch reageerde niet. Hij dacht na.

'Over een paar uur gaat de mall open,' vervolgde Eleanor. 'Ik ben van plan ernaartoe te gaan met foto's van Maddie.'

'Goed idee. Misschien zijn er bewakingscamera's. Als Quick in het verleden problemen heeft veroorzaakt, hebben ze misschien beelden van hem.'

'Dat had ik zelf ook al bedacht.'

'Natuurlijk. Sorry.'

'Wat vindt jullie verdachte van al deze zaken?'

'Onze verdachte weigert te praten. Ik heb zonet zijn koffer en zijn telefoon onderzocht, en met zijn auto zijn we nog bezig. Tot nu toe is er niks gevonden.'

'En in het huis waar hij woont?'

'We hebben op dit moment niet genoeg voor een huiszoekingsbevel.'

De laatste opmerking bleef even in de lucht hangen, want ze wisten allebei heel goed dat Bosch, nu hun dochter werd vermist, zich heus niet zou laten weerhouden door een ambtelijke formaliteit als een huiszoekingsbevel.

'Ik kan beter weer aan de slag gaan. Ik heb nog zes uur voordat ik op het vliegveld moet zijn.'

'Oké.'

'Ik spreek je zodra ik…'

'Harry?'

'Ja.'

'Ik ben zo erg van streek dat ik misschien niet weet wat ik zeg.'

'Dat begrijp ik, Eleanor.'

'Als we haar terugvinden, besluit ik misschien dat je haar nooit meer mag zien. Ik wil dat je dat weet.'

Bosch zei niets. Hij wist dat haar woede en al het andere gerechtvaardigd waren. Woede zou haar scherper maken bij hun pogingen haar terug te vinden.

'Er bestaat geen "als",' zei hij ten slotte. 'Ik zál haar vinden.'

Hij wachtte op haar reactie, maar die kwam niet.

'Goed dan, Eleanor. Ik bel je zodra ik meer weet.'

Nadat Bosch het gesprek had beëindigd, zette hij zijn computer aan, zocht Changs inschrijvingsfoto van City Jail op en stuurde die naar de kleurenprinter. Hij wilde de foto bij zich hebben als hij in Hongkong was.

Chu belde terug om te zeggen dat het HGT-formulier was ondertekend en dat hij klaar was op het gerechtshof. Hij zei ook dat hij een collega van de AGU had gesproken, bij wie Bosch' fax terecht was gekomen, en dat was bevestigd dat op beide kanten van het visitekaartje hetzelfde stond. Het kaartje was van de manager van een taxibedrijf in Causeway Bay. Op zichzelf had dit geen enkele nieuwswaarde, hoewel het Bosch bleef dwarszitten dat Chang het onder de binnenzool van zijn schoen had verstopt, en dat het bedrijf was gevestigd op een adres niet ver van de plek waar zijn dochter voor het laatst door haar vriendinnen was gezien. Bosch had nooit in toeval geloofd, en hij was niet van plan daar nu mee te beginnen.

Bosch bedankte Chu en beëindigde het gesprek toen hoofdinspecteur Gandle, op weg naar buiten, naast zijn werkplek bleef staan.

'Harry, ik heb het gevoel dat ik je aan je lot overlaat. Is er iets wat ik voor je kan doen?'

'Nee. Alles wat gedaan kan worden, wordt al gedaan.'

Hij praatte Gandle bij over hun zoekacties en het algehele gebrek aan resultaat. Hij vertelde hem ook dat er over zijn dochter of haar ontvoerders niets nieuws te melden viel. Er kwam een verslagen uitdrukking op Gandles gezicht.

'We móéten iets vinden. We hebben behoefte aan een doorbraak.'

'We zijn ermee bezig.'

'Hoe laat vertrek je?'

'Over zes uur.'

'Oké, je hebt mijn telefoonnummers. Bel me, al is het midden in de nacht, als ik iets voor je kan doen.'

'Bedankt, baas.'

'Zal ik hier blijven totdat je weggaat?'

'Nee, ik red me wel. Ik wilde trouwens naar de politiegarage gaan, dan kan Ferras naar huis, als hij dat wil.'

'Oké, Harry, laat het me horen zodra je iets ontdekt.'

'Zal ik doen.'

'Je vindt haar vast terug. Ik weet het zeker.'

'Ja, ik ook.'

Toen, in een wat opgelaten gebaar, reikte Gandle hem de hand en Bosch schudde die. Het was waarschijnlijk de eerste keer sinds ze drie jaar daarvoor met elkaar kennis hadden gemaakt dat ze elkaar een hand gaven. Daarna vertrok Gandle en liet Bosch zijn blik door de teamkamer gaan. Zo te zien was hij de enige die er nog was.

Hij draaide zich om en keek naar de koffer. Hij wist dat hij die naar de lift moest slepen en naar de bewijslastkamer moest brengen. Ook de telefoon moest als bewijsstuk worden ingeschreven. Daarna zou hij ook vertrekken. Maar niet voor een rustig weekendje thuis met zijn gezin. Bosch had een missie. En niemand zou hem daarvan weerhouden. Zelfs Eleanor niet met haar laatste dreigement. Zelfs niet als het terugvinden van zijn dochter zou betekenen dat hij haar misschien nooit meer mocht zien.

22

Bosch wachtte tot het donker was voordat hij inbrak in het huis van Bo-Jing Chang. Het was een twee-onder-een-kapwoning met een gedeelde vestibule. Die bood hem dekking toen hij met zijn haakjes eerst het nachtslot en daarna het slot in de draaiknop opende. Terwijl hij daarmee bezig was, voelde hij geen wroeging en geen aarzeling over het feit dat hij een grens overschreed. Het doorzoeken van de auto, de koffer en de telefoon had allemaal niets opgeleverd en daardoor was Bosch nu ten einde raad. Hij ging hier niet op zoek naar bewijs om hun zaak tegen Chang hard te maken. Hij was hier om te zoeken naar een aanwijzing, hoe klein ook, die hem kon helpen zijn dochter terug te vinden. Ze werd al meer dan twaalf uur vermist en deze inbraak, waarmee hij zijn carrière en zijn inkomen op het spel zette, leek een minimaal risico vergeleken met wat hij de rest van zijn leven met zich zou meedragen als hij haar niet veilig thuisbracht.

Toen het laatste pennetje op zijn plek sprong, draaide hij de knop om, ging naar binnen, deed de deur achter zich dicht en draaide die op slot. De inhoud van de koffer had Bosch verteld dat Chang die voorgoed had gepakt, dat hij niet van plan was ooit nog terug te komen. Maar Bosch betwijfelde of Changs hele hebben en houden in die ene koffer had gepast. Hij moest dingen hebben achtergelaten. Dingen die minder betekenis voor hem hadden, maar die voor Bosch misschien van waarde konden zijn. Op een zeker moment had Chang, voordat hij op weg naar het vliegveld ging, zijn instapkaart geprint. Aangezien ze Chang hadden geschaduwd, wist Bosch dat hij op weg naar het vliegveld geen tussenstops had gemaakt. Daarom was hij er zeker van dat er een computer en een printer in huis moesten zijn.

Harry wachtte dertig seconden om zijn ogen aan het duister te laten wennen voordat hij wegliep bij de voordeur. Toen hij weer redelijk goed kon zien, liep hij door naar de woonkamer, waar hij tegen een stoel op botste en bijna een lamp omversloeg voordat hij de lichtschakelaar had gevonden. Hij deed het licht aan, zag dat de gordijnen aan de voorkant open waren en trok ze snel dicht.

Hij draaide zich om en liet zijn blik door de kamer gaan. Het was een kleine woon-eetkamer, met een doorgeefluik naar de keuken erachter. Aan de rechterkant was een trap naar de zolder met de slaapkamer. Een eerste blik leverde geen enkele persoonlijke bezitting op. Geen computer, geen printer. Alleen wat meubilair. Hij maakte een rondje door de kamer en liep door naar de keuken. Ook hier geen achtergelaten bezittingen. De kastjes waren leeg; er stond zelfs geen pak cornflakes in. Onder de gootsteen stond een vuilnisbak, maar ook die was leeg en er zat een nieuwe vuilniszak in.

Bosch ging terug naar de woonkamer en liep door naar de trap. Onder aan de trap was een lichtschakelaar met een dimmer, waarmee je de lichtsterkte van de plafondlamp op de overloop kon regelen. Hij zette de dimmer in de laagste stand en liep de woonkamer weer in om daar het licht uit te doen.

De slaapzolder was spaarzaam gemeubileerd met alleen een klein model tweepersoonsbed en een schrijftafeltje met een paar laden. Geen bureau en geen computer. Bosch liep naar het schrijftafeltje, trok de laden een voor een open en schoof ze weer dicht toen hij zag dat ze allemaal uitgeruimd waren. In de badkamer waren de prullenmand onder de wastafel en het medicijnkastje eveneens leeg. Hij lichtte het deksel van de stortbak van de wc, maar ook daar was niets verstopt.

Het hele huis was leeggehaald. Dat moest gebeurd zijn nadat Chang was vertrokken en hij zijn twee surveillanten met zich mee had gelokt. Bosch dacht aan het telefoontje van Tsing Motors, dat hij in het geheugen van Changs telefoon had gevonden. Misschien had hij Vincent Tsing het groene licht gegeven om het huis leeg te ruimen en schoon te maken.

Teleurgesteld en met het gevoel dat hij op een behendige manier in de luren was gelegd besloot Bosch de afvalcontainers van het appartementencomplex te zoeken en te kijken of er vuilniszakken uit het appartement in waren gegooid. Misschien waren ze heel even onzorgvuldig geweest en hadden ze Changs vuilnis vergeten. Een weggegooid briefje of een opgeschreven telefoonnummer kon al van nut zijn.

Hij was de trap drie treden afgedaald toen hij een sleutel in het slot van de voordeur hoorde. Snel draaide hij zich om, liep de zolder weer op en ging achter de kolom van de dakbalken staan.

Beneden werd het licht aangedaan en de stilte maakte plaats voor Chinese stemmen. Bosch, achter zijn kolom, telde er drie: twee van een man en een van een vrouw. Een van de mannen was het meest aan het woord en wanneer Bosch de twee anderen hoorde, leek het alsof ze vragen stelden.

Bosch kwam achter de kolom vandaan en waagde een blik naar beneden. Hij zag de leider van het trio naar de meubels wijzen. Daarna opende hij de kast onder de trap en maakte een vegend handgebaar. Bosch concludeerde dat hij het appartement aan een echtpaar liet zien. Het kon weer worden verhuurd.

Dit bracht hem op de gedachte dat de drie vroeg of laat naar boven zouden komen. Hij keek naar het bed, een kale matras op een dikke boxspring met amper dertig centimeter ruimte eronder. Hij wist dat het de enige plek was waar hij zich kon verstoppen. Hij ging snel op de vloer liggen en werkte zich onder het bed, waarbij zijn borstkas langs de onderkant van de boxspring schuurde. Hij ging in het midden liggen en wachtte terwijl hij de stemmen door het appartement probeerde te volgen.

Na een tijdje kwam het gezelschap de trap naar de zolder op. Bosch hield zijn adem in toen het echtpaar de slaapkamer binnenkwam en aan weerszijden van het bed ging staan. Even was hij bang dat er iemand op het bed zou gaan zitten, maar dat gebeurde gelukkig niet.

Opeens voelde Bosch een trilling in zijn broekzak en hij kwam tot de ontdekking dat hij het signaal van zijn telefoon niet uit had gezet. Gelukkig ging de man die het echtpaar het appartement liet zien volledig op in – naar Bosch aannam – zijn verkooppraatje over wat een fantastisch appartement dit was en overstemde hij daarmee het zachte geluid. Bosch bracht snel zijn hand naar zijn zak en haalde het toestel eruit om te zien of de oproep afkomstig was van de telefoon van zijn dochter. Dan zou hij hoe dan ook moeten antwoorden, ongeacht de omstandigheden.

Hij hield het toestel tegen de onderkant van de boxspring om te kunnen zien wie er belde. Het was Barbara Starkey, de video-expert, en Bosch drukte op het knopje om de oproep te weigeren. Hij zou haar later terugbellen.

Door het toestel open te klappen was het beeldschermpje opgelicht. Het zwakke schijnsel viel op de onderkant van de boxspring en op dat moment zag Bosch het pistool dat achter een van de hoeksteunen van het houten frame was verstopt.

Bosch' hart ging sneller kloppen en hij bleef naar het pistool staren. Maar hij besloot het met rust te laten totdat de drie het pand hadden verlaten. Hij klapte voorzichtig de telefoon dicht en wachtte af. Even later hoorde hij de bezoekers de trap af lopen. Zo te horen keken ze nog even beneden rond en daarna gingen ze weg.

Bosch hoorde dat de voordeur vanaf de buitenkant op het nachtslot werd gedraaid. Toen pas kroop hij onder het bed vandaan.

Nadat hij nog enige tijd had gewacht om er zeker van te zijn dat de drie echt waren weggereden, deed hij het plafondlicht weer aan. Hij ging terug naar het bed, duwde het matras eraf en zette het rechtop tegen de achterwand. Daarna tilde hij de boxspring van het frame en zette die tegen het matras aan. Hij keek opnieuw naar het pistool, op zijn bergplaats achter de hoeksteun van het frame.

Hij kon het nog steeds niet goed zien, dus haalde hij zijn telefoon weer tevoorschijn, klapte hem open en hield het verlichte schermpje zo dicht mogelijk bij het wapen om zichzelf bij te lichten.

'Verdomme,' zei hij hardop.

Hij was op zoek naar een Glock, het pistool met een rechthoekige slagpin. Het wapen verstopt onder Changs bed was een Smith & Wesson.

Hier had hij niets aan. Bosch besefte dat hij opnieuw terug was bij af. Alsof dit benadrukt moest worden, liet zijn horloge een zachte pieptoon horen. Hij bracht zijn hand naar zijn pols en drukte op een knopje. Hij had de wekker ingesteld om niet het risico te lopen dat hij zijn vlucht zou missen. Het was nu tijd om naar het vliegveld te gaan.

Nadat Bosch het bed weer in elkaar had gezet, deed hij het licht op de bovenverdieping uit en verliet hij stilletjes het huis. Hij was van plan eerst naar huis te rijden om zijn paspoort op te halen en zijn dienstwapen op te bergen. Hij mocht geen vuurwapen meenemen naar het buitenland zonder toestemming van de plaatselijke autoriteiten... een proces dat dagen, zo niet weken kon duren. Hij was niet van plan een koffer met kleren mee te nemen, want hij zou in Hongkong waarschijnlijk de tijd niet krijgen om zich om te kleden. Hij ging ernaartoe met een missie die begon zodra hij uit het vliegtuig stapte.

Hij nam Freeway 10 in westelijke richting vanaf Monterey Park en was van plan via de 101 door Hollywood naar huis te rijden. Onderweg dacht hij na over een plan dat de politie bij het wapen in Changs voormalige woning moest brengen, wat moeilijk was, want vanaf nu hadden ze niet de gerede twijfel waarmee ze een huiszoekingsbevel konden krijgen. Toch moest het wapen gevonden en onderzocht worden. In het onderzoek naar de moord op John Li hadden ze er niets aan, maar dat betekende nog niet dat Chang er goede daden mee had verricht. Het was gebruikt voor triadezaken en misschien bood dat andere opties.

Toen Bosch op de 101 reed, langs de noordelijke rand van de woonwijken, herinnerde hij zich het telefoontje van Barbara Starkey. Hij checkte of ze een bericht had ingesproken en hoorde haar zeggen dat hij haar zo gauw mogelijk moest terugbellen. Het klonk alsof ze misschien een doorbraak had bereikt. Bosch belde haar meteen terug.

'Barbara, met Harry spreek je.'

'Harry, ja, ik hoopte dat je zou bellen voordat ik naar huis ging.'

'Je had drie uur geleden al naar huis moeten gaan.'

'Ja, maar ik had je beloofd dat ik hiernaar zou kijken.'

'Bedankt, Barbara. Het betekent veel voor me. Wat heb je ontdekt?'

'Een paar dingen. Ten eerste heb ik hier een print die wat scherper is dan die jij hebt.'

Bosch was teleurgesteld. Het klonk als weinig meer dan wat hij al had. Ze wilde hem alleen laten weten dat ze een scherpere foto had van de reflectie in het raam van de kamer waarin zijn dochter werd vastgehouden. Soms, was hem opgevallen, wanneer iemand je een plezier deed, wilden ze ook dat je ten volle besefte dat ze dat hadden gedaan. Maar hij besloot dat hij het zou doen met wat hij al had. Over de snelweg terugracen om een foto op te halen zou veel te veel tijd kosten. Hij moest zijn vliegtuig halen.

'Verder nog iets?' vroeg hij. 'Ik moet naar het vliegveld.'

'Ja, ik heb nog een paar identificatiepunten gevonden waar je misschien iets aan kunt hebben,' zei Starkey. 'Eén visueel element en twee geluidsfragmentjes.'

Bosch was meteen een en al aandacht.

'Wat zijn het?'

'Nou, het eerste zou een trein of een ondergrondse kunnen zijn. Het tweede is een flard van een gesprek dat niet in het Chinees is. En het laatste is volgens mij een stille helikopter.'

'Hoe bedoel je, "stil"?'

'Ik bedoel letterlijk "stil". Ik heb een korte reflectie in het raam van een overvliegende helikopter, maar op het audiospoor kan ik nergens het geluid vinden dat erbij hoort.'

Bosch reageerde niet meteen. Hij wist waar ze het over had. De Whisper Jet-helikopters waarmee de mensen met geld en macht zich door Hongkong en omgeving bewogen. Hij had ze gezien. Je verplaatsen per helikopter was niet ongebruikelijk, maar Bosch wist ook dat er in elk district maar een beperkt aantal gebouwen was met een helikopterplatform op het dak. Een van de redenen waarom zijn ex-vrouw had gekozen voor de flat in Happy Valley, was dat die over zo'n platform beschikte. Ze kon binnen twintig minuten in het casino in Macau zijn in plaats van de twee uur die het zou kosten om de flat te verlaten, naar de haven te gaan, de ferry naar Macau te nemen en daar vanaf de kade te voet of met een taxi naar het casino te gaan.

'Barbara, over vijf minuten ben ik bij je,' zei hij.

Hij verliet de snelweg bij Los Angeles Street en zette koers naar Parker Center. Vanwege het late uur was er meer dan genoeg ruimte in de garage achter het oude hoofdbureau. Hij parkeerde zijn auto, stak snel de straat over en ging via de achteringang het gebouw binnen. De lift naar boven leek er een eeuwigheid over te doen en toen hij het vrijwel verlaten forensisch lab binnenging, was het precies zeven minuten geleden dat hij zijn telefoon had dichtgeklapt.

'Je bent laat,' zei Starkey.

'Sorry. Bedankt voor het wachten.'

'Ik plaag je maar. Ik weet dat je haast hebt, dus laten we meteen met het belangrijkste beginnen.'

Ze wees naar een van haar beeldschermen met daarop het stilstaande beeld van het raam dat de camera in de telefoon per ongeluk had gefilmd. Het was hetzelfde beeld als dat van de print die Bosch had. Starkey legde haar handen op de draaischijven.

'Oké,' zei ze. 'Hou je blik gericht op de bovenste rand van het raam. We hebben dit nog niet gezien of gehoord.'

Ze draaide langzaam aan de ene schijf waardoor het beeld achteruit bewoog. In de vage reflectie in de ruit herkende Bosch wat hem eerder was ontgaan. Net voordat de camera terugzwenkte naar zijn dochter, schoof de reflectie van een helikopter als een geest langs de bovenrand van het raam. Het was een vrij klein, zwart toestel met een onleesbaar logo op de zijkant.

'En nu in real time.'

Ze draaide de video terug totdat de camera werd gericht op Bosch' dochter op het moment dat ze ernaar schopte. Starkey gaf een tik op de knop en de beelden kwamen in beweging. De camera zwenkte naar het raam, bracht het een fractie van een seconde in beeld en zwenkte weer terug. Bosch' ogen registreerden het raam, maar niet de reflectie van de stad, laat staan een overvliegende helikopter.

Het was een goede vondst en Bosch voelde zijn opwinding toenemen.

'Waar het om gaat, Harry, is dat die helikopter vrij laag moet vliegen wil hij in die ruit gereflecteerd worden.'

'Dus hij was net opgestegen of aan het landen.'

'Ik denk het eerste. Ik meen een licht stijgende lijn waar te nemen als hij langs de rand van het raam schuift. Het is met het blote oog niet te zien, maar ik heb het opgemeten. En gezien het feit dat hij in de reflectie van rechts naar links beweegt, beweegt hij in werkelijkheid van links naar rechts, dus door de hoek van het raam moet hij zijn opgestegen van een locatie aan de overkant van het gebouw waar de video is opgenomen.'

Bosch knikte.

'Als ik nu het geluidsspoor erbij neem…'

Ze schakelde over naar een ander beeld, een grafiek die de verschillende geluidssignalen van de video weergaf.

'… en als ik de andere geluiden zo veel mogelijk wegfilter, krijgen we dit.'

Ze klikte op een curve die bijna vlak was en het enige wat Bosch hoorde was verkeersgeruis in de verte, maar dan pulserend, alsof het in stukjes was gehakt.

'Dat is het klapwieken van de rotors,' zei ze. 'De helikopter zelf hoor je niet, maar die verstoort wel het omgevingsgeluid. Zoals een *stealth* gevechtshelikopter of zoiets dat doet.'

Bosch knikte. Hij was weer een stap dichterbij gekomen. Hij wist nu dat zijn dochter werd vastgehouden in een flat in de buurt van een van de weinige flats met een helikopterplatform in Kowloon.

'Heb je daar iets aan?' vroeg Starkey.

'Reken maar.'

'Mooi zo. Ik heb ook dit nog.'

Ze klikte een andere curve aan en Bosch hoorde een zacht ruisend geluid dat hem aan stromend water deed denken. Het geluid begon, nam toe in volume en hield toen op.

'Wat is dat? Water?'

Starkey schudde haar hoofd.

'Je hoort het nu op maximaal vermogen,' zei ze. 'Ik heb het moeten versterken. Het is lucht. Ontsnappende lucht. Ik zou zeggen dat we het hier hebben over de ingang van het station van de ondergrondse, of een ventilatierooster op straatniveau om de lucht, die wordt samengeperst wanneer een trein het station binnenrijdt, te laten ontsnappen. Een moderne ondergrondse maakt niet veel lawaai meer. Maar er wordt veel lucht verplaatst wanneer een trein door de tunnel komt aanrijden.'

'Ik begrijp het.'

'Je locatie in het gebouw is op aanzienlijke hoogte. Te oordelen naar de reflectie twaalf, misschien dertien verdiepingen hoog. Daardoor is dit geluid moeilijk te plaatsen. Het kan van de begane grond van het gebouw komen, of van een straat verderop. Moeilijk te zeggen.'

'Toch helpt het me verder.'

'En dan nog dit laatste.'

Ze speelde het eerste deel van de video af, toen de camera op Bosch' dochter werd gericht en die haar alleen in beeld bracht. Ze zette het geluid harder en filterde de andere geluiden weg. Bosch hoorde een gedempte stem iets tegen iemand zeggen.

'Wat is dit?' vroeg hij.

'Ik denk dat dit buiten de kamer plaatsvindt. Ik heb nog geen tijd gehad om het verder op te schonen. De stem wordt gedempt door muren en klinkt me niet in de oren als Chinees. Maar dat is niet het belangrijkste.'

'Wat dan wel?'

'Luister nog eens naar het eind.'

Ze speelde het gedeelte opnieuw af. Bosch staarde naar de angstige blik in de ogen van zijn dochter terwijl hij zich op het geluid concentreerde. Het was een mannenstem, maar te onduidelijk om te horen of te laten vertalen wat er werd gezegd, en die opeens, zo te horen midden in een zin, werd afgebroken.

'Iemand legt hem het zwijgen op?'

'Of het is een liftdeur die dichtgaat waardoor hij wordt afgebroken.'

Bosch knikte. De liftdeur leek een waarschijnlijker verklaring dan de zijne, want hij hoorde geen angst of stress in de stem voordat die werd afgebroken.

Starkey wees naar het beeldscherm.

'Dus als je het gebouw weet te vinden, zul je ontdekken dat de kamer vlak bij de lift is.'

Bosch keek zijn dochter nog een laatste keer in de ogen en hield dat enige tijd vol.

'Bedankt, Barbara.'

Hij ging achter haar staan en gaf een zacht kneepje in haar beide schouders.

'Graag gedaan, Harry.'

'Ik moet nu gaan.'

'Je zei dat je op weg was naar het vliegveld. Ga je naar Hongkong?'

'Ja.'

'Veel succes, Harry. Zorg dat je haar terugvindt.'

'Dat ben ik van plan.'

Bosch holde terug naar zijn auto en gaf flink gas op weg naar de snelweg. Er was weinig verkeer en hij won aardig wat tijd terug toen hij door Hollywood naar de Cahuenga-vallei en naar huis reed. Hij bereidde zich mentaal voor op Hongkong. Straks zouden Los Angeles en al het andere hier achter hem liggen. Dan telde alleen Hongkong nog. Hij zou zijn dochter terugvinden en haar veilig thuisbrengen. Of hij zou dood neervallen terwijl hij het probeerde.

Harry Bosch had zijn hele leven geloofd dat hij iemand met een missie was. En om die missie te volbrengen moest hij tegen alles bestand zijn. Hij moest zichzelf en zijn leven veranderen totdat hij onkwetsbaar was, zodat niets en niemand hem ooit nog konden deren. Wat allemaal in één klap veranderde op de dag dat hij werd voorgesteld aan de dochter van wie hij niet had geweten dat hij die had. Op dat moment had hij geweten dat hij zowel uitverkoren als verdoemd was. Hij zou voor altijd in het leven staan op een manier die alleen een vader kende. Maar hij zou ook aan de goden zijn overgeleverd omdat hij wist dat de duistere krachten waartegen hij streed, haar op een dag zouden vinden. Het maakte niet uit dat er een hele oceaan tussen hen in lag. Hij wist dat dit op een dag zou gebeuren, dat de duistere krachten haar zouden vinden en dat ze tegen hem zou worden gebruikt.

Die dag was nu aangebroken.

Deel twee

De dag van 39 uur

23

Bosch kreeg alleen wat slaap toen ze boven de Stille Oceaan vlogen. Veertien uur in de lucht, hangend tegen het raampje zakte hij af en toe weg, maar nooit langer dan vijftien tot twintig minuten, totdat de gedachten aan zijn dochter en zijn schuldgevoel vanwege de gevaarlijke situatie waarin ze was terechtgekomen hem weer ruw uit zijn slaap haalden.

De afgelopen dag had hij het te druk gehad om na te denken, had hij zijn angst en zelfverwijt redelijk op afstand kunnen houden. Het was hem gelukt die van zich af te zetten omdat zijn missie belangrijker was dan de last die op hem drukte. Maar aan boord van Cathay Pacific vlucht 883 kon hij er niet meer aan ontsnappen. Hij wist dat hij moest slapen om goed uitgerust en scherp te zijn voor wat de komende dag in Hongkong voor hem in petto had. Maar aan boord van het vliegtuig kon hij geen kant op en kregen zijn angst en schuldgevoel de kans om toe te slaan. Hij voelde zich afschuwelijk. Dus zat hij het merendeel van de tijd in het halfduister, met zijn handen tot vuisten gebald, wezenloos voor zich uit starend, terwijl het toestel door de nacht op weg was naar de stad waar Madeline werd vastgehouden. Het maakte slapen heel moeilijk, zo niet onmogelijk.

De tegenwind boven de Stille Oceaan was minder sterk dan was verwacht, waardoor de vlucht sneller verliep dan was gepland, zodat ze al om 4.55 uur op Lantau Island landden. Bosch haalde zijn handbagage uit het kastje boven zijn hoofd en wrong zich ruw langs de andere passagiers naar de voorkant van het vliegtuig. Hij had alleen een kleine rugzak bij zich, met dingen waarvan hij meende dat die hem van pas konden komen bij het zoeken naar en bevrijden van zijn dochter. Toen de deur van het vliegtuig werd geopend, werkte hij zich verder naar voren en algauw was hij de eerste van alle passagiers die zich naar de douane en de immigratiedienst begaf. De angst sloeg toe toen hij het eerste controlepunt naderde: een warmtescan waarmee grieppatiënten werden geïdentificeerd. Bosch transpireerde. Zou het schuldgevoel dat hem verteerde zich manifesteren als koorts? Zou hij worden tegengehouden voordat hij zelfs maar kon beginnen aan de belangrijkste opdracht van zijn leven?

Hij keek opzij naar de monitor terwijl hij door de scan liep. Hij zag zichzelf als een blauwe geest over het scherm schuiven. Geen verontrustende rode vlekken. Geen koorts. Of in ieder geval nog niet.

Bij de douane bladerde een beambte zijn paspoort door en zag hij alle in- en uitreisstempels van de trips die hij de afgelopen zes jaar naar Hongkong had gemaakt. Daarna checkte hij iets op zijn computerscherm wat Bosch niet kon zien.

'Bent u voor zaken in Hongkong, meneer Bosch?' vroeg de beambte.

De man slaagde erin de enkele lettergreep van Bosch' achternaam te doen klinken als 'Botsj'.

'Nee,' zei Bosch. 'Mijn dochter woont hier en ik kom haar een paar keer per jaar opzoeken.'

De beambte keek naar de rugzak die aan één band over Bosch' schouder hing.

'Hebt u verder geen bagage?'

'Nee, alleen dit. Het is een kort bezoekje.'

De beambte knikte en keek weer op zijn monitor. Bosch wist al wat er nu ging gebeuren. Elke keer wanneer hij in Hongkong aankwam werd hij geïdentificeerd als politiebeambte en doorverwezen naar de rij passagiers van wie de bagage moest worden doorzocht.

'Hebt u uw dienstwapen meegebracht?' vroeg de beambte.

'Nee,' zei Bosch op vermoeide toon. 'Ik weet dat dat niet is toegestaan.'

De beambte typte iets in op zijn computer en zoals verwacht stuurde hij Bosch door naar de balie voor het doorzoeken van zijn bagage. Weer een kwartier tijdverspilling, maar Harry beheerste zich. Door zijn vroege aankomst lag hij een half uur voor op zijn schema.

De tweede beambte doorzocht heel nauwgezet de rugzak en keek enigszins verbaasd naar de verrekijker en de rest van de inhoud, waaronder een envelop vol dollarbiljetten. Maar niets van wat hij bij zich had was verboden. Toen de beambte klaar was, vroeg hij Bosch door de metaaldetector te lopen en daarna mocht Bosch gaan. Harry liep naar de bagageterminal en zag dat het loket van het wisselkantoor ondanks het vroege uur open was. Hij liep ernaartoe, haalde de envelop met geld weer uit zijn rugzak en zei tegen de vrouw achter de ruit dat hij vijfduizend Amerikaanse dollars wilde wisselen in Hongkong-dollars. Het geld kwam uit Bosch' aardbevingenpotje, contant geld dat hij in de wapenkluis in zijn slaapkamer bewaarde. Want hij had in 1994, toen Los Angeles door een aardbeving werd getroffen en zijn huis ernstig beschadigd was geraakt, een belangrijke les geleerd. Cash geld doet wonderen. Ga nooit van huis zonder cash geld. Nu zou het geld, bedoeld voor crisissituaties, hem hopelijk helpen híér het een en ander voor elkaar te krijgen. De wisselkoers stond bijna acht tegen een, dus hij kreeg achtendertigduizend Hongkong-dollars terug voor zijn vijfduizend Amerikaanse.

Nadat hij het geld had opgeborgen, liep hij naar de uitgang aan de andere kant van de bagageterminal. De eerste verrassing van die dag werd verzorgd door Eleanor Wish, die al in de aankomsthal op hem stond te wachten. Ze stond naast een man in een pak, die door zijn houding – met de voeten iets uit elkaar – aan een lijfwacht deed denken. Eleanor stak even haar hand op voor het geval Bosch haar niet had gezien. Haar gelaatsuitdrukking was een pijnlijke mengeling van angst en hoop, en Bosch moest zijn ogen neerslaan toen hij haar naderde.

'Eleanor, ik heb nooit...'

Ze snoerde hem de mond door hem kort en onhandig te omhelzen. Verwijten en beschuldigingen zouden later wel komen, begreep Bosch. Ze hadden nu belangrijker dingen te doen. Eleanor deed een stap opzij en gebaarde naar de man in het pak.

'Dit is Sun Yee.'

Bosch knikte en reikte de man de hand, in de hoop te weten te komen hoe hij Sun Yee moest aanspreken.

'Ik ben Harry,' zei hij.

De man knikte terug en gaf hem een stevige hand, maar hij zei niets. Mislukt. Hij zou moeten wachten totdat Eleanor hem duidelijkheid verschafte. Bosch schatte Sun Yee's leeftijd achter in de veertig. Ongeveer net zo oud als Eleanor. Hij was klein van stuk maar had een krachtige lichaamsbouw. Het jasje van zijn zijden pak spande strak om zijn borstkas en armen. Hij had een zonnebril op, hoewel het nog licht moest worden.

Bosch wendde zich tot zijn ex-vrouw.

'Hij rijdt ons?'

'Hij gaat ons helpen,' corrigeerde Eleanor hem. 'Hij werkt bij de beveiliging in het casino.'

Bosch knikte. In ieder geval één mysterie ontrafeld.

'Spreekt hij Engels?'

'Ja, ik spreek Engels,' antwoordde de man voor zichzelf.

Bosch bleef hem even aankijken, wendde zich weer tot Eleanor en zag de bekende vastbeslotenheid op haar gezicht. De uitdrukking die hij vaak had gezien toen ze nog samen waren. Ze duldde geen tegenspraak. De man bleef erbij of Bosch was op zichzelf aangewezen.

Bosch wist dat als de omstandigheden het vereisten, hij aan haar en de man kon ontsnappen en alleen de stad in kon gaan. Wat hij sowieso van plan was geweest. Maar voor dit moment was hij bereid zich naar Eleanor te schikken.

'Weet je zeker dat je het zo wilt doen, Eleanor? Je weet dat ik liever alleen werk.'

'Ze is ook mijn dochter. Dus waar je ook naartoe gaat, ik ga mee.'

'Goed dan.'

Ze gingen op weg naar de uitgang. Bosch liet Sun Yee vooroplopen, zodat hij even onder vier ogen met zijn ex-vrouw kon praten. Ondanks de duidelijk zichtbare spanning op haar gezicht viel het hem weer op hoe mooi ze was. Ze had haar haar samengebonden in een simpel staartje. Daardoor werden haar vastberaden kin en haar kaaklijn geaccentueerd. Wanneer hij haar zag, hoe onregelmatig en onder welke omstandigheden ook, moest hij altijd denken aan hoe het geweest had kunnen zijn. Het was een oeroud cliché, maar Bosch had altijd geloofd dat ze voor elkaar bestemd waren geweest. Hun dochter had een levenslange band tussen hen gesmeed, maar dat alleen was voor Bosch niet genoeg.

'Vertel me wat er gebeurd is, Eleanor,' zei hij. 'Ik heb bijna veertien uur in het vliegtuig gezeten. Nog nieuwe ontwikkelingen aan deze kant?'

Ze knikte.

'Ik ben gisteren vier uur in de mall geweest. Toen je me vanaf het vliegveld belde, was ik bij de bewakingsdienst, denk ik. Ik had geen signaal, óf ik heb je oproep gewoon niet gehoord. Maar ik heb je sms ontvangen.'

'Dan is het goed. Wat ben je te weten gekomen?'

'Ze hadden een bewakingsvideo waar ze met broer en zus op stond. Met Quick en Hei. Maar alleen vanaf grote afstand. Ze zijn niet goed genoeg te zien voor een identificatie... afgezien van Maddie. Haar pik ik overal uit.'

'Staat het moment van de overmeestering erop?'

'Er heeft geen overmeestering plaatsgevonden. Ze hingen daar rond, voornamelijk bij de snackcounters. Quick stak een sigaret op en er begon iemand te klagen. Toen kwam de bewaking en die heeft hem eruit geschopt. Hei ging hem achterna en daarna Madeline ook. Uit vrije wil. En ze zijn niet meer teruggekomen.'

Bosch knikte. Hij meende te weten wat er was gebeurd. Het kon een plan zijn geweest om haar naar buiten te lokken. Quick stak een sigaret op, wist heel goed dat hij de mall uit gezet zou worden en dat Madeline hem waarschijnlijk achterna zou komen.

'Wat nog meer?'

'In de mall verder niks. Quick is bekend bij de bewaking, maar ze hadden geen foto of dossier van hem.'

'Hoe laat was het toen ze weggingen?'

'Kwart over zes.'

Bosch rekende het uit. Dat was op vrijdag. Het was bijna zesendertig uur geleden dat zijn dochter op de video de mall uit was gelopen.

'Hoe laat wordt het hier donker in deze tijd van het jaar?'

'Om een uur of acht. Hoezo?'

'De video die ze me hebben gestuurd was opgenomen bij daglicht. Dus nog geen twee uur nadat ze met broer en zus de mall uit was gelopen was ze in Kowloon en hebben ze die video gemaakt.'

'Ik wil de video zien, Harry.'

'Zo meteen, in de auto. Je zei dat je mijn sms had ontvangen. Heb je geïnformeerd naar die helikopterplatforms in Kowloon?'

Eloanor knikte en zei: 'Ik heb het hoofd Cliëntenvervoer van het casino gesproken. Hij zei dat er in Kowloon zeven landingsplaatsen voor helikopters zijn. Hij heeft me een lijst gemaild.'

'Oké. Heb je hem verteld waar je die lijst voor nodig had?'

'Nee, Harry. Zo naïef ben ik niet.'

Bosch keek haar recht aan en bewoog zijn blik toen naar Sun, die inmiddels een paar meter voor hen uit liep. Eleanor begreep wat hij wilde zeggen.

'Sun Yee is anders. Hij weet wat er gaande is. Ik heb hem erbij betrokken omdat ik hem vertrouw. Hij is al drie jaar mijn persoonlijke bewaker in het casino.'

Bosch knikte. Zijn ex-vrouw was van grote waarde voor het Cleopatra Resort & Casino in Macau. Ze betaalden haar flat en de helikopter die haar ophaalde en weer thuisbracht van haar werk aan de privétafels, waar ze tegen de allerrijkste klanten van het casino speelde. Bewaking – in de vorm van Sun Yee – hoorde bij dat werk.

'Ja, nou, jammer dat hij niet ook over Maddie heeft gewaakt.'

Eleanor bleef abrupt staan en draaide zich om naar Bosch. Sun, die het niet had gemerkt, liep door. Eleanor keek Harry recht in de ogen.

'Hoor eens, wil je het daar nu over hebben? Want als je het per se wilt, kan dat. We kunnen het over Sun Yee hebben, of over jou en hoe jouw werk mijn dochter in deze… deze…'

Ze maakte de zin niet af. In plaats daarvan greep ze Bosch bij de revers van zijn jasje en schudde hem ruw door elkaar, totdat ze haar armen om hem heen sloeg en begon te snikken. Bosch legde zijn hand op haar rug.

'Onze dochter, Eleanor,' zei hij. 'Onze dochter, en we vinden haar terug, waar ze ook is.'

Sun merkte dat ze niet meer achter hem liepen en hij bleef staan. Hij keek om naar Bosch, met zijn ogen niet zichtbaar achter de donkere glazen van zijn bril. Harry, nog steeds omhelsd door Eleanor, gebaarde hem met zijn hand even te blijven staan.

Ten slotte deed Eleanor een stap achteruit en droogde ze haar ogen en neus met de rug van haar hand.

'Je moet proberen je staande te houden, Eleanor. Ik heb je hier nodig.'

'Zeg dat niet steeds, wil je? Ik red me heus wel. Nou, waar beginnen we?'

'Heb je de kaart met de routes van de ondergrondse, waar ik je om had gevraagd?'

'Ja, in de auto.'

'En dat visitekaartje van Causeway Taxi? Heb je daar nog navraag naar gedaan?'

'Dat was niet nodig. Sun Yee kent het bedrijf. Van de meeste taxicentrales is bekend dat ze mensen van de triades in dienst hebben. Triademensen hebben legitieme baantjes nodig om geen argwaan te wekken en de politie op afstand te houden. De meesten vragen een taxivergunning aan en doen hier en daar een ritje, om de schijn te wekken dat ze normaal werk hebben. Als jouw verdachte het kaartje van de manager bij zich had, was hij waarschijnlijk van plan om hem op te zoeken en om werk te vragen als hij hier was aangekomen.'

'Hebben jullie het adres gecheckt?'

'We zijn er gisteravond langs gereden, maar het is gewoon de garage van het wagenpark, de plek waar de auto's worden getankt en onderhouden, en waar de chauffeurs zich melden als ze aan hun dienst beginnen.'

'Hebben jullie de manager gesproken?'

'Nee. Ik wilde dat niet doen zonder het eerst aan jou te vragen. Maar jij zat in de lucht, dus dat kon niet. Trouwens, volgens mij is het een dood spoor. Het gaat hier om de man die Chang waarschijnlijk een baantje zou geven. Meer niet. Dat doen ze regelmatig voor de triades. Maar hij zal zich heus niet met een kidnapping inlaten. En als dat wel zo was, zal hij dat zeker niet aan ons vertellen.'

Bosch wist dat Eleanor hoogstwaarschijnlijk gelijk had, maar de manager was wel iemand naar wie hij toe kon gaan wanneer hun andere pogingen om zijn dochter te vinden niets opleverden.

'Oké,' zei hij. 'Hoe lang duurt het nog voordat het licht wordt?'

Ze draaide zich om naar de reusachtige glazen wand die de voorpui van het luchthavengebouw vormde, alsof het antwoord in de lucht daarachter te zien was. Bosch keek op zijn horloge. Het was kwart voor zes en hij was al bijna een uur in Hongkong. Hij had het gevoel dat de tijd veel te snel verstreek.

'Over een half uur, denk ik,' zei Eleanor.

Bosch knikte.

'En het pistool, Eleanor?'

Ze knikte aarzelend.

'Als je het echt wilt, weet Sun Yee waar je er een kunt kopen. In Wan Chai.'

Bosch knikte weer. Natuurlijk was dat het juiste adres om een vuurwapen op de kop te tikken. Wan Chai was de plek waar de onderwereld van Hongkong zich aan de bovenwereld toonde. Hij was er niet meer geweest sinds hij er bijna veertig jaar daarvoor met verlof vanuit Vietnam naartoe was gegaan. Maar hij wist dat sommige dingen en plaatsen nooit veranderden.

'Oké, laten we naar de auto gaan. We verspillen onze tijd.'

Ze liepen door de automatische glazen schuifdeuren en Bosch werd begroet door de warme, vochtige lucht. Hij begon onmiddellijk te transpireren.

'Waar gaan we eerst naartoe?' vroeg Eleanor. 'Naar Wan Chai?'

'Nee, naar de Peak. Daar beginnen we.'

24

In de koloniale tijd stond hij bekend als Victoria Peak. Nu heette hij gewoon de Peak, de bergtop die boven de skyline van Hongkong uitstak en die een adembenemend uitzicht op het stadscentrum en op de haven van Kowloon bood. Je kon er met de auto en met een kabeltram naar boven, en het was een geliefde attractie, voor toeristen het hele jaar door en voor de plaatselijke bevolking vooral in de zomermaanden, wanneer de stad als een spons al het vocht leek vast te houden. Bosch was er al een paar keer geweest met zijn dochter, om te lunchen in het restaurant van het observatorium of in de winkelgalerij erachter.

Bosch, zijn ex-vrouw en haar bewakingsman bereikten de top voordat onder hen in de stad de dag was aangebroken. De winkelgalerij en de toeristenkiosken waren nog niet open en op de diverse uitkijkpunten was niemand te zien. Ze zetten Suns Mercedes op het parkeerterrein bij de winkelgalerij en liepen over het voetpad verder de berg op. Bosch' rugzak hing aan de draagband over zijn schouder. De buitenlucht was zwaar van het hoge vochtgehalte. Het voetpad glom van de nattigheid en Bosch kon zien dat er de afgelopen nacht een regenbui was gevallen. Zijn hemd plakte nu al aan zijn rug.

'Wat gaan we precies doen?' vroeg Eleanor.

Het was het eerste wat ze sinds lange tijd zei. Tijdens de rit vanaf het vliegveld had Bosch de video opgezocht en zijn telefoon aan haar gegeven. Ze had ernaar gekeken en Bosch had haar adem horen stokken. Ze had gevraagd of ze de video nog een keer mocht zien en naderhand had ze hem zonder iets te zeggen het toestel teruggegeven. Er was een doodse stilte gevallen, die had geduurd tot ze op het voetpad liepen.

Bosch trok de rugzak voor zijn borst en ritste hem open. Hij haalde de fotoprint van de video eruit en gaf die aan Eleanor. Daarna pakte hij een zaklantaarn uit zijn rugzak en gaf die ook aan haar.

'Dit is een stilstaand beeld van de video. Op het moment dat Maddie naar haar belager schopt en de camera opzij zwenkt, komt heel even het raam in beeld.'

Eleanor knipte de zaklantaarn aan en bestudeerde de foto onder het lopen. Sun liep een paar meter achter hen. Bosch legde haar uit wat hij van plan was.

'Je moet in gedachten houden dat alles wat je in het raam ziet in werkelijkheid gespiegeld staat. Maar herken je die doelpalen boven op het gebouw van de Bank of China? Ik heb een vergrootglas bij me als je dat nodig hebt.'

'Nee, ik zie ze.'

'Nou, tussen de palen door zie je de pagode hier op deze berg. De Lion-pagode, of Lion-uitkijk, wordt die geloof ik genoemd. Ik ben er met Maddie geweest.'

'Ik ook. Het Lion-paviljoen, zo heet het. Weet je zeker dat het op deze print staat?'

'Ja, maar dan moet je met het vergrootglas kijken. Wacht maar tot we er zijn.'

Het voetpad maakte een bocht en Bosch zag het bouwwerk in pagodestijl voor zich. Het stond op een prominente plek en bood een van de mooiste uitzichten vanaf de Peak. Toen Bosch hier eerder was geweest, hadden er tientallen toeristen met camera's rondgelopen. Nu, in het fletse licht van de vroege ochtend, was er geen mens te zien. Bosch liep de boogvormige ingang door en betrad het paviljoen. De reusachtige stad lag onder hem uitgespreid. In het afnemende duister zag hij miljoenen lichtjes en hij wist dat een daarvan bij zijn dochter brandde. Dat lichtje moest hij zien te vinden.

Eleanor kwam naast hem staan en hield de fotoprint in het licht van de zaklantaarn. Sun nam zijn lijfwachtpositie achter hen in.

'Ik begrijp het niet,' zei Eleanor. 'Dus jij denkt dat als je alles spiegelt, je kunt zeggen waar ze is?'

'Ja, dat denk ik.'

'Harry...'

'Er zijn nog meer identificatiepunten. Ik wil gewoon het aantal mogelijkheden beperken. Kowloon is zó groot.'

Bosch haalde de verrekijker uit zijn rugzak. Het was een heel sterke kijker, die hij voor zijn surveillancewerk gebruikte. Hij bracht de kijker naar zijn ogen.

'Wat voor identificatiepunten?'

Het was nog te donker. Bosch liet de kijker zakken. Hij zou moeten wachten. Hij bedacht dat ze misschien toch beter eerst naar Wan Chai hadden kunnen gaan om een pistool te kopen.

'Wat voor andere identificatiepunten, Harry?'

Bosch ging dichter bij haar staan, zodat hij de fotoprint kon zien en haar kon wijzen op de bijzonderheden waarop Barbara Starkey hem had geattendeerd, met name de reclame met de gespiegelde letters O en N. Hij vertelde haar ook over het geluidsspoor dat wees op een ondergrondse in de buurt, en de helikopter, die niet op deze print stond.

'Als je al die dingen bij elkaar optelt, denk ik dat we in de buurt kunnen komen,' zei hij. 'En als ik in de buurt ben, zal ik haar weten te vinden.'

'Nou, ik kan je nu al zeggen dat je de Canon-reclame bedoelt.'

'Van Canon-camera's? Waar?'

Ze wees naar Kowloon in de verte. Bosch bracht de verrekijker weer naar zijn ogen.

'Ik zie dat ding elke keer als ik over de haven vlieg. Aan de kant van Kowloon. Alleen het woord CANON in vrijstaande letters op het dak van een gebouw. En dat ding draait in het rond. Als je in Kowloon bent en erachter staat, en hij draait naar de haven toe, zie je hem achterstevoren. In spiegelbeeld staan de letters dan goed. Dat moet het zijn.'

Ze tikte met haar nagel op de O-N op de fotoprint.

'Oké, maar waar? Ik zie hem nergens.'

'Laat mij eens kijken.'

Bosch gaf haar de verrekijker. Ze vervolgde haar verhaal terwijl ze keek.

'Normaliter zijn de letters verlicht, maar ik geloof dat ze ze 's nachts een paar uur uitzetten om energie te besparen. Een heleboel lichtreclames branden op dit moment niet.'

Ze liet de kijker zakken en keek op haar horloge.

'Over een kwartier of zo kunnen we hem wel zien.'

Bosch pakte de kijker van haar aan en begon weer naar de lichtreclame te zoeken.

'Ik heb het gevoel dat we onze tijd staan te verspillen.'

'Rustig maar. De zon komt zo op.'

Met tegenzin liet Bosch de kijker zakken en in de daaropvolgende tien minuten zag hij het daglicht over de bergen en het zeebekken kruipen.

De dag brak aan in roze en grijze tinten. In de haven waren de werkboten en ferry's al druk in de weer en voeren ze kriskras door elkaar in een patroon dat op de een of andere manier volkomen natuurlijk leek. Bosch zag de laaghangende mist rondom de torenflats in het centrum, in Wan Chai en boven de haven van Kowloon. De geur van rook drong zijn neusgaten binnen.

'Het ruikt hier als in Los Angeles na de rellen,' zei hij. 'Alsof de stad in brand staat.'

'In zekere zin is dat ook zo,' zei Eleanor. 'We zitten midden in Yue Laan.'

'O? Wat is dat?'

'Het Feest van de Hongerige Geesten. Het is vorige week begonnen. Dat wordt bepaald door de Chinese jaarkalender. Ze zeggen dat op de veertiende dag van de zevende maanmaand de poorten van de hel opengaan en alle kwade geesten zich over de wereld verspreiden. Gelovige mensen branden offers om hun voorouders te eren en de kwade geesten buiten de deur te houden.'

'Wat voor offers?'

'Vooral nepgeld en papier-maché modellen van plasma-tv's, huizen en auto's. Dingen die de geesten nodig zouden hebben om aan gene zijde te blijven. Maar soms verbranden mensen ook echte dingen.'

Ze lachte even voordat ze haar verhaal vervolgde.

'Ik heb wel eens iemand een airconditioner zien verbranden. Een beetje frisse lucht voor een van zijn voorouders, in de hel, neem ik aan.'

Bosch herinnerde zich dat hij zijn dochter er ook wel eens over had horen praten. Ze had gezien dat iemand een hele auto had laten afbranden.

Bosch keek neer op de stad en merkte dat wat hij aanvankelijk als ochtendmist had gezien, in werkelijkheid de rook van de offerbrandjes was, waardoor het leek alsof de geesten zelf door de stad zweefden.

'Zo te zien zijn er een hoop gelovigen in de stad.'

'Ja, dat klopt.'

Bosch richtte zijn aandacht op Kowloon en bracht de verrekijker weer naar zijn ogen. Eindelijk had de ochtendzon de gebouwen langs de haven bereikt. Hij bewoog de kijker naar links en naar rechts, steeds zonder de doelpalen op het dak van de Bank of China uit het oog te verliezen. Ten slotte vond hij de Canon-reclame die Eleanor hem had genoemd. Die stond boven op een flatgebouw van aluminium en glas, dat het zonlicht alle kanten op weerkaatste.

'Ik zie hem, de reclame,' zei hij zonder haar aan te kijken.

Hij schatte dat het flatgebouw twaalf verdiepingen hoog was. Het stalen frame met de lichtreclame erbovenop voegde daar nog minstens één verdieping aan toe. Hij speurde de directe omgeving af in de hoop nog iets anders te zien. Maar hij zag niets wat hem opviel.

'Laat mij nog eens kijken,' zei Eleanor.

Bosch gaf de kijker aan haar en al snel had ze de Canon-reclame gevonden.

'Hebbes,' zei ze. 'En ik zie ook het Peninsula Hotel, aan de andere kant van de straat, op minder dan twee blokken afstand. Ze hebben daar een heliplatform op het dak.'

Bosch volgde haar kijkrichting en tuurde naar de haven aan de overkant. Het duurde even voordat hij de lichtreclame had gevonden. Die stond nu vol in de zon. Bosch voelde zijn vermoeidheid als gevolg van de lange vlucht wegebben en plaatsmaken voor adrenaline.

Langs het gebouw met de reclame liep een brede weg, die in noordelijke richting Kowloon doorkruiste.

'Hoe heet die weg?' vroeg hij.

Eleanor bleef door de verrekijker kijken.

'Dat moet Nathan Road zijn,' zei ze. 'Dat is een belangrijke noord-zuidverbinding. Die loopt vanaf de haven tot aan de New Territories.'

'Zijn daar triades actief?'

'Absoluut.'

Bosch draaide zijn hoofd om en tuurde weer naar Nathan Road en Kowloon.

'Negen draken,' fluisterde hij in zichzelf.

'Wat?' vroeg Eleanor.

'Ik zei dat ze daar is.'

25

Bosch en zijn dochter waren meestal met de kabeltram naar de Peak gegaan. De tramlijn had Bosch doen denken aan een gestroomlijnde, langgerekte versie van de Angel Flight in Los Angeles, en onder aan de Peak wilde zijn dochter altijd naar het park bij het gemeentehuis, om er een Tibetaanse gebedsvlag op te hangen. De kleine, vrolijk gekleurde vlaggen hingen daar als wasgoed aan de lijnen die dwars door het park waren gespannen. Ze had Bosch verteld dat een vlag ophangen beter was dan een kaars branden in de kerk, omdat een vlag buiten hing en de goede bedoelingen door de wind zouden worden meegevoerd.

Er was nu geen tijd om vlaggen op te hangen. Ze stapten in Suns Mercedes en reden bergafwaarts naar Wan Chai. Onderweg besefte Bosch dat het maar een kleine omweg was naar de flat waar Eleanor met haar dochter woonde.

Bosch, op de achterbank, boog zich naar voren.

'Eleanor, kunnen we een tussenstop bij je flat maken?'

'Waarvoor?'

'Ik heb vergeten te zeggen dat je iets moest meenemen. Madelines paspoort. En het jouwe.'

'Waarom?'

'Omdat dit niet afgelopen zal zijn als we haar hebben teruggevonden. Ik wil jullie hier allebei weg hebben totdat de kust veilig is.'

'En hoe lang gaat dat duren?'

Ze had zich omgedraaid en keek hem aan vanaf de passagiersstoel. Hij zag de verwijtende blik in haar ogen. Hij wilde dit zo gauw mogelijk afhandelen, zodat ze zich weer op het zoeken naar hun dochter konden concentreren.

'Ik weet niet hoe lang. Laten we die paspoorten nou maar ophalen. Alleen voor het geval we daar later geen tijd voor hebben.'

Eleanor wendde zich tot Sun en zei iets in het Chinees tegen hem. Hij stuurde meteen naar de kant van de weg en stopte. Er was geen verkeer dat achter hen de berg af reed. Daar was het te vroeg voor. Ze draaide zich helemaal om op haar stoel en keek Bosch recht aan.

'Goed, we halen de paspoorten op,' zei ze op vlakke toon. 'Maar als we hier weg moeten, hoef je geen seconde te denken dat we met jou meegaan.'

Bosch knikte. Dat ze bereid was het te doen, was voor hem voldoende.

'Misschien moet je dan ook een paar koffers inpakken en die achter in de auto leggen.'

Zonder iets te zeggen ging ze weer recht in haar stoel zitten. Na een tijdje keek Sun haar aan en zei iets in het Chinees. Ze reageerde met een kort hoofdknikje, waarop Sun de weg op stuurde en verder de berg af reed. Bosch wist dat ze zou doen wat hij had gevraagd.

Na een kwartier stopte Sun voor een dubbele torenflat die door de plaatselijke bevolking de Chopsticks werd genoemd. En Eleanor, die in dat kwartier geen woord had gezegd, maakte een verzoenend gebaar naar de achterbank.

'Wil je mee naar boven? Dan kun je een kop koffie voor jezelf maken terwijl ik de koffers pak. Zo te zien kun je dat wel gebruiken.'

'Dat zou lekker zijn, maar we hebben geen...'

'Het is oploskoffie.'

'Oké, goed dan.'

Sun bleef in de auto wachten en zij gingen de flat binnen. De Chopsticks bestonden uit twee ovale woontorens – beneden met elkaar verbonden – die halverwege de berghelling van Happy Valley drieënzeventig verdiepingen hoog reikten. Tezamen vormden ze het hoogste door burgers bewoonde gebouw van heel Hongkong en ze staken uit de grond als twee eetstokjes uit een berg rijst. Eleanor en Madeline waren er gaan wonen kort nadat ze zes jaar daarvoor uit Las Vegas waren overgekomen.

Bosch hield zich vast aan de stang toen ze met de snellift naar boven gingen. Hij vond het geen prettig idee dat er onder de vloer waarop hij stond een gapende liftschacht van vierenveertig verdiepingen was.

De liftdeur ging open en ze kwamen in een kleine foyer met de deuren van de vier flats. Eleanor opende de eerste deur rechts met haar sleutel.

'De koffie staat in het kastje boven het aanrecht. Ik ben zo klaar.'

'Oké. Wil jij ook koffie?'

'Nee, ik heb op het vliegveld al gehad.'

Ze gingen de flat binnen en Eleanor liep door naar haar slaapkamer terwijl Bosch in de keuken zijn koffie ging maken. Hij vond een mok met de tekst DE BESTE MAMA VAN DE HELE WERELD en besloot die te gebruiken. Het was er lang geleden met de hand op geschilderd en de woorden waren na de vele beurten in de vaatwasser wat verbleekt.

Hij kwam de keuken uit, nam een slokje gloeiend hete koffie en ging bij het raam in de woonkamer staan. De flat stond naar het westen gekeerd en bood een adembenemend uitzicht op Hongkong en de haven. Bosch was hier al een paar keer eerder geweest, maar van de schitterende aanblik kon hij geen genoeg krijgen. Meestal als hij op bezoek kwam, wachtte zijn dochter hem op in de lobby, of hij haalde haar van school.

Een reusachtig, wit cruiseschip voer de haven uit en zette koers naar open zee. Bosch volgde het schip met zijn blik, totdat hij de Canon-reclame op het gebouw in Kowloon weer zag. Zo werd hij weer herinnerd aan wat hij hier kwam doen. Hij liep de gang naar de slaapkamers in. Hij vond Eleanor in de kamer van hun dochter, waar ze huilend kledingstukken in een rugzak propte.

'Ik weet niet wat ik moet meenemen,' zei ze. 'Ik weet niet hoe lang we wegblijven en wat ze nodig heeft. Ik weet niet eens of ik haar ooit nog terugzie!'

Haar schouders schokten toen ze haar tranen de vrije loop liet. Bosch legde zijn hand op haar schouder, maar ze draaide zich onmiddellijk weg. Ze wenste niet door hem getroost te worden. Met een ruk trok ze de ritssluiting van de rugzak dicht en liep ermee de kamer uit. Bosch bleef staan en liet zijn blik door de kamer gaan.

Aandenkens aan Los Angeles en andere Amerikaanse steden op elk horizontaal oppervlak. Posters van films en bands aan de muren. In de hoek een staande kapstok met diverse petten, maskers en kralenkettingen. Talloze speelgoedbeesten van vroeger in een rij tegen de kussens op haar bed. Bosch kon zich niet onttrekken aan het gevoel dat hij op de een of andere manier haar privacy schond door hier te zijn zonder dat zij hem had uitgenodigd.

Op het kleine bureau stond een open laptop met een donker scherm. Bosch liep ernaartoe, gaf een tik op de spatiebalk en even later lichtte het beeldscherm op. Zijn dochters screensaver was een foto die ze had gemaakt toen ze de laatste keer in Los Angeles was. Op de foto stond een groepje surfers, op een rij, met hun plank in de aanslag wachtend op een nieuwe golf. Bosch herinnerde zich dat ze naar Malibu waren gereden om te ontbijten in een tent die Marmalade heette, en dat ze daarna op het nabijgelegen strand naar de surfers hadden gekeken.

Naast de muis van de laptop zag Harry een doosje van bewerkt been staan. Het deed hem denken aan het heft van het mes dat hij in Changs koffer had gevonden. Het was een sierdoosje, geschikt om belangrijke dingen of geld in te bewaren. Hij haalde het deksel eraf maar vond alleen drie jaden aapjes – horen, zien en zwijgen – aan een rood koordje. Bosch haalde het eruit en hield het voor zich om het beter te bekijken. Het was niet meer dan vijf centimeter lang en aan het uiteinde zat een zilveren ringetje, blijkbaar om het ergens aan te bevestigen.

'Ben je klaar?'

Bosch draaide zich om. Eleanor stond in de deuropening.

'Ja, ik ben klaar. Wat is dit, een soort oorbel?'

Eleanor kwam naar hem toe.

'Nee. Dat maken ze tegenwoordig aan hun telefoon vast. Je kunt ze kopen op de jademarkt in Kowloon. Ze hebben vaak hetzelfde merk telefoon, dus versieren ze die ieder op hun eigen manier.'

Bosch knikte en deed het koordje met de aapjes terug in het doosje.

'Zijn ze duur, die versieringen?'

'Nee. Dit is goedkope jade. Ze kosten ongeveer één Amerikaanse dollar en ze kopen voortdurend andere. Kom op, we gaan.'

Bosch keek een laatste keer om zich heen in het privédomein van zijn dochter en voordat hij de kamer uit liep pakte hij snel een kussen en een opgevouwen deken van haar bed. Eleanor keek om en zag wat hij deed.

'Voor als ze doodmoe is en wil slapen,' legde Bosch uit.

Ze liepen de flat uit en in de lift hield hij het kussen en de deken tegen zijn borst met zijn ene arm en had hij zijn dochters rugzak onder de andere. Hij rook de geur van haar shampoo op het kussen.

'Heb je de paspoorten?' vroeg Bosch.

'Ja, die heb ik,' zei Eleanor.

'Mag ik je iets vragen?'

'Wat?'

Bosch deed alsof hij het patroon van piepkleine pony's op de deken bestudeerde.

'In hoeverre kun je Sun Yee vertrouwen? Ik weet niet of we hem wel moeten meenemen nadat we het pistool hebben gekocht.'

Eleanor antwoordde zonder te aarzelen.

'Ik heb je gezegd dat je je over hem geen zorgen hoeft te maken. Ik heb alle vertrouwen in hem en hij blijft bij ons. Of in ieder geval blijft hij bij mij.'

Bosch knikte. Eleanor staarde naar de digitale display waarop de cijfers van de verdiepingen voorbij flitsten.

'Ik vertrouw hem volledig,' vervolgde ze. 'En Maddie ook.'

'Maar hoe kan het dat Maddie…'

Hij stopte abrupt. Opeens begreep hij wat ze hem duidelijk probeerde te maken. Sun was de man over wie Madeline hem had verteld. Hij en Eleanor hadden een relatie.

'Begrijp je het nu eindelijk?' vroeg ze.

'Ja, ik begrijp het,' zei hij. 'Maar weet je zeker dat Madeline hem vertrouwt?'

'Ja, dat weet ik zeker. En als ze jou iets anders heeft verteld, dan was dat alleen om jouw medeleven te krijgen. Je weet hoe meisjes zijn, Harry. En zij weet hoe ze mensen moet manipuleren. Ja, haar leven is een beetje… ontregeld door mijn relatie met Sun Yee. Maar hij is altijd heel vriendelijk en respectvol tegen haar geweest. Ze komt er wel overheen. Tenminste, als we haar terugvinden.'

Sun Yee stond met de auto te wachten op de rotonde voor het flatgebouw. Harry en Eleanor stopten de bagage in de kofferbak, maar Bosch legde het kussen en de deken naast zich op de achterbank. Sun reed weg, daalde de rest van de berg af via Stubbs Road en ging door Happy Valley op weg naar Wan Chai.

Bosch probeerde het gesprek dat ze zojuist in de lift hadden gehad uit zijn hoofd te zetten. Het was op dit moment niet belangrijk want het droeg niets bij aan het terugvinden van zijn dochter. Maar het kostte hem wel moeite zijn gevoelens een plek te geven. Zijn dochter had hem in Los Angeles al verteld dat Eleanor een relatie had. En hij had sinds hun scheiding zelf ook relaties gehad. Maar om daar nu in Hongkong rechtstreeks mee geconfronteerd te worden, dat was iets anders. Hij zat in de auto met de vrouw van wie hij in het diepst van

zijn hart nog steeds hield, en haar nieuwe man. Daar had hij wel degelijk moeite mee.

Bosch zat achter Eleanor. Hij keek over de leuning naar Sun en observeerde de stoïcijnse gezichtsuitdrukking van de man. Hij was niet
alleen een gewapende lijfwacht. Er stond voor hem veel meer op het
spel. Bosch kwam tot de conclusie dat dit hem tot een waardevolle
kracht maakte. Als zijn dochter op hem kon rekenen en hem vertrouwde, kon Bosch dat ook. De rest moest hij maar even van zich afzetten.

Alsof hij voelde dat er naar hem werd gekeken, draaide Sun zijn
hoofd om en keek Bosch aan. Hoewel zijn ogen door de zonnebril niet
te zien waren, was Bosch ervan overtuigd dat Sun wist wat er was besproken en dat ze geen geheimen meer voor elkaar hadden.

Bosch knikte naar hem. Het was niet bedoeld om Sun op welke manier ook zijn goedkeuring te geven. Alleen om hem te laten blijken dat
Bosch nu begreep dat ze alle drie in hetzelfde schuitje zaten.

26

Wan Chai was het deel van Hongkong dat nooit sliep. De plek waar alles kon gebeuren en waar alles te koop was, als je bereid was de juiste prijs te betalen. Letterlijk alles. Bosch wist dat als hij een laservizier wilde op het pistool dat ze gingen kopen, hij het zou kunnen krijgen. En als hij een scherpschutter bij het pistool wilde, zou hij die waarschijnlijk ook kunnen krijgen. Om nog maar te zwijgen van alle andere dingen, zoals drugs en vrouwen, die op hem wachtten in de striptease-bars en de muziekcafés aan Lockhart Road.

Het was half negen en inmiddels helemaal licht toen ze langzaam over Lockhart reden. Veel van de clubs waren nog open, met de rolluiken dicht tegen het daglicht, maar vol neonlicht en doorrookte lucht daarachter. De straat was nat en er steeg damp op van het wegdek. De neonreclames weerkaatsten op het donkere asfalt en in de voorruiten van de vele taxi's langs de stoeprand.

Uitsmijters stonden op hun post en vrouwelijke straathandelaars wenkten voetgangers en zwaaiden naar automobilisten. Mannen in gekreukeld pak, doodmoe na een nacht vol drank of drugs, schoven langzaam voorbij op de stoepen. Rijen rode taxi's met hier en daar een Rolls-Royce of Mercedes ertussen stonden te wachten totdat men binnen door zijn geld heen was en de reis naar huis eindelijk kon beginnen.

Voor vrijwel alle clubs en winkels stond een ijzeren emmer voor de brandoffers aan de hongerige geesten. Uit veel van de emmers laaiden vlammen op. Bosch zag een vrouw in een zijden kimono met een rode draak op de rug bij een club die Red Dragon heette. Ze stond bij de ijzeren emmer aan de rand van de stoep en zo te zien liet ze echte Hongkong-dollars in het vuur vallen. Ze had haar inzet tegen de geesten verhoogd, dacht Bosch. Ze ging voor het echte werk.

De geuren van vuur en rook, vermengd met die van gewokt voedsel, drongen de auto binnen ondanks het feit dat de raampjes dicht waren. Kort daarna rook Bosch nóg een geur, een heel doordringende die hij niet kon plaatsen, maar die hem deed denken aan het camouflerende reukmiddel dat hij soms in het mortuarium rook, zo smerig dat hij door zijn mond begon te ademen. Eleanor klapte haar zonneklep omlaag zodat ze hem kon zien in het make-upspiegeltje.

'*Gway lang go,*' zei ze.

'Wat?'

'Schildpaddengelei. Ze koken de schilden hier 's ochtends vroeg. De gelei kun je bij de drogist kopen.'

'Ruikt sterk.'

'Dat is een understatement. En als je denkt dat het stinkt, zou je het eens moeten proeven. Maar het schijnt een wondermiddel tegen allerlei kwalen te zijn.'

'Ik hou het liever bij mijn eigen middeltjes, geloof ik.'

Nadat ze twee zijstraten waren gepasseerd werden de clubs kleiner en de voorgevels grauwer. De lichtreclames knipperden opdringerig en gingen vaak vergezeld van verlichte posters met foto's van de beeldschone vrouwen die binnen op je zouden wachten. Sun parkeerde dubbel naast de voorste taxi van de lange rij die bij het kruispunt stond te wachten. In drie van de hoekpanden aan weerskanten van het kruispunt waren clubs gevestigd. Het vierde hoekpand was een noedelshop die al open en vol klanten was.

Sun maakte zijn autogordel los en opende het portier. Bosch deed hetzelfde.

'Harry,' zei Eleanor.

Sun draaide zich naar hem om.

'Jij gaat niet mee,' zei hij tegen Bosch.

Bosch keek hem aan.

'Weet je het zeker? Ik heb geld.'

'Geen geld,' zei Sun. 'Je wacht hier.'

Hij stapte uit en sloot het portier. Bosch trok het achterportier dicht en bleef in de auto zitten.

'Wat is er aan de hand?'

'Sun Yee heeft voor het pistool afgesproken met een vriend. Het is geen transactie waar geld bij komt kijken.'

'O nee? Wat komt er dan wel bij kijken?'

'Het is een tegenprestatie.'

'Zit Sun Yee in een triade?'

'Nee. Dan zou hij geen baan in het casino hebben gekregen. En dan zou ik niet met hem omgaan.'

Bosch was er niet van overtuigd dat de baan in het casino verboden terrein zou zijn voor een triademan. Soms leer je de vijand het best kennen door die in dienst te nemen.

'Hééft hij in een triade gezeten?'

'Dat weet ik niet. Ik betwijfel het. Die laten je niet zomaar gaan.'

'Maar hij krijgt het pistool wel van een triademan, waar of niet?'

'Ook dat weet ik niet. Hoor eens, Harry, we halen het pistool waar je me om hebt gevraagd. Ik heb er geen rekening mee gehouden dat je met allerlei vragen zou komen. Dus, wil je het pistool of niet?'

'Ja, ik wil het.'

'Laat ons dan doen wat daarvoor nodig is, oké? En hou in gedachten dat Sun zijn baan en zijn vrijheid hiervoor op het spel zet. De wapenwetten zijn hier heel strikt.'

'Ik begrijp het. Geen vragen meer. Bedankt voor al je hulp.'

In de stilte die volgde hoorde Bosch het doffe gedreun van muziek uit een van de clubs, of misschien wel uit alle drie. Voor de club aan de overkant van de kruising stonden drie mannen in pak en Bosch zag door de voorruit dat Sun op hen toe liep. De naam boven de deur was zowel in het Chinees als in het Engels vermeld, zoals bij de meeste clubs in Wan Chai. Deze heette Yellow Door. Sun wisselde een paar woorden met de mannen en hield achteloos zijn jasje open om te laten zien dat hij niet gewapend was. Een van de mannen fouilleerde hem kort maar behendig en daarna mocht Sun door de gele deur naar binnen.

Ze wachtten bijna tien minuten. Gedurende die tijd zei Eleanor nauwelijks iets. Bosch besefte dat ze zich ernstige zorgen om haar dochter maakte en dat ze boos was omdat hij te veel vragen stelde, maar toch moest hij meer weten dan hij nu wist.

'Eleanor, wees niet boos op me. Laat me alleen even iets zeggen, oké? Ik vermoed dat wíj op dit moment het voordeel van de verrassing hebben. Want voor zover de kidnappers weten, ben ik nog steeds in Los Angeles om te besluiten of we hun man laten gaan of niet. Dus als Sun Yee naar een triade stapt om een pistool voor me te regelen, moet hij dan niet vertellen voor wie dat pistool is en waarvoor het gebruikt zal worden? En zal de leverancier van het wapen zich vervolgens niet bij de triademensen aan de andere kant van de haven melden om te zeggen dat er iets gaande is? Iets als: "Weten jullie wel wie er in de stad is?" en "O, dat vergat ik bijna, hij heeft een wapen en is naar jullie op zoek.'"

'Nee, Harry,' zei ze streng. 'Zo werkt het hier niet.'

'Maar hoe werkt het dan wel?'

'Dat heb ik je al verteld. Sun Yee heeft iets van iemand te goed en gaat dat nu incasseren. Dat is alles. Hij hoeft de man met het pistool helemaal niks te vertellen, omdat die hem iets schuldig is. Zo werkt het. Oké?'

Bosch keek naar de gele deur. Nog geen spoor van Sun.

'Oké.'

Ze wachtten nog eens vijf minuten zonder iets te zeggen en toen zag Bosch de deur opengaan en Sun naar buiten komen. Maar in plaats van naar de auto te lopen stak hij de straat over en ging de noedelshop binnen. Bosch probeerde hem te volgen door de winkelruiten, maar door het felle, reflecterende neonlicht was hij hem al snel uit het oog verloren.

'Wat gebeurt er nu, gaat hij eten halen?' vroeg Bosch.

'Dat betwijfel ik,' zei Eleanor. 'Waarschijnlijk hebben ze hem doorgestuurd.'

Bosch knikte. Voorzorgsmaatregelen. Er verstreken nog eens vijf minuten en toen kwam Sun de noedelshop uit met een piepschuimen doosje met twee brede elastieken eromheen. Hij droeg het op zijn vlakke hand alsof er noedels in zaten en hij probeerde niets te morsen. Hij kwam terug naar de auto en stapte in. Zonder iets te zeggen draaide hij zich om naar Bosch en gaf het doosje aan hem.

Bosch boog zich naar voren, hield het doosje laag, trok de elastieken eraf en lichtte het deksel op terwijl Sun de Mercedes het verkeer in stuurde. In het doosje lag een middelgroot pistool van donkerblauw staal. Verder niets. Geen extra magazijn of munitie. Alleen het pistool met de patronen die erin zaten.

Bosch liet het piepschuimen doosje op de vloer van de auto vallen en nam het pistool in zijn linkerhand. Geen merknaam of land van herkomst op het blauwe staal. Alleen het serie- en typenummer, maar Bosch herkende de vijfpuntige ster die in de dekplaten van de kolf waren gestanst en wist dat het ging om een Black Star, gefabriceerd door de Chinese overheid. Hij was ze wel eens in Los Angeles tegengekomen. Ze waren met tienduizenden tegelijk gemaakt voor het Chinese leger, waar een aanzienlijk aantal was ontvreemd en naar de andere kant van de oceaan was gesmokkeld. De rest was vermoedelijk in China achtergebleven en daarvan was dit exemplaar in Hongkong terechtgekomen.

Bosch klemde het wapen tussen zijn knieën en liet het magazijn eruit springen. Het was gevuld met een dubbele rij 9mm-parabellumpatronen, vijftien stuks. Hij duwde ze met zijn duim uit het magazijn en deed ze in de komhouder in de armleuning van de auto. Vervolgens liet hij de zestiende patroon uit de kamer springen en deed die ook in de houder.

Bosch keek langs de slede en controleerde het vizier. Hij keek in de kamer, zocht naar sporen van roest, en bekeek de slagpin en het uitwerpmechanisme. Hij trok de slede achteruit en haalde een paar keer de trekker over. Het wapen leek goed te functioneren. Daarna bekeek hij de patronen, stuk voor stuk, voordat hij ze in het magazijn terugstopte, zoekend naar sporen van corrosie of andere aanwijzingen dat de munitie oud of verdacht was. Hij vond geen van beide.

Hij sloeg het magazijn terug in de kolf en liet de eerste patroon in de kamer springen. Toen haalde hij het magazijn er weer uit, duwde de overige zeven patronen omhoog en zette het wapen weer in elkaar. Dus hij had zestien patronen en daar moest hij het mee doen.

'Tevreden?' vroeg Eleanor vanaf de passagiersstoel.

Bosch keek op en zag dat ze de helling naar de Cross Harbour Tunnel af reden. Die zou hen rechtstreeks naar Kowloon voeren.

'Nog niet helemaal. Ik draag niet graag een wapen waarmee ik nooit heb geschoten. Wie weet is de slagpin afgevijld en ben ik hartstikke dood als het erop aankomt.'

'Tja, daar kunnen we op dit moment weinig aan doen. Je zult Sun Yee moeten vertrouwen.'

De tunnel had twee rijbanen en op zondagochtend was er nauwelijks verkeer. Bosch wachtte totdat ze het laagste punt in het midden waren gepasseerd en de auto aan de flauwe klim naar Kowloon begon. Hij had tijdens het rijden diverse knallende uitlaten van taxi's gehoord. Snel wikkelde hij de deken van zijn dochter om zijn linkerhand met het pistool. Daarna pakte hij het kussen en draaide zijn hoofd om door de achterruit te kijken. Geen auto's vlak achter hen, of in ieder geval geen auto's die het laagste punt van de tunnel waren gepasseerd.

'Van wie is deze auto eigenlijk?' vroeg hij.

'Van het casino,' zei Eleanor. 'Ik heb hem geleend. Hoezo?'

Bosch liet het zijraampje zakken. Hij hield het kussen op en drukte de loop erin. Hij vuurde twee keer, het standaard dubbelschot dat hij altijd toepaste om het mechanisme van een vuurwapen te checken. De kogels ketsten af van de betegelde muur van de tunnel.

Ondanks de deken en het kussen galmden de twee schoten hard door de auto. Die slingerde even toen Sun achteromkeek. Eleanor slaakte een kreet.

'Wat doe je nou, verdomme?'

Bosch liet het kussen vallen en deed het raampje omhoog. Het rook naar verbrand kruit in de auto, maar het was weer stil. Bosch trok het pistool uit de deken en keek ernaar. Het had soepel gevuurd en had niet geketst. Nu had hij nog veertien patronen en was hij klaar voor de strijd.

'Ik moest zeker weten dat het werkte,' zei hij. 'Je gaat niet met een wapen op pad als je niet weet of het werkt.'

'Ben je gek geworden? We kunnen gearresteerd worden voordat we de kans krijgen om iets te doen!'

'Als je ophoudt met schreeuwen en Sun Yee blijft in zijn rijbaan, is er verder niks aan de hand.'

Bosch boog zich naar voren en stak het pistool op zijn onderrug achter zijn broekband. De loop voelde warm aan op zijn huid. Voor zich uit zag hij het licht aan het eind van de tunnel. Zo meteen zouden ze Kowloon binnenrijden.

Het was tijd.

27

De tunnel leverde hen af op Tsim Sha Tsui, de belangrijkste kustweg van Kowloon, en twee minuten later stuurde Sun de Mercedes Nathan Road op. Dat was een brede vierbaansboulevard met aan weerskanten hoge flatgebouwen zo ver Bosch' oog reikte. Het was een bonte mengelmoes van winkels, kantoren en appartementen. De eerste twee verdiepingen werden steevast bezet door winkels en restaurants, en alle verdiepingen erboven dienden voor bewoning of als kantoorruimte. De vele videoschermen en lichtreclames in het Chinees en in het Engels boden een wilde werveling van kleur en beweging. De flats zelf varieerden van grauw en fantasieloos uit de jaren vijftig tot gelikte constructies van glas en staal van recenter datum.

Vanuit de auto kon Bosch de daken van de bouwwerken onmogelijk zien. Hij deed zijn raampje omlaag, stak zijn hoofd naar buiten en zocht naar de Canon-reclame, het eerste oriëntatiepunt op de fotoprint van de video die de kidnappers van zijn dochter hadden gemaakt. Hij zag hem nergens, trok zijn hoofd weer naar binnen en deed het raampje omhoog.

'Sun Yee, stop even.'

Sun keek hem aan via de achteruitkijkspiegel.

'Stoppen? Hier?'

'Ja, hier. Ik kan niks zien. Ik moet uitstappen.'

Sun keek afwachtend naar Eleanor en ze knikte.

'Wij stappen uit. Zoek jij een plek om te parkeren.'

Sun stuurde naar de stoeprand en Bosch stapte uit. Hij had de fotoprint uit zijn rugzak gehaald en hield hem al voor zijn gezicht. Sun reed door en liet Eleanor en Bosch op de stoep staan. Het was inmiddels halverwege de ochtend en er waren talloze mensen op straat. Rook en de geur van as hingen in de lucht. De hongerige geesten waren vlakbij. Het straatbeeld werd gedomineerd door neonlicht, spiegelglas en reusachtige plasmaschermen, die keer op keer dezelfde flitsende beelden vertoonden.

Bosch zocht op de foto, keek omhoog en liet zijn blik langs de skyline gaan.

'Waar is die Canon-reclame?' vroeg hij.

'Harry, je haalt dingen door elkaar,' zei Eleanor.

Ze legde haar handen op zijn schouders en draaide hem een halve slag om.

'Alles is in spiegelbeeld, weet je nog?'

Ze wees bijna recht omhoog en volgde met haar vinger de daklijn van het gebouw waar ze voor stonden. Bosch keek omhoog. De Canon-reclame was recht boven hen, in een steile hoek waardoor hij onleesbaar was. Hij keek tegen de onderkant van de letters aan. Die draaiden langzaam rond.

'Oké, begrepen,' zei hij. 'Dan beginnen we hier.'

Hij keek weer omlaag en wees naar de foto.

'Ik denk dat we minstens één straat verder van de haven moeten zijn.'

'Laten we even op Sun Yee wachten.'

'Bel hem op en zeg waar we naartoe gaan.'

Bosch liep door. Eleanor kon niets anders doen dan hem volgen.

'Oké, oké.'

Ze haalde haar telefoon tevoorschijn en belde Sun Yee. Tijdens het lopen keek Bosch schuin omhoog en zocht naar airconditioners onder de ramen. Een blok bestond hier uit meer dan één gebouw. Omdat hij omhoogkeek, liep hij een paar keer bijna tegen tegemoetkomende voetgangers aan. Ze schenen hier niet de stilzwijgende regel te hanteren dat je op de stoep rechts hield. De mensen krioelden door elkaar en Bosch moest opletten om botsingen te voorkomen. Op een zeker moment weken de mensen die voor hem liepen opeens naar links en naar rechts uit en struikelde hij bijna over een oude vrouw die op haar knieën op de stoep zat, met haar handen gevouwen boven een mandje met een paar muntje erin. Bosch kon haar nog net ontwijken en stak meteen zijn hand in zijn zak om haar iets te geven.

Snel legde Eleanor haar hand op zijn arm.

'Niet doen. Ze zeggen dat het geld dat je hun geeft nog dezelfde dag aan de triades wordt afgedragen.'

Bosch protesteerde niet en concentreerde zich weer op wat hem te doen stond. Ze liepen nog eens twee blokken door en toen zag en hoorde Bosch het volgende puzzelstukje op zijn plaats vallen. Aan de overkant van de straat was de ingang van de Mass Transit Railway. Een glazen bouwsel met roltrappen die naar het station van de ondergrondse leidden.

'Wacht,' zei Bosch, en hij bleef staan. 'We komen in de buurt.'

'Hoe weet je dat?' vroeg Eleanor.

'De ondergrondse. Die is te horen op de video.'

Alsof het zo was geregisseerd, hoorden ze het toenemende suizen van samengeperste lucht toen een trein het station binnenreed. Het klonk als een harde windvlaag. Bosch keek naar de fotoprint in zijn hand en liet zijn blik over de gebouwen in de nabije omgeving gaan.

'Laten we oversteken.'

'Kunnen we niet heel even op Sun Yee wachten? Ik kan hem niet zeggen waar we zijn als we maar blijven doorlopen.'

'Oké, als we zijn overgestoken.'

Het voetgangerslicht begon al te knipperen en ze haastten zich naar de overkant. Bij de ingang van de ondergrondse zag Bosch diverse in lompen geklede vrouwen om geld bedelen. Er kwamen meer mensen uit het station dan er naar binnen gingen. Het begon steeds drukker te worden in Kowloon. Het was benauwd door de hoge luchtvochtigheid en Bosch voelde zijn shirt op zijn rug plakken.

Hij draaide zich om en keek omhoog. Ze bevonden zich in een gedeelte met oudere gebouwen. Het leek wel alsof je vanuit de business-class in een vliegtuig ineens in de economyclass terechtkwam. De gebouwen in dit blok en verderop waren minder hoog – tot om en nabij de twintig verdiepingen – en in slechtere staat dan die in de blokken meer naar de haven toe. Harry zag veel open ramen en zelf aangebrachte airconditioners die eronder hingen. Hij voelde hoe binnen in hem het deksel van zijn adrenalinereservoir werd gelicht.

'Oké, hier is het. Ze is in een van deze flats.'

Hij wilde doorlopen, weg van de drukte en de schelle stemmen bij de ingang van de ondergrondse. Hij bleef naar de hogere verdiepingen van de gebouwen om hem heen kijken. Hij bevond zich in een betonnen vallei en ergens halverwege de kaarsrechte hellingen werd zijn dochter vastgehouden.

'Harry, wacht nou! Ik heb net tegen Sun Yee gezegd dat we bij de ingang van de ondergrondse op hem wachten.'

'Wacht jij maar op hem. Ik ga alvast kijken.'

'Nee, ik ga met je mee.'

Halverwege het blok bleef Bosch staan om nog eens naar de foto-print te kijken. Maar hij zag geen doorslaggevende aanwijzing. Hij wist dat hij dichtbij was maar dat hij was beland op een punt waar hij zonder hulp niet verder kwam, of het zou gokwerk worden. Hij werd omringd door honderden kamers en ramen. Het begon hem te dagen dat dit laatste deel van zijn missie zinloos was. Hij had twaalfduizend kilometer gevlogen om zijn dochter te vinden en nu was hij net zo hulpeloos als de vrouwen die op de stoep om kleingeld bedelden.

'Laat mij eens kijken,' zei Eleanor.

Bosch gaf haar de fotoprint.

'Er is verder niks te zien,' zei hij. 'Al die flats zien er hetzelfde uit.'

'Laat me toch maar even kijken.'

Ze nam er de tijd voor en Bosch veronderstelde dat ze in gedachten twee decennia terugging, naar de tijd dat ze bij de FBI werkte. De blik in haar ogen werd scherper en ze analyseerde de foto als FBI-agent, niet als de moeder van een vermist meisje.

'Oké,' zei ze. 'Er moet meer te vinden zijn.'

'Ik dacht dat de airconditioners meer duidelijkheid zouden geven, maar ze hebben ze overal.'

Eleanor knikte maar bleef naar de foto staren. Op dat moment kwam Sun aanlopen, met een verhit gezicht van zijn achtervolging van een doelwit dat zich maar bleef verplaatsen. Eleanor zei niets tegen hem maar ging naast hem staan zodat hij ook naar de fotoprint kon kijken. Ze hadden in hun relatie blijkbaar al de fase bereikt waarin woorden niet altijd nodig waren.

Bosch draaide zich om en liet zijn blik door de corridor van Nathan Road gaan. Of hij het bewust deed of niet, hij wilde niet zien wat hij niet langer had. Achter zich hoorde hij Eleanor zeggen: 'Wacht eens, er zit een patroon in.'

Bosch draaide zich weer naar haar om.

'Wat bedoel je?'

'We kunnen hier verder mee komen, Harry. Er zit een patroon in dat ons bij die specifieke kamer kan brengen.'

Bosch voelde een rilling als een geest langs zijn ruggengraat omhoog kruipen. Hij ging naast Eleanor staan om naar de fotoprint te kunnen kijken.

'Laat zien,' zei hij, en in beide woorden was de spanning duidelijk hoorbaar.

Eleanor wees naar de foto en ging met haar nagel langs de rij airconditioners die door het raam werd weerspiegeld.

'In de flat waarnaar we op zoek zijn zit niet onder elk raam de kast van een airconditioner. Bij deze kamer staan de ramen bijvoorbeeld open. Dus is er sprake van een patroon. Of alleen een stuk van een patroon, want we weten niet op welke breedte van het gebouw de kamer zich bevindt.'

'Waarschijnlijk in het midden. We hebben een geluidsspoor met een stem die abrupt wordt afgebroken als de liftdeur dichtgaat. En de lift is meestal in het midden.'

'Goed. Daar hebben we iets aan. Nou, laten we zeggen dat de ramen streepjes zijn en de airco's punten. In deze reflectie zien we het patroon van de verdieping waar zij zich bevindt. Als we beginnen met de kamer waar ze is – een streepje – dan krijgen we daarna punt, punt, streep, punt, streep.'

Ze tikte met haar nagel op de achtereenvolgende onderdeeltjes van het patroon op de foto.

'Dus dat is ons patroon,' vervolgde ze. 'En als we tegenover het gebouw staan, is de kijkrichting van links naar rechts.'

'Streep, punt, punt, streep, punt, streep,' herhaalde Bosch. 'Ramen zijn streepjes.'

'Ja,' zei Eleanor. 'Zullen we ieder een paar flats nemen? We weten door de ondergrondse dat we in ieder geval in de goede buurt zitten.'

Ze draaide zich om en keek op tegen de flat die doorliep over de hele breedte van het blok. Bosch' eerste reactie was dat hij het zoeken niet aan iemand anders wilde toevertrouwen. Hij zou niet rusten voordat hij alle verdiepingen van elke flat zelf had onderzocht. Maar hij hield zich in. Eleanor had het patroon ontdekt en had voor deze doorbraak gezorgd. Hij zou het doen zoals zíj het wilde.

'Goed, laten we beginnen,' zei hij. 'Welke flat neem ik?'

Eleanor wees en zei: 'Als jij die flat neemt, neem ik deze, en Sun Yee, jij neemt die daar. Als je klaar bent, loop je opzij en neem je de volgende. Zo gaan we door totdat we hem hebben gevonden. Begin bovenaan. We weten van de foto dat de kamer op een van de hogere verdiepingen moet zijn.'

Ze had gelijk, bedacht Bosch. Op deze manier zouden ze veel sneller opschieten dan hij had ingeschat. Hij liep weg en ging aan de slag met de flat die hem was aangewezen. Hij begon bovenaan, liet zijn blik langs de ramen gaan en werkte de verdiepingen stuk voor stuk af. Eleanor en Sun waren uiteengegaan en deden verderop hetzelfde.

Een half uur later, toen Bosch op de helft van zijn derde flat was, riep Eleanor hem.

'Ik zie het!'

Bosch haastte zich naar haar toe. Ze wees naar de flat aan de overkant van de straat. Even later kwam Sun bij hen staan.

'De veertiende verdieping. Het patroon begint een stukje rechts van het midden. Je had gelijk over die lift, Harry.'

Bosch keek omhoog, telde de verdiepingen en zijn hoop nam toe. Hij vond de veertiende en herkende het patroon. In totaal waren er twaalf ramen en het patroon kwam overeen met de zes aan de rechterkant.

'Hier moet het zijn.'

'Wacht nou even. Dit is pas één overeenkomst. Er kunnen er meer zijn. We moeten blijven...'

'Ik ga niet wachten. Zoeken jullie maar door. Als je nog een overeenkomst vindt, bel je me.'

'Nee, we splitsen ons niet op.'

Hij concentreerde zich op het raam waarin op de video de reflectie te zien moest zijn geweest. Dat was nu dicht.

Hij liet zijn blik verticaal over de voorgevel gaan en keek naar de ingang van de flat. De begane grond en de eerste werden bezet door winkels en bedrijfjes. Een band van lichtreclames met twee grote digitale beeldschermen liep over de hele breedte van de voorgevel. Hierboven, op een paneel met sierranden, in gouden letters en symbolen, stond de naam van het flatgebouw:

重慶大廈

De glazen deuren van de hoofdingang waren bijna vijf meter breed. Erdoorheen zag Bosch een korte trap die uitkwam op een winkelbazaar waar het zo te zien flink druk was.

'Dit is Chungking Mansions,' zei Eleanor, met een toon van herkenning in haar stem.

'Je kent het?' vroeg Bosch.

'Ik ben hier nooit binnen geweest, maar iedereen in Hongkong kent Chungking Mansions.'

'Wat is het voor iets?'

'Een smeltkroes. De goedkoopste plek om te wonen en de eerste stop voor immigranten uit de derde en vierde wereld. Die komen allemaal hier terecht. Om de paar maanden lees je dat er iemand is gearresteerd of doodgeschoten of neergestoken, en dan is dít altijd het adres. Een soort postmodern Casablanca... en dat allemaal in één flatgebouw.'

'Kom, we gaan.'

Bosch liep midden in het blok de straat op, wrong zich door het langzaam rijdende verkeer en dwong taxi's tot stoppen en hun claxon te gebruiken.

'Harry, wat doe je nou?' riep Eleanor hem na.

Bosch gaf geen antwoord. Hij bereikte de overkant, ging Chungking Mansions binnen en liep de treden naar de bazaar op. Het was alsof hij in een andere wereld terechtkwam.

28

Het eerste wat Bosch trof nadat hij Chungking Mansions was binnengegaan waren de geuren. Die van kruiden, specerijen en gewokt eten drongen zijn neus binnen terwijl zijn ogen zich aanpasten aan het flauwe licht van de inheemse markt, de stalletjes en de nauwe doorgangen die hij voor zich zag. De markt was nog maar net open, maar overal waar hij keek zag hij winkeliers en klanten. Bij de stalletjes, die maar twee meter breed waren, kon je alles kopen, van horloges en mobiele telefoons tot en met kranten in elke taal en etenswaren voor elke smaak. Er hing een gespannen, ongastvrije atmosfeer, die ervoor zorgde dat Bosch om de paar stappen achteromkeek. Hij wilde weten wie er achter hem liep.

Hij liep door naar het midden, waar hij de nis met de liften vond. Er waren twee liften, de ene met een rij van ongeveer vijftien wachtende mensen ervoor. De deur van de andere stond open en in de lift was het donker, dus Bosch nam aan dat die buiten gebruik was. Voor aan de rij stonden twee mannen van de bewaking die controleerden of iedereen die naar boven ging een kamersleutel had of met iemand was die een sleutel had. Boven de deur van de werkende lift was een videoscherm waarop het interieur van de liftcabine te zien was. Die was tot het maximum toelaatbare gevuld met mensen, als sardientjes in een blikje.

Bosch staarde naar het videoscherm en vroeg zich af hoe hij op de veertiende verdieping moest komen toen Eleanor en Sun kwamen aanlopen en Eleanor hem ruw bij zijn arm pakte.

'Harry, nu is het genoeg geweest met je soloacties. Je moet er niet steeds vandoor gaan.'

Bosch keek haar aan. Het was geen boosheid die hij in haar ogen zag. Het was angst. Ze wilde er zeker van zijn dat hij niet weer op de loop was wanneer ze geconfronteerd zou worden met wat hen mogelijkerwijs op de veertiende verdieping te wachten stond.

'Ik wil gewoon in beweging blijven,' zei Bosch.

'Dan doe je dat samen met ons, niet in je eentje. Gaan we naar boven?'

'We hebben een sleutel nodig om naar boven te mogen.'

'Dan zullen we een kamer moeten nemen.'

'Waar doen we dat?'

'Geen idee.'

Eleanor keek Sun aan.

'We moeten naar boven.'

Dat was het enige wat ze zei, maar de boodschap kwam over. Hij knikte, draaide zich om en ging hun voor, weg van de liften en dieper het labyrint van de winkelstalletjes in. Algauw kwamen ze bij een rij balies met bordjes in verschillende talen erop.

'Hier kun je een kamer huren,' zei Sun. 'Er is meer dan één hotel hier.'

'Hier in dit gebouw?' vroeg Bosch. 'Meer dan één?'

'Ja, meer hotels. Je kunt kiezen.'

Hij wees naar de bordjes op de balies. En Bosch begreep wat Sun bedoelde, dat er hier diverse hotels waren die allemaal met elkaar concurreerden en streden om de gunst van de klant met weinig geld. Aan de taal op de bordjes te zien richtten sommige hotels zich op gasten uit specifieke landen.

'Vraag welk hotel de veertiende verdieping heeft,' zei hij.

'Er zal geen veertiende zijn.'

Bosch besefte dat hij gelijk had.

'De vijftiende dan. Welk hotel heeft de vijftiende?'

Sun ging de balies af en informeerde naar de vijftiende verdieping, tot hij bij de derde bleef staan en Eleanor en Bosch naar zich toe wenkte.

'Hier.'

Bosch keek naar de man achter de balie. Hij zag eruit alsof hij hier al veertig jaar zat. Zijn peervormige lichaam leek zich te hebben gevormd naar de kruk waarop hij zat. Hij rookte een sigaret in een tien centimeter lang pijpje van bewerkt been. Hij wilde blijkbaar geen rook in zijn ogen krijgen.

'Spreek je Engels?' vroeg Bosch.

'Ja, ik doe Engels,' zei de man vermoeid.

'Mooi. We willen een kamer op de veer... vijftiende verdieping.'

'Jullie allemaal? Eén kamer?'

'Ja, één kamer.'

'Nee, kan niet. Maar twee personen.'

Bosch begreep hieruit dat twee personen per kamer het maximum was.

'Geef me dan twee kamers op de vijftiende.'

'Goed.'

De man schoof een klembord over de balie. Er zat een touwtje met een pen aan het klembord en op het bord zat een dun stapeltje inschrijvingsformulieren. Bosch vulde snel het formulier in en schoof het klembord terug over de balie.

'Legitimatie, paspoort,' zei de man.

Bosch legde zijn paspoort op de balie en de man bladerde het door. Hij schreef het nummer op een los blaadje en gaf het paspoort terug.

'Hoeveel?' vroeg Bosch.

'Hoe lang blijven jullie?'

'Tien minuten.'

De man keek hen alle drie enige tijd aan alsof hij zich afvroeg wat Bosch' antwoord te betekenen kon hebben.

'Kom op,' zei Bosch ongeduldig. 'Hoeveel?'

Hij stak zijn hand in zijn zak en haalde de stapel geld eruit.

'Tweehonderd Amerikaans.'

'Ik heb geen Amerikaans. Ik heb Hongkong-dollars.'

'Twee kamers, één duizend vijfhonderd.'

Sun deed een stap naar voren en legde zijn hand op Bosch' geld.

'Nee. Te veel.'

Hij begon snel en op autoritaire toon tegen de man te praten, stond niet toe dat hij misbruik van Bosch maakte. Maar het kon Harry niet schelen. Hij wilde naar boven, het geld maakte hem niet uit. Hij haalde drie biljetten van vijfhonderd van zijn stapel en gooide ze op de balie.

'De sleutels,' zei hij op commanderende toon.

De man draaide zich weg van Sun en keek naar de dubbele rij vakjes achter hem. Terwijl hij twee sleutels uitkoos, keek Bosch naar Sun en haalde zijn schouders op.

Maar toen de man zich weer omdraaide en Bosch zijn hand ophield, trok de man zijn hand met de sleutels weer terug.

'Eén duizend sleutelgeld.'

Bosch wist dat hij zijn stapel geld nooit had moeten laten zien. Toch haalde hij die weer uit zijn zak, hield hem deze keer uit het zicht en trok er nog twee biljetten van af. Met een klap legde hij ze op de balie. Toen de man hem eindelijk de sleutels voorhield, griste Harry ze uit zijn hand en begon hij terug te lopen naar de liften.

Het waren ouderwetse bronzen sleutels met rode, plastic hangers in de vorm van een diamant, met Chinese symbolen en het kamernummer erop. Ze hadden kamer 1503 en 1504 gekregen. Op weg naar de liften gaf Bosch een van de sleutels aan Sun.

'Je mag met hem of met mij mee,' zei hij tegen Eleanor.

De rij bij de liften was langer geworden. Er stonden nu meer dan dertig mensen en op het videoscherm was te zien dat de twee mannen van de bewaking per keer niet meer dan acht tot tien personen, afhankelijk van hoe groot ze waren, in de lift lieten stappen. Bosch beleefde de langste vijftien minuten van zijn leven terwijl ze stonden te wachten totdat ze mochten instappen. Eleanor probeerde zijn groeiende ongeduld en ongerustheid te temperen door iets tegen hem te zeggen.

'Als we boven zijn, wat is dan het plan?'

Bosch schudde zijn hoofd.

'Geen plan. We spelen de kaarten zoals we ze gedeeld krijgen.'

'O ja? Wat gaan we dan doen, op alle deuren kloppen?'

Bosch schudde zijn hoofd en hield de fotoprint van de reflectie in het raam weer op.

'Nee, we rekenen uit welke kamer het is. Deze kamer heeft één raam. Eén raam per kamer. Daardoor weten we dat ons raam het zevende aan de kant van Nathan Road moet zijn. Als we boven zijn, tellen we vanaf het eind zeven kamers af en stormen daar naar binnen.'

'Stormen?'

'Ik ben niet van plan aan te kloppen, Eleanor.'

De rij bewoog naar voren en eindelijk waren ze aan de beurt. De man van de bewaking keek naar Bosch' sleutel en liet hem en Eleanor doorlopen naar de liftdeur, maar daarna stak hij zijn arm uit en hield Sun tegen. De lift was vol.

'Harry, wacht,' zei Eleanor. 'Laten we de volgende nemen.'

Bosch stapte de lift in en draaide zich om. Hij keek eerst Eleanor en toen Sun aan.

'Jullie mogen wachten als je dat wilt. Ik wacht niet.'

Eleanor aarzelde een moment en stapte toen naast Bosch in de lift. Voordat de deur dichtschoof riep ze in het Chinees iets naar Sun.

Bosch keek omhoog naar het schermpje dat de verdiepingen aangaf.

'Wat zei je tegen hem?'

'Dat we op de vijftiende op hem wachten.'

Bosch zei niets. Het kon hem niet schelen of Sun erbij was of niet. Hij maande zichzelf tot kalmte en probeerde langzaam en regelmatig adem te halen. Hij bereidde zich voor op wat hij op de vijftiende zou aantreffen, of wat hem daar te wachten stond.

De lift ging maar langzaam omhoog. Het stonk naar zweet en vis in de cabine. Bosch ademde door zijn mond om aan de stank te ontkomen. Hij besefte dat hij zelf ook bijdroeg aan het probleem. Hij had voor het laatst gedoucht op vrijdagochtend, in Los Angeles. Nu leek dat een eeuwigheid geleden.

De tocht naar boven leek nog langer te duren dan het wachten beneden. Eindelijk, na vier tussenstops, stopte de lift op de vijftiende. Er stonden toen nog maar vier mensen in de lift: Eleanor, Bosch en twee mannen die op de zestiende moesten zijn. Bosch keek de twee mannen aan en haalde zijn hand over alle knoppen onder die van de vijftiende. Dat hield in dat de lift op weg naar beneden talloze keren zou stoppen. Bosch stapte als eerste uit, met zijn linkerhand achter zijn rug en klaar om het pistool te trekken zodra het nodig was. Eleanor kwam hem achterna.

'Ik neem aan dat we niet op Sun Yee wachten?' zei ze.

'Ik niet.'

'Ik vind dat hij erbij moet zijn.'

Bosch draaide zich met een ruk naar haar om.

'Nee, dat is nergens voor nodig.'

Ze stak haar handen op in een gebaar van overgave en deed een stap achteruit. Het was nu niet het moment om ruzie te maken. Ze wist in ieder geval hoe hij erover dacht. Bosch draaide zich om en probeerde zich te oriënteren. De nis met de liften was in het midden van drie gangen die tezamen een H vormden. Hij koos voor de rechtergang, want hij wist dat die aan de kant van Nathan Road was.

Onmiddellijk begon hij deuren te tellen en hij kwam uit op twaalf aan die kant van de gang. Hij liep terug naar de zevende deur, van kamer 1514. Zijn hartslag was naar een hogere versnelling geschakeld en hij had het gevoel dat er elektrische stroom door zijn lichaam ging. Dit was het moment. Hiervoor was hij naar Hongkong gekomen.

Hij boog zich naar voren en bracht zijn ene oor zo dicht mogelijk bij de deur. Hij luisterde ingespannen maar hoorde geen enkel geluid in de kamer.

'Hoor je iets?' fluisterde Eleanor.

Bosch schudde zijn hoofd. Hij legde zijn hand op de deurknop en probeerde die om te draaien. Hij had niet verwacht dat de deur niet op slot zou zijn, maar hij wilde het sluitwerk checken, wilde voelen hoe stevig alles hier in elkaar zat.

De deurknop was oud en versleten, en er zat speling in. Bosch moest besluiten of hij de deur zou intrappen en gebruik zou maken van de complete verrassing, of dat hij het slot zou openen met zijn haakjes en daarbij misschien een geluid maakte dat degene aan de andere kant van de deur, wie dat ook was, zou alarmeren.

Hij steunde met één knie op de grond en bekeek de deurknop aandachtig. Het slot leek redelijk gemakkelijk te openen, maar er kon een grendel of een veiligheidsketting aan de binnenkant zitten. Hij bedacht iets en stak zijn hand in zijn zak.

'Ga naar onze kamer,' fluisterde hij tegen Eleanor. 'Kijk of er een grendel of een ketting op de deur zit.'

Hij gaf haar de sleutel van kamer 1504.

'Nu?' fluisterde Eleanor.

'Ja, nu,' fluisterde Bosch terug. 'Ik wil weten hoe het er aan de binnenkant uitziet.'

Ze pakte de sleutel aan en liep verder de gang in. Bosch haalde het leren mapje met zijn politiepenning uit zijn zak. Voordat hij op het vliegveld door de detector was gegaan, had hij zijn twee beste slothaakjes achter het leer gestoken. Hij wist dat de penning door de detector zou worden gezien, maar dat de dunne stalen haakjes erachter misschien zouden worden beschouwd als een deel van het mapje. Het plan was geslaagd en nu haalde hij de haakjes eruit en stak ze zo geruisloos mogelijk in het slot in de deurknop.

Het kostte hem nog geen minuut om het slot te openen. Hij hield de knop vast, zonder de deur te openen, totdat Eleanor door de flauw verlichte gang kwam teruglopen.

'Alleen een ketting,' fluisterde ze.

Bosch knikte en richtte zich op, met zijn rechterhand nog steeds op de deurknop. Hij wist dat hij de ketting gemakkelijk met een flinke duw van zijn schouder zou kunnen forceren.

'Klaar?' fluisterde hij.

Eleanor knikte. Bosch bracht zijn linkerhand onder zijn jasje naar zijn rug en trok het pistool. Hij zette de veiligheidspal om en keek Eleanor aan. Samen en op hetzelfde moment mimeden ze de woorden *één, twee, drie* en Bosch duwde de deur open.

Er zat geen veiligheidsketting op. De deur zwaaide helemaal open en onmiddellijk stond Bosch binnen. Eleanor kwam hem achterna.

Er was niemand in de kamer.

29

Bosch liep door naar de kleine badkamer. Hij sloeg het vieze, plastic gordijn opzij en zag een betegelde douchecabine, maar ook daar was niemand. Hij liep terug naar de kamer, keek Eleanor aan en zei de woorden die hij niet wilde zeggen.

'Ze is er niet meer.'

'Weet je zeker dat dit de juiste kamer is?' vroeg ze.

Bosch was ervan overtuigd. Hij had de barsten en spijkergaten in de muur boven het bed al herkend. Hij haalde de opgevouwen fotoprint uit zijn binnenzak en gaf die aan haar.

'Kijk maar. Dit is de kamer.'

Hij stak het pistool weer achter de band van zijn broek. Hij voelde zich naïef en machteloos, en probeerde zich tegen die gevoelens te verzetten. Maar hij wist niet goed hoe ze nu verder moesten.

Eleanor liet de fotoprint op het bed vallen.

'Misschien is er iets te vinden wat erop duidt dat ze hier is geweest. Een of ander spoor.'

'We kunnen beter gaan. We gaan beneden met de man van het hotel praten. We moeten te weten zien te komen aan wie hij de kamer afgelopen vrijdag heeft verhuurd.'

'Nee, wacht. We moeten eerst rondkijken.'

Ze liet zich op haar knieën vallen en keek onder het bed.

'Eleanor, ze ligt heus niet onder het bed. Ze is weg en we moeten opschieten. Bel Sun en zeg dat hij niet naar boven hoeft te komen. Zeg tegen hem dat hij de auto gaat halen.'

'Nee, dit kan niet waar zijn.'

Ze richtte haar bovenlichaam op, zat nog op haar knieën naast het bed en zette haar ellebogen op het matras, als een kind dat voor het slapengaan zijn gebedje zegt.

'Ze kán niet weg zijn. We...'

Bosch ging achter haar staan en boog zich. Hij stak zijn onderarmen onder haar oksels en trok haar overeind.

'Kom op, Eleanor, we moeten echt gaan. We vinden haar heus wel terug. Dat heb ik je beloofd. Maar we moeten nu weg. Daar gaat het om. We moeten sterk blijven en verder zoeken.'

Hij stuurde haar in de richting van de deur, maar ze rukte zich los en liep terug naar de badkamer. Ze wilde zelf zien dat er niemand was.

'Eleanor, alsjeblieft.'

Ze ging de badkamer binnen en Bosch hoorde haar het douchegordijn opentrekken. Maar ze kwam niet terug.

'Harry!'

Snel liep Bosch door de kamer naar de badkamer. Eleanor stond naast het toilet met de prullenmand in haar handen. Ze draaide zich om en liet hem erin kijken. Op de bodem lag een propje wc-papier met bloed erop.

Eleanor nam het voorzichtig tussen twee vingers en hield het op. Het bloedvlekje was kleiner dan een muntje van tien dollarcent. Door de grootte en de vorm op het wc-papier vermoedde Bosch dat het bloed afkomstig was van een klein sneetje of wondje en dat het papier erop was gedrukt om het bloeden te stoppen.

Eleanor leunde tegen Bosch aan en hij wist dat zij ervan uitging dat ze naar het bloed van hun dochter keken.

'We weten nog niet wat dit te betekenen heeft, Eleanor.'

Zijn poging om haar gerust te stellen werd genegeerd. Haar lichaamstaal gaf aan dat ze op instorten stond.

'Ze hebben haar platgespoten,' zei ze. 'Ze hebben een injectienaald in haar arm gestoken.'

'Dat weten we nog niet. Kom, we gaan naar beneden om met de man van het hotel te praten.'

Ze verroerde zich niet. Ze staarde naar het bloed op het papier alsof het een roodwitte bloem was.

'Heb je iets bij je om dit in te doen?'

Bosch had altijd een stel afsluitbare bewijszakjes in de zakken van zijn jasje. Hij haalde er een uit en Eleanor deed de prop papier erin. Harry sloot het zakje en stak het in zijn zak.

'Oké, laten we gaan.'

Eindelijk konden ze de kamer verlaten. Bosch had zijn arm losjes om Eleanors middel geslagen en keek naar haar gezicht toen ze de gang op liepen. Hij hield rekening met de mogelijkheid dat ze zich losrukte en de kamer weer in rende. Maar toen ze de gang in keek, zag hij opeens een flits van herkenning in haar ogen.

'Harry?'

Bosch draaide zich om, verwachtte dat het Sun zou zijn. Maar het was Sun niet.

Vanaf het eind van de gang kwamen twee mannen hun kant op. Ze liepen naast elkaar, met doelbewuste stappen. Bosch herkende ze als de twee die als laatsten bij hen in de lift hadden gestaan. Ze waren op weg geweest naar de zestiende.

Zodra de mannen Harry en Eleanor de gang op zagen komen, ging van allebei de hand onder het jasje naar de broekriem. Bosch zag de ene man iets vastgrijpen en wist onmiddellijk dat het een vuurwapen was.

Bosch bracht zijn rechterhand naar het midden van Eleanors rug en duwde haar naar de andere kant van de gang in de richting van de liften. Tegelijkertijd bracht hij zijn linkerhand achter zijn rug en trok zijn pistool. Een van de mannen riep iets in een taal die Bosch niet verstond en bracht zijn wapen omhoog.

Bosch deed hetzelfde met het zijne en bleef staan om te richten. Hij opende het vuur op het moment dat er door een van de mannen aan de andere kant van de gang op hem werd geschoten. Bosch vuurde snel achter elkaar, loste minstens tien schoten, en nog een toen hij beide mannen zag neergaan.

Met zijn pistool gericht liep hij op de mannen af. De ene lag dwars over de benen van de andere. De ene man was dood, staarde zonder iets te zien naar het plafond. De andere was nog in leven en ademde oppervlakkig terwijl hij nog steeds probeerde zijn wapen achter zijn broekband vandaan te trekken. Bosch keek op hem neer en zag dat de hamer van het pistool in de stof was blijven haken. Hij had niet eens de kans gekregen zijn wapen te trekken.

Bosch bukte zich, trok de hand van de man van het wapen en rukte het ruw achter de broekband vandaan. De hand van de man viel op de vloer. Bosch gooide het pistool buiten zijn bereik op de vloerbedekking.

In de bovenborst van de man zaten twee kogelwonden. Bosch had op lichaamsmassa gericht en had die ook geraakt. De man zou snel doodbloeden.

'Waar is ze?' vroeg Bosch. 'Waar is ze?'

De man kreunde en er kwam bloed uit zijn mond, dat langs zijn gezicht liep. Bosch wist dat hij over een minuut dood zou zijn.

Bosch hoorde achter zich een deur opengaan en meteen daarna weer dichtgaan. Hij keek om maar zag niemand. In een oord als dit wilden de mensen liever nergens bij betrokken raken. Toch wist hij dat het niet lang zou duren voordat de politie het gebouw zou komen binnenstormen omdat iemand de schietpartij had gemeld.

Hij keek weer naar de stervende man.

'Waar is ze?' vroeg hij opnieuw. 'Waar is mijn…'

Hij zag dat de man dood was.

'Shit!'

Bosch stond op en draaide zich om naar de liften, waar Eleanor was.

'Ik denk dat ze…'

Ze lag op de grond. Bosch rende naar haar toe en liet zich naast haar op zijn knieën vallen.

'Eleanor!'

Hij was te laat. Haar ogen waren open en de blik erin was net zo doods als die van de man verderop in de gang.

'Nee, nee, alsjeblieft, nee! Eleanor!'

Hij zag geen kogelwond, maar ze ademde niet en haar ogen reageerden nergens op. Hij pakte haar bij de schouders en schudde haar door elkaar, maar ook dat leverde geen reactie op. Hij legde zijn ene hand achter haar hoofd en opende haar mond met de andere. Hij bracht zijn gezicht bij het hare om lucht in haar longen te blazen. Op dat moment voelde hij de wond. Hij haalde zijn hand van haar hoofd en zag dat die vol bloed zat. Hij draaide haar hoofd om en zag de wond op de haargrens achter haar linkeroor. Hij bedacht dat ze waarschijnlijk was geraakt toen hij haar in de richting van de liften duwde. Hij had haar in de baan van het schot geduwd.

'Eleanor,' zei hij zacht.

Bosch boog zich voorover en drukte zijn gezicht tussen haar borsten. Hij rook haar vertrouwde lichaamsgeur. Hij hoorde een harde, hartverscheurende kreun en besefte dat die uit zijn eigen mond kwam.

Een halve minuut lang verroerde hij zich niet. Hij hield zijn gezicht tegen haar aan gedrukt. Pas toen hij achter zich de liftdeur hoorde opengaan, richtte hij zich op.

Sun kwam de lift uit. Hij zag Bosch op de grond zitten en meteen daarna ging zijn blik naar Eleanor.

'Eleanor!'

Hij viel aan haar andere kant op zijn knieën. Bosch besefte dat het de eerste keer was dat hij Sun Yee haar naam had horen uitspreken. Het klonk als 'Ielianoor'.

'Ze is dood,' zei Bosch. 'Het spijt me.'

'Wie heeft dit gedaan?'

Bosch krabbelde overeind. Zijn stem klonk vlak.

'Daar. Die twee namen ons onder vuur.'

Sun keek de gang in en zag de twee mannen op de grond. Bosch zag verwarring en afschuw op zijn gezicht. Daarna keek hij weer naar Eleanor.

'Nee!'

Bosch liep de gang in en raapte het pistool op dat hij de ene man had afgenomen. Zonder het te bekijken stak hij het achter zijn broekband en liep terug naar de nis met de liften. Sun zat op zijn knieën naast het roerloze lichaam van Eleanor. Hij hield haar hand in de zijne.

'Sun Yee, het spijt me heel erg. Ze hebben ons verrast.'

Hij wachtte even. Sun zei niets en verroerde zich niet.

'Ik moet nog iets doen en dan moeten we hier echt weg. Ik weet zeker dat de politie onderweg is.'

Hij legde zijn hand op Suns schouder en trok hem voorzichtig achteruit. Bosch hurkte naast Eleanor neer en tilde haar rechterarm op. Hij boog haar vingers om de kolf van het pistool dat hij van Sun had gekregen. Hij richtte op de muur naast de lift en drukte op haar wijsvinger om het schot te lossen. Daarna legde hij haar arm voorzichtig terug op de vloer, met het pistool nog in haar hand.

'Wat doe je nu?' wilde Sun weten.

'Kruitsporen. Is dit een schoon wapen, of is het te herleiden tot degene van wie je het hebt gekregen?'

Sun zei niets.

'Sun Yee, is dit pistool schoon?'

'Ja, het is schoon.'

'Kom dan mee, we moeten echt gaan. We nemen de trap. We kunnen niks meer voor Eleanor doen.'

Sun boog even het hoofd en stond langzaam op.

'Ze zijn via de trap naar beneden gekomen,' zei Bosch, doelend op de twee schutters. 'Zo doen wij het ook.'

Ze liepen de gang door, maar toen ze bij de twee mannen op de vloer kwamen, bleef Sun opeens staan.

'Kom nou mee,' drong Bosch aan. 'We hebben geen tijd.'

Ten slotte kwam Sun weer in beweging. Ze kwamen bij het trappenhuis en liepen de trap af.

'Het zijn geen triademensen,' zei Sun.

Bosch liep een paar meter voor hem uit. Hij bleef staan en keek om.

'Wat? Hoe weet je dat?'

'Het zijn geen Chinezen. Geen Chinees, geen triade.'

'Wat zijn het dan?'

'Indonesiërs, Vietnamezen... ik denk Vietnamezen. Geen Chinezen.'

Bosch begon de trap weer af te dalen en voerde het tempo op. Ze hadden nog elf etages te gaan. Tijdens het lopen dacht hij aan wat Sun zonet had gezegd, maar hij had geen idee hoe hij dit brokje informatie moest inpassen in wat ze al wisten.

Sun raakte verder achter. Geen wonder, dacht Bosch. Op het moment dat Sun uit de lift was gestapt, was zijn leven onherroepelijk veranderd. Daar zou iedereen langzamer van gaan lopen.

Algauw was Bosch hem een hele verdieping voor. Toen hij de begane grond had bereikt, opende hij de deur van de nooduitgang op een kier om te zien waar hij was. De deur kwam uit op een smal voetgangerssteegje tussen Chungking Mansions en het flatgebouw ernaast. Bosch hoorde verkeersgeluiden en naderende sirenes, dus hij wist dat ze vlak bij Nathan Road moesten zijn.

Opeens ging de deur dicht. Bosch draaide zich om en zag dat Sun hem met vlakke hand dicht had geduwd. Met zijn andere hand wees hij woedend naar Bosch.

'Jij! Jij hebt haar laten doodschieten!'

'Ik weet het. Ik weet het, Sun Yee. Het is allemaal mijn schuld. Het komt door mijn politieonderzoek dat dit...'

'Nee, het zíjn geen triademannen. Dat heb ik je gezegd.'

Bosch bleef hem even aankijken, begreep niet wat Sun bedoelde.

'Jij wappert met je geld en dan word je beroofd.'

Nu begreep Bosch het. Sun beweerde dat de twee mannen die met Eleanor dood op de vijftiende verdieping lagen alleen op Bosch' geld uit waren geweest. Maar dan begreep hij het nog steeds niet. Het klopte niet. Harry schudde zijn hoofd.

'Ze stonden vóór ons in de rij bij de liften. Ze hebben mijn geld niet gezien.'

'Dat is ze verteld.'

Bosch dacht hierover na en kwam uit bij de receptionist op de kruk achter de balie. Hij had de man toch al een bezoekje willen brengen. Door Suns scenario was het noodzakelijk dat meteen te doen.

'Hoor eens, Sun Yee, we moeten hier weg. Als de politie boven is geweest en heeft gezien wat er is gebeurd, wordt het hele gebouw afgegrendeld.'

Sun haalde zijn hand van de deur en Bosch deed hem weer open. De kust was veilig. Ze liepen naar buiten en bleven daar staan. Een meter of zeven links van hen kwam het steegje uit op Nathan Road.

'Waar staat de auto?'

Sun wees naar de andere kant van het steegje.

'Ik heb iemand betaald om erop te letten.'

'Goed. Ga de auto halen en wacht op me bij de hoofdingang. Ik ga daar naar binnen, maar over vijf minuten ben ik weer buiten.'

'Wat ga je doen?'

'Dat wil je niet weten.'

30

Bosch liep het steegje uit, kwam op Nathan Road en stond onmiddellijk oog in oog met een grote groep belangstellenden die toekeken terwijl politieagenten Chungking Mansions binnenrenden in reactie op de melding die was gedaan. Er stopten nog meer politie- en brandweerwagens voor de deur, wat een verkeerschaos en meer verwarring teweegbracht. Het gebouw was nog niet afgezet aangezien de politiemensen het waarschijnlijk belangrijker vonden om naar de vijftiende verdieping te gaan en te zien wat er had plaatsgevonden. Het lukte Harry om mee te lopen met een groepje ambulancebroeders met een brancard en zo de eerste verdieping te bereiken.

De commotie en verwarring hadden veel winkeliers en klanten in de richting van de liften gedreven. Iemand blafte in het Chinees orders naar de mensen, maar niemand leek zich er iets van aan te trekken. Bosch werkte zich door de massa en liep door naar het achterste gangpad met de balies van de hotels. Hij zag dat de verwarring in zijn voordeel werkte. Er was niemand te zien in het gangpad.

Toen hij bij de balie kwam waar hij de twee kamers had gehuurd, zag hij dat het stalen rolluik aan het plafond al half omlaag was getrokken om aan te geven dat de balie gesloten was. Maar de receptionist was er nog; hij zat op zijn kruk met zijn rug naar Bosch toe aan het achterste werkblad, waar hij zijn papieren in een attachékoffertje deed. Zo te zien maakte hij zich op om naar huis te gaan.

Zonder vaart te minderen nam Bosch een snoekduik, gleed over de balie onder het rolluik door en kegelde de receptionist van zijn kruk. De man viel op de grond, Bosch dook boven op hem en sloeg hem twee keer hard met zijn vuist in het gezicht. Het achterhoofd van de man rustte op de betonnen vloer, dus hij moest de volle kracht van de slagen incasseren.

'Nee, alsjeblieft!' wist de man tussen de eerste en de tweede slag uit te brengen.

Bosch draaide snel zijn hoofd om en keek over de balie of de kust nog steeds veilig was. Toen trok hij het pistool achter zijn broekband vandaan en drukte de loop in de vetrol onder de kin van de man.

'Jij hebt haar laten vermoorden, smerige schoft. En nu ga jij eraan.'

'Nee, alsjeblieft! Meneer, alsjeblieft!'

'Jij hebt ze ingeseind, waar of niet? Jij hebt ze verteld dat ik geld had.'

'Nee, dat is niet waar.'

'Lieg verdomme niet tegen me of ik schiet je meteen voor je raap. Jij hebt ze achter ons aan gestuurd.'

De man tilde zijn hoofd een stukje van de vloer.

'Oké, luister, luister, alsjeblieft. Ik heb gezegd dat niemand gewond mocht raken. Begrijp je? Dat niemand iets…'

Bosch trok het pistool onder de kin vandaan en sloeg hard met de loop op de neus van de man. Zijn hoofd vloog achteruit en raakte de betonnen vloer. Bosch drukte de loop weer onder zijn kin.

'Het kan me niet verdommen wat je hebt gezegd. Ze hebben haar doodgeschoten, klootzak! Hoor je me?'

De man duizelde en bloedde, knipperde met zijn ogen en dreigde buiten kennis te raken. Met zijn rechterhand gaf Bosch hem een klap op zijn wang.

'Wakker blijven. Ik wil dat je ziet wat ik met je ga doen.'

'Alsjeblieft, nee… het spijt me heel erg, meneer. Laat me alsjeblieft…'

'Goed dan. Wat we gaan doen is het volgende. Als je wilt blijven leven, vertel je me wie afgelopen vrijdag kamer 1514 heeft gehuurd. Kamer 1514. Dat ga je me nu vertellen.'

'Oké, ik zal het vertellen. Ik laat het je zien.'

'Goed dan. Laat zien.'

Bosch richtte zich op. De man bloedde uit zijn neus en mond, en Bosch bloedde zelf uit de knokkels van zijn linkerhand. Hij draaide zich snel opzij en trok het rolluik helemaal tot op de balie.

'Laat zien. Nu.'

'Oké, het zit hierin.'

Hij wees naar het koffertje dat hij zonet aan het inpakken was. Hij stak zijn hand erin en Bosch richtte het pistool op zijn hoofd.

'Rustig aan.'

De man haalde een stapel inschrijvingsformulieren uit het koffertje. Bosch zag zijn eigen formulier bovenop liggen. Hij stak zijn hand uit, trok het van de stapel, maakte er een prop van en stak die in de zak van zijn jasje. Terwijl hij dat deed, bleef hij het pistool op het hoofd van de man richten.

'Vrijdag, kamer 1514. Schiet op.'

De man legde de stapel formulieren op het achterste werkblad en begon ze door te nemen. Bosch wist meteen dat hij probeerde tijd te rekken. De politie kon ieder moment bij de hotelbalies arriveren en dan zouden ze worden gevonden. Er was minstens een kwartier verstreken sinds de schietpartij op de vijftiende. Hij zag een bergplank onder de balie en legde het pistool erop. Als de politie hem hier met een pistool aantrof, zou hij hoe dan ook de cel in gaan.

Toen hij het pistool van de overvaller op de plank zag liggen, drong het besef tot hem door dat hij zijn ex-vrouw, en de moeder van zijn dochter, dood en alleen op de vijftiende verdieping had achtergelaten. De pijn stak als een speerpunt in zijn borstkas. Even kneep hij zijn ogen dicht om het besef en het beeld uit zijn hoofd te verdrijven.

'Hier is het.'

Bosch deed zijn ogen open. De man draaide zich naar hem om vanaf het achterste werkblad. Bosch hoorde het kenmerkende geluid van flitsend metaal. Hij zag de zwaai die de rechterarm van de man vanaf zijn zij inzette en Bosch wist dat hij een mes in zijn hand had voordat hij het had gezien. In een fractie van een seconde besloot hij de uithaal te blokkeren in plaats van die af te weren. Hij wierp zich naar voren, tegen de man aan, hief zijn linkeronderarm om de aanval te blokkeren en haalde met zijn rechtervuist uit naar het strottenhoofd van de man.

Het mes drong door de mouw van Bosch' jasje en hij voelde hoe het lemmet de binnenkant van zijn onderarm opensneed. Maar dat was alle schade die hij opliep. Door de slag op zijn strottenhoofd vloog de man achteruit en struikelde over de omgevallen kruk. Bosch dook boven op hem, greep de pols van de hand met het mes vast en ramde die op het beton totdat het mes op de vloer kletterde.

Bosch richtte zich op maar bleef de man bij zijn keel vasthouden en tegen de vloer drukken. Hij voelde het bloed uit de snee langs zijn arm lopen. Hij dacht weer aan Eleanor, die dood op de vijftiende verdieping lag. Haar leven en al het andere waren haar afgenomen voordat ze een woord had kunnen zeggen. Voordat ze haar dochter ongedeerd had mogen terugzien.

Bosch hief zijn linkervuist en sloeg de man snoeihard op de ribben. Hij bleef hem slaan, op het bovenlichaam en zijn gezicht, totdat hij er zeker van was dat de meeste ribben en de kaak waren gebroken en de man voorlopig niet meer bij kennis zou komen.

Bosch was door het dolle heen. Hij raapte het knipmes van de vloer, vouwde het dicht en stak het in zijn zak. Hij kroop van het roerloze lichaam van de man en begon de gevallen inschrijvingsformulieren bij elkaar te zoeken. Daarna stond hij op, deed ze terug in het koffertje en sloot het deksel. Hij boog zich over de balie en gluurde onder het rolluik door. Er was nog steeds niemand te zien in het gangpad, maar vanaf de kant waar de liften waren werden met een megafoon commando's geroepen. Hij wist wat de procedure was, dat de politie het hele gebouw zou afgrendelen.

Hij schoof het stalen rolluik een halve meter omhoog, pakte het pistool van de plank en stak het op zijn rug achter de band van zijn broek. Hij klom met het koffertje over de balie en kroop eronderdoor. Nadat hij had gecheckt of hij geen bloed op de balie had achtergelaten, trok hij het rolluik omlaag en liep weg.

Al lopende hield Bosch zijn arm op om door de scheur in zijn mouw de wond te bekijken. De snee was niet diep, maar er kwam veel bloed uit. Hij rolde de mouw van zijn jasje op om het bloeden zo veel mogelijk te stelpen en keek op de vloer achter zich om te zien of hij geen druppels bloed had achtergelaten.

Bij de nis met de liften werden de mensen opgevangen door de politie en naar buiten gebracht, hoogstwaarschijnlijk om te worden ondervraagd over wat ze hadden gezien of gehoord. Bosch wist dat hij dat moest zien te vermijden. Hij maakte rechtsomkeert en liep door het gangpad naar de andere kant van het gebouw. Hij kwam bij een kruispunt van paden en links van hem, in een flits, zag hij twee mannen die zich zo te zien ook uit de voeten probeerden te maken.

Bosch ging de twee achterna, begreep dat hij niet de enige was die niet door de politie wilde worden verhoord.

De mannen schoten een smalle doorgang tussen twee gesloten winkeltjes in. Bosch deed hetzelfde.

De doorgang kwam uit op de trap naar een kelder met talloze kisten en kratten om de kleine winkeltjes erboven te bevoorraden. Bosch volgde de mannen erlangs en zag ze aan het eind rechts afslaan. Ze liepen naar een deur met een rood Chinees symbool erboven en Bosch wist dat het een soort nooduitgang moest zijn. Toen de mannen de deur open duwden, ging er een alarm af. Ze schoten naar buiten en gooiden de deur achter zich dicht.

Bosch rende naar de deur en toen was hij ook buiten. Hij stond in hetzelfde steegje waar hij eerder was geweest. Hij haastte zich naar Nathan Road en ging op zoek naar Sun en de Mercedes.

Een half blok verderop knipperden de koplampen van een auto en Bosch herkende de Mercedes, die achter het groepje kriskras geparkeerde politiewagens voor de ingang van Chungking Mansions stond te wachten. De auto reed weg van de stoeprand en kwam zijn kant op. Bosch wilde eerst achter instappen, maar toen besefte hij dat Eleanor niet meer bij hen was. Hij stapte voor in.

'Dat heeft lang geduurd,' zei Sun.

'Ja. Kom op, we moeten hier weg.'

Sun keek naar het koffertje en naar de bloedende knokkels van Bosch' hand om het handvat. Hij zei niets. Hij gaf gas en reed weg van Chungking Mansions. Bosch draaide zich om in zijn stoel en keek door de achterruit. Zijn blik ging omhoog, naar de verdieping waar ze Eleanor hadden moeten achterlaten. Op de een of andere manier had Bosch altijd geloofd dat ze samen oud zouden worden. Hun scheiding deed er niet toe. Andere minnaars of minnaressen deden er evenmin toe. Ze hadden altijd een aan-uitrelatie gehad, maar ook dat deed er niet toe. Diep in zijn hart had hij altijd geloofd dat hun scheidingen van tijdelijke aard waren. Dat ze uiteindelijk weer bij elkaar zouden komen. Natuurlijk, ze hadden Madeline samen, en dat zou altijd de band tussen hen zijn. Maar Bosch had geloofd dat er meer was.

Nu was dat er allemaal niet meer, en dat kwam door de keuzes die hij had gemaakt. Of het zijn moordonderzoek was of zijn moment van onnadenkendheid toen hij zijn stapel geld had laten zien, maakte niet echt uit. Het kwam allemaal door hem en hij wist niet of hij die last de rest van zijn leven zou kunnen dragen.

Hij boog zich voorover en legde zijn handen op zijn hoofd.

'Sun Yee, het spijt me... ik hield ook van haar.'

Sun wachtte geruime tijd voordat hij reageerde, maar wat hij ten slotte zei, haalde Bosch uit zijn negatieve spiraal en bracht hem weer bij de les.

'We moeten nu je dochter vinden. We moeten dat doen voor Eleanor.'

Bosch ging rechtop zitten en knikte. Hij boog zich naar voren, pakte het koffertje en legde het op zijn schoot.

'Rij naar de kant zodra de kust veilig is. Je moet hiernaar kijken.'

Sun reed nog een paar blokken door en sloeg diverse keren af totdat ze Chungking Mansions op veilige afstand achter zich hadden gelaten voordat hij langs de stoeprand stopte. Aan de overkant van de straat was een markt en Bosch zag veel westerse toeristen.

'Waar zijn we?'

'Dit is de jademarkt. Heel populair bij westerlingen. Hier val je niet op.'

Bosch knikte. Hij maakte het koffertje open en gaf Sun de rommelige stapel inschrijvingsformulieren van het hotel. Het waren er minstens vijftig. Het merendeel was ingevuld in het Chinees, dus onleesbaar voor Bosch.

'Waar moet ik naar zoeken?' vroeg Sun.

'Datum en kamernummer. Vrijdag was het de elfde. Die datum zoeken we, in combinatie met kamer 1514. Het formulier moet ertussen zitten.'

Sun begon met lezen. Bosch volgde zijn verrichtingen enige tijd, maar keek toen uit het zijraampje naar de jademarkt. Achter de grote, open ingangen zag hij rijen en rijen stalletjes waar oude mannen en vrouwen hun waren verkochten onder dunne daken van hardboard of tentzeil. Tussen de stalletjes krioelde het van de klanten.

Bosch dacht aan de jaden aapjes aan het rode koordje, die hij in de kamer van zijn dochter had gevonden. Ze was hier geweest. Hij vroeg zich af of ze alleen zo ver van huis was gegaan of met vrienden, misschien wel met Hei en Quick.

Naast de ene ingang zat een oude vrouw die wierookstokjes verkocht, en vóór haar op de stoep stond een emmer waaruit vlammen oplaaiden. Naast haar stond een klaptafeltje met rijen voorwerpen van papier-maché, die gekocht konden worden om te verbranden. Bosch zag een rij tijgers en vroeg zich af waar een overleden voorouder een tijger voor nodig kon hebben.

'Hier,' zei Sun.

Hij liet Bosch een inschrijvingsformulier zien.

'Wat staat erop?'

'Tuen Mun. Daar moeten we naartoe.'

Bosch verstond 'Tin Moon', zoals Sun het uitsprak.

'Wat is dat, "Tin Moon"?'

'Tuen Mun. Dat is in de New Territories. Daar woont deze man.'

'Hoe heet hij?'

'Peng Qingcai.'

Qingcai, dacht Bosch. Een kleine stap naar een veramerikaanste naam om tegen een meisje in de mall te gebruiken, zou Quick kunnen zijn. Misschien was Peng Qingcai Hei's oudere broer, de jongen met wie Madeline afgelopen vrijdag de mall uit was gelopen.

'Staat er een leeftijd of geboortedatum op het formulier?'

'Nee, geen leeftijd.'

Het was een slag in de lucht. Bosch had zijn geboortedatum ook niet opgegeven toen hij de twee kamers huurde, en de receptionist had alleen het nummer van zijn paspoort opgeschreven, geen andere bijzonderheden over zijn identiteit.

'Staat het adres erop?'

'Ja.'

'Weet je waar het is?'

'Ja, ik ben daar bekend.'

'Oké, dan gaan we. Hoe lang is het rijden?'

'Met de auto is het een hele rit. Eerst naar het noorden en dan naar het westen. Meer dan een uur. Met de trein zijn we er sneller.'

Hun tijd was beperkt, maar Bosch wist ook dat de auto hun meer vrijheid gaf.

'Nee,' zei hij. 'Als we haar vinden hebben we de auto nodig.'

Sun knikte en zette de auto in beweging. Eenmaal onderweg trok Bosch zijn jasje uit en rolde de mouw van zijn overhemd op om de snee in zijn arm eens goed te bekijken. Die was ongeveer vijf centimeter lang en zat boven aan de binnenkant van zijn onderarm. Het bloed begon eindelijk te stollen.

Sun keek er even naar en richtte zijn aandacht weer op de weg.

'Wie heeft dat gedaan?'

'De man van de hotelbalie.'

Sun knikte.

'Hij heeft ons erin geluisd, Sun Yee. Hij heeft mijn geld gezien en die twee achter ons aan gestuurd. Wat ongelooflijk dom van me.'

'Het was een vergissing.'

Hij was aanzienlijk gekalmeerd na zijn woedende verwijt in het trappenhuis van Chungking Mansions. Maar Bosch' zelfverwijt was nog even groot. Het was zíjn schuld dat Eleanor was doodgeschoten.

'Ja, een vergissing, maar ik ben niet degene die er de prijs voor heeft betaald,' zei hij.

Bosch haalde het knipmes uit de zak van zijn jasje, draaide zich om en pakte de deken van de achterbank. Hij sneed een lange strook van de deken, wikkelde die om zijn arm en propte het uiteinde eronder. Hij voelde of zijn geïmproviseerde verband niet te strak zat, maar dat het wel voorkwam dat er bloed langs zijn arm liep.

Hij deed de mouw van zijn shirt weer omlaag. Tussen de elleboog en de manchet was het rood van het bloed. Ten slotte trok hij zijn jasje weer aan. Gelukkig was het een zwart jasje en waren de bloedvlekken er nauwelijks op te zien.

Toen ze door Kowloon naar het noorden reden, werden het grootsteedse verderf en de belangstelling ervoor steeds minder zichtbaar. Zoals in elke grote stad, bedacht Bosch. Naarmate je verder van het geld raakte, werd de buitenkant sjofeler en desperater.

'Vertel me over Tuen Mun,' zei hij.

'Veel mensen,' zei Sun. 'Alleen Chinezen. Hard en grimmig.'

'Vanwege de triades?'

'Ja. Geen goeie plek voor je dochter, als ze daar is.'

Bosch was er al bang voor geweest. Maar het had één positieve kant. Er een westers blank meisje naartoe brengen en verborgen houden zou lastig zijn zonder de aandacht te trekken. Als Madeline in Tuen Mun werd vastgehouden, zou hij haar weten te vinden. Zouden zíj haar weten te vinden.

31

In de vijf jaar daarvoor had Harry Bosch' financiële bijdrage aan de opvoeding van zijn dochter alleen bestaan uit het betalen van haar trips naar Los Angeles, haar van tijd tot tijd geld geven om iets leuks te kopen, en zijn jaarlijkse cheque van twaalfduizend dollar om de helft van haar schoolopleiding aan de exclusieve Happy Valley Academy te bekostigen. Deze laatste bijdrage leverde hij niet omdat zijn ex-vrouw die van hem eiste. Eleanor Wish had altijd veel geld verdiend en ze had Bosch nooit – niet rechtstreeks, noch via een echtscheidingsadvocaat – om ook maar één dollar alimentatie gevraagd. Het was Bosch zelf geweest die de behoefte had gehad en haar had gevraagd op de een of andere manier een bijdrage te mogen leveren. Meebetalen aan haar school had hem, of het nu terecht was of niet, het gevoel gegeven dat hij in ieder geval iéts bijdroeg aan de opvoeding van zijn dochter.

Een gevolg daarvan was geweest dat hij een vaderlijke interesse in haar studieresultaten had ontwikkeld. Of ze die nu mondeling bespraken wanneer hij in Hongkong was, of tijdens hun wekelijkse telefoontje – voor hem – heel vroeg op de zondagochtend, het was een gewoonte geworden dat ze Madelines schoolwerk bespraken en dat Bosch haar uithoorde over de projecten waar ze op dat moment mee bezig was.

Al deze dingen hadden ertoe geleid dat hij een summiere kennis van de geschiedenis van Hongkong had. En daardoor wist hij dat de New Territories, waar ze nu naartoe reden, in werkelijkheid voor Hongkong helemaal niet zo nieuw waren. Het uitgestrekte gebied boven het schiereiland Kowloon was al meer dan een eeuw geleden van China gepacht om voor de Britse kolonie Hongkong een buffer tegen buitenlandse troepenmachten te vormen. Toen het pachtcontract in 1997 afliep en Hongkong door de Britten werd teruggegeven aan de volksrepubliek China, bleven de New Territories deel uitmaken van de Speciale Bestuurlijke Regio, waardoor Hongkong kon blijven functioneren als een van 's werelds belangrijkste centra van kapitalisme en cultuur, een unieke plek waar het Oosten het Westen ontmoet.

De New Territories vormden een uitgestrekt, oorspronkelijk landelijk gebied, maar de Chinese overheid liet er grote wooncentra bouwen, die onderdak boden aan de armste en slechtst opgeleide mensen van de Speciale Bestuurlijke Regio. Welvaart was er niet en het misdaadcijfer was hoger dan elders. De lokroep van de triades was sterk. Tuen Mun zou een van deze gemeenschappen zijn.

'Er waren hier veel piraten toen ik jong was,' zei Sun.

Het was het eerste wat in meer dan twintig minuten door hem of Bosch in de auto was gezegd, aangezien ze allebei door hun eigen gedachten in beslag genomen waren geweest. Ze reden net over de snelweg de stad binnen. Bosch zag hoge woontorens, rijen en rijen achter elkaar, allemaal hetzelfde en volstrekt fantasieloos, waardoor hij ervan uitging dat ze wel door de overheid gebouwd móésten zijn. Ze werden omringd door golvend heuvelland met groepjes kleinere, oudere huizen. Een imposante skyline had je hier niet. Alles was grauw en deprimerend, als een plattelandsdorpje dat werd ontsierd door talloze hoge woonblokken.

'Hoe bedoel je? Kom jij uit Tuen Mun?'

'Ik heb hier mijn jeugd doorgebracht, ja. Tot ik tweeëntwintig was.'

'Heb je in een triade gezeten, Sun Yee?'

Sun gaf geen antwoord. Hij deed alsof hij het te druk had met zijn richtingaanwijzer en zijn spiegels om de afslag van de snelweg te nemen.

'Weet je, het maakt me niet uit,' zei Bosch. 'Ik ben maar in één ding geïnteresseerd.'

Sun knikte.

'We zullen haar vinden.'

'Dat weet ik.'

Ze staken een rivier over en kwamen terecht in een diepe kloof waarvan de wanden werden gevormd door woontorens van veertig verdiepingen aan weerskanten van de straat.

'Wat zei je over piraten?' vroeg Bosch. 'Wat waren dat voor lui?'

'Smokkelaars. Ze kwamen vanaf de Zuid-Chinese Zee de rivier op. Ze heersten op de rivier.'

'Wat smokkelden ze?'

'Alles. Ze brachten wapens en drugs mee. Mensen.'

'En wat nemen ze nu mee?'

Sun knikte alsof Bosch een vraag had beantwoord in plaats van er een had gesteld.

'Wat nemen ze nu mee?'

Het duurde lang voordat Sun antwoord gaf.

'Elektronica. Amerikaanse dvd's. Soms kinderen. Meisjes en jongens.'

'Waar gaan die naartoe?'

'Hangt ervan af.'

'Waarvan?'

'Van waar ze ze voor willen. Soms is het seks. Soms zijn het de organen. Veel vastelanders kopen jongetjes omdat ze geen zoon hebben.'

Bosch dacht aan het propje wc-papier met het bloed erop. Eleanor was ervan overtuigd geweest dat ze Madeline drugs hadden ingespoten om haar gemakkelijker onder controle te kunnen houden. Nu besefte hij dat het ook mogelijk was dat ze haar bloed hadden afgenomen om haar bloedgroep te bepalen, door een naald in een van haar aders te steken. Dat het wc-papier had gediend om het bloeden te stelpen nadat de naald was teruggetrokken.

'Dus ze zou veel geld kunnen opbrengen, bedoel je dat?'

'Ja.'

Bosch kneep zijn ogen dicht. Dit veranderde alles. Misschien waren de kidnappers van zijn dochter niet alleen van plan haar vast te houden totdat Bosch in Los Angeles Chang vrijliet. Misschien waren ze wel van plan haar ergens anders naartoe te brengen, of haar te verkopen aan duistere lieden in een schemerwereld waaruit ze nooit zou terugkeren. Hij keek uit het zijraampje en probeerde deze mogelijkheden uit zijn hoofd te zetten.

'We hebben nog tijd,' zei hij, zich er volledig van bewust dat hij het niet tegen Sun maar tegen zichzelf had. 'Er is haar nog niks overkomen. Ze zullen haar niks doen totdat ze nieuws uit Los Angeles krijgen. Ook als ze van plan waren haar niet vrij te laten, zullen ze haar nu nog niks hebben aangedaan.'

Bosch keek Sun van opzij aan en zag dat hij knikte.

'We zullen haar vinden,' zei hij weer.

Bosch bracht zijn hand naar zijn rug en trok het pistool dat hij had afgenomen van een van de twee mannen die hij in Chungking Mansions had doodgeschoten. Hij had nu pas de kans het eens goed te bekijken, en hij herkende het wapen meteen.

'Ik denk dat je gelijk had,' zei hij. 'Dat het Vietnamezen waren, in het hotel.'

Sun wierp een blik op het wapen en keek toen weer naar de weg.

'Alsjeblieft, niet meer in de auto schieten,' zei hij.

Ondanks alles wat er was gebeurd kwam er een glimlach om Bosch' mond.

'Nee, dat zal ik niet doen. Het is niet nodig. Ik weet al hoe dit pistool werkt. Trouwens, de man die het bij zich had, zal heus niet op pad zijn gegaan met een pistool dat het niet doet.'

Bosch nam het wapen in zijn linkerhand en keek over het vizier naar de vloer. Daarna hield hij het voor zich en keek er weer naar. Het was een Colt .45, model 1911 A1, van Amerikaanse makelij. Hij had ditzelfde pistool gehad toen hij bijna veertig jaar geleden als soldaat in Vietnam was. Toen het zijn taak was in de tunnels af te dalen, de vijand op te sporen en die uit te schakelen.

Bosch trok het magazijn uit de kolf en liet de patroon uit de loop springen. Acht patronen in totaal, daar moest hij het mee doen. Hij checkte de trekkeractie een paar keer en begon het wapen weer te laden. Hij stopte daarmee toen hij zag dat er iets in de zijkant van het magazijn was gekrast. Hij hield het dichter bij zijn ogen om te kunnen lezen wat er stond.

Letters en cijfers, met de hand in het zwarte staal gekrast, maar door de tijd en het gebruik – het laden en herladen van het wapen – vrijwel afgesleten. Bosch draaide het magazijn naar het licht en las: *JFE Sp4, 27th*.

Bosch moest opeens weer denken aan de grote zorg die alle tunnelratten aan hun wapens en hun munitie hadden besteed. Wanneer je met z'n allen in het inktzwarte duister afdaalde, alleen met je .45, een zaklantaarn en vier extra magazijnen, checkte je alles twee keer, en daarna nog een keer. Als je driehonderd meter door een tunnel was gekropen en oog in oog met de vijand stond, wilde je niet dat je wapen ketste, of dat je vochtige munitie of lege batterijen had. Bosch en zijn mederatten koesterden en bekrasten hun magazijnen zoals de soldaten boven de grond hun sigaretten en hun *Playboy*'s bewaakten.

Hij keek nog eens goed naar de inscriptie. Wie JFE ook was, hij was een *Special 4* bij de 27ste Infanterie geweest. Dat hield in dat hij een tunnelrat kon zijn geweest. Bosch vroeg zich af of het wapen in zijn hand was gevonden in een van de tunnels ergens in de IJzeren Driehoek, en of het uit de koude, levenloze hand van JFE was gehaald.

'We zijn er,' zei Sun.

Bosch keek op. Sun was midden op de weg gestopt. Er was geen verkeer achter hen. Sun wees door de voorruit naar een woontoren die zo hoog was dat Bosch zijn gezicht schuin onder de zonneklep moest houden om de daklijn te kunnen zien. Voor elke verdieping was een open galerij met daarachter de voordeur en de ramen, met wel driehonderd verschillende soorten gordijnen en jaloezieën. Op vrijwel elke verdieping hing wasgoed over de balustrades, verschillend van grootte en op ongelijke afstand van elkaar, waardoor de grauwe voorgevel werd veranderd in een kleurrijk mozaïek, dat de woontoren onderscheidde van die aan weerskanten ervan. Boven de ingang in het midden, die op een tunnel leek, stond in diverse talen te lezen dat de flat – niet geheel naar waarheid – Miami Beach Garden Estates werd genoemd.

'Hij woont op de zesde,' zei Sun nadat hij nog eens op het inschrijvingsformulier van Chungking Mansions had gekeken.

'Parkeer de auto, dan gaan we naar boven.'

Sun knikte en reed door. Bij de eerstvolgende kruising maakte hij een U-bocht, reed terug en zette de Mercedes langs de stoeprand bij een kleuterspeelplaats vol kinderen en hun moeders, met een drie meter hoog gaashek eromheen. Bosch wist dat hij deze plek had gekozen om te voorkomen dat de auto werd gestolen of vernield als ze hem onbewaakt achterlieten.

Ze stapten uit, liepen een stuk langs het hek en sloegen links af naar de ingang van het gebouw.

De tunnel werd gevormd door twee lange rijen brievenbussen aan weerskanten van het voetpad, het merendeel met geforceerde sloten en bespoten met graffiti. De hal voerde naar een reeks liften, waar twee vrouwen met een kindje aan de hand stonden te wachten. Achter een kleine balie zat een bewakingsman, maar die keek niet eens op van zijn krant.

Bosch en Sun stapten achter de vrouwen aan de lift in. De ene vrouw stak een sleutel onder in het bedieningspaneel en drukte op twee knoppen. Voordat ze de sleutel eruit kon halen, stak Sun zijn hand uit en gaf een tik op de knop voor de zesde.

Het was de eerste tussenstop van de lift. Sun en Bosch liepen over de galerij naar de derde deur links van het midden. Bosch zag bij de flat ernaast, voor de voordeur, bij de balustrade, een klein altaar met een blikken emmer die nog nasmeulde van een offer aan de hongerige geesten. Het rook naar verbrand plastic.

Bosch ging rechts van Sun naast de deur staan. Hij zwaaide zijn arm achteruit onder zijn jasje, greep de kolf van het pistool vast maar trok het nog niet. Hij voelde de wond in zijn onderarm weer opengaan door de beweging. Hij zou weer gaan bloeden.

Sun keek hem aan en Bosch knikte om aan te geven dat hij er klaar voor was. Sun klopte op de deur en ze wachtten.

Niemand deed open.

Hij klopte nog een keer. Harder nu.

Ze wachtten weer. Bosch keek over de balustrade naar de Mercedes bij de speelplaats en zag dat die tot nu toe met rust werd gelaten.

Weer geen reactie.

Ten slotte deed Sun een stap achteruit van de deur.

'Wat wil je nu doen?'

Bosch keek opzij naar het rokende emmertje verderop op de galerij.

'Zo te zien is daar iemand thuis. Laten we vragen of ze die jongen hebben gezien.'

Sun nam de leiding en klopte op de deur van de volgende flat. Deze keer werd er wel opengedaan. Een kleine vrouw van een jaar of zestig keek naar hen op. Sun knikte glimlachend en sprak haar toe in het Chinees. De vrouw leek gerustgesteld te zijn en deed de deur iets verder open. Sun zei nog iets, waarop de deur helemaal werd geopend en ze een stap opzij deed om hen binnen te laten.

Toen Bosch over de drempel stapte, fluisterde Sun iets naar hem.

'Vijfhonderd Hongkong-dollar. Dat heb ik haar beloofd.'

'Geen probleem.'

Het was een kleine tweekamerflat. Het eerste vertrek deed dienst als keuken, eet- en woonkamer. Er stonden weinig meubels en het rook er naar verhitte bakolie. Bosch trok vijf biljetten van honderd van zijn stapel zonder die uit zijn zak te halen. Hij legde de biljetten onder een schaaltje met zout op de keukentafel, pakte een stoel en ging aan de tafel zitten.

Sun bleef staan en de vrouw ook. Sun bleef in het Chinees praten en op een zeker moment wees hij naar Bosch. Bosch knikte, glimlachte en deed alsof hij wist wat er werd gezegd.

Er verstreken drie minuten en toen onderbrak Sun het gesprek om Bosch een samenvatting te geven.

'Dit is Fengyi Mai. Ze woont hier alleen. Ze zegt dat ze Peng Qingcai sinds gistermorgen niet meer heeft gezien. Hij woont hiernaast, met zijn moeder en zijn jongere zus. De moeder en de zus heeft ze ook niet meer gezien. Maar ze heeft ze nog wel gehoord. Door de muur.'

'Hoe oud is Peng Qingcai?'

Sun stelde de vraag en vertaalde het antwoord dat hij kreeg.

'Een jaar of achttien, denkt ze. Hij gaat niet meer naar school.'

'Hoe heet de zus?'

Opnieuw vraag en antwoord en Sun meldde dat de zus Hei heette. Maar hij sprak de naam anders uit dan Harry's dochter dat had gedaan. Meer als *Hi*.

Bosch dacht even na over wat er was gezegd voordat hij zijn volgende vraag stelde.

'Weet ze zeker dat het gisteren was dat ze hem voor het laatst heeft gezien? Zaterdagochtend? Wat was hij aan het doen?'

Terwijl Bosch op de vertaling wachtte, observeerde hij de vrouw nauwlettend. Tijdens de eerdere vragen had ze een goed oogcontact met Sun gehad, maar bij het beantwoorden van de laatste vragen begon ze haar blik af te wenden.

'Ze weet het zeker,' zei Sun. 'Ze hoorde gisterochtend iets op de galerij en toen ze de deur opendeed, was Peng daar iets aan het verbranden. Hij deed dat in haar offeremmertje.'

Bosch knikte, maar hij was ervan overtuigd dat de vrouw iets achterhield of ergens over loog.

'Wat was hij aan het verbranden?'

Sun stelde de vraag aan de vrouw. Ze hield haar ogen neergeslagen terwijl ze antwoord gaf.

'Ze zegt dat hij papiergeld verbrandde.'

Bosch stond op en liep naar de voordeur. Hij ging de galerij op en keerde het emmertje om. Het was kleiner dan een gewone wateremmer. Rokende as verspreidde zich over de betonnen vloer van de galerij. Zo te zien was het nog geen uur geleden dat Fengyi Mai haar laatste offer had gebrand. Hij nam een wierookstokje uit het altaar en porde ermee in de hete as. Hij herkende een paar stukjes karton, nog niet helemaal verbrand, maar de rest was dat wel. Bosch zocht verder in de restanten en vond een stuk gesmolten plastic. Het was zwartgeblakerd en misvormd. Hij wilde het oppakken, maar daar was het te heet voor.

Hij ging de flat weer binnen.

'Vraag haar wanneer ze het emmertje voor het laatst heeft gebruikt en wat ze erin heeft verbrand.'

Sun vertaalde het antwoord.

'Vanochtend, zegt ze. Ook om papiergeld te verbranden.'

Bosch was blijven staan.

'Vraag haar waarom ze liegt.'

Sun aarzelde.

'Vraag het.'

Sun stelde de vraag en de vrouw ontkende dat ze loog. Bosch knikte toen hij haar antwoord hoorde en liep naar de keukentafel. Hij trok de vijf bankbiljetten onder het schaaltje met zout vandaan en stak ze terug in zijn zak.

'Zeg tegen haar dat we niet voor leugens betalen, maar dat ze tweeduizend krijgt als ze de waarheid spreekt.'

De vrouw begon te protesteren toen Sun het had vertaald, maar toen veranderde Sun van aanpak, blafte haar boos een paar woorden toe en de vrouw werd zichtbaar bang. Ze vouwde haar handen alsof ze hem om vergeving vroeg en liep naar de andere kamer.

'Wat heb je tegen haar gezegd?' vroeg Bosch.

'Dat ze de waarheid moet spreken of dat ze anders haar flat kwijtraakt.'

Bosch trok zijn wenkbrauwen op. Sun had de zaak duidelijk op scherp gezet.

'Ze denkt dat ik van de politie ben en dat jij mijn meerdere bent,' voegde hij eraan toe.

'Hoe komt ze daarbij?' vroeg Bosch.

Voordat Sun kon antwoorden, kwam de vrouw terug met een kartonnen doosje in haar hand. Ze liep rechtstreeks naar Bosch, gaf hem het doosje, maakte een buiging en deed twee stappen achteruit. Harry opende het deksel en zag de restanten van een gesmolten, verbrande mobiele telefoon.

Terwijl de vrouw uitleg aan Sun gaf, haalde Bosch zijn eigen telefoon uit zijn zak en vergeleek die met de verbrande. Ondanks de schade was duidelijk te zien dat het toestel dat de vrouw uit het emmertje had gehaald hetzelfde was als het zijne.

'Ze zegt dat Peng die aan het verbranden was,' zei Sun. 'Maar het stonk zo dat de geesten zich misschien beledigd zouden voelen, dus heeft ze hem uit haar emmertje gehaald.'

'Dit is de telefoon van mijn dochter.'

'Weet je het zeker?'

'Absoluut. Ik heb hem zelf voor haar gekocht.'

Bosch opende zijn eigen telefoon en ging naar zijn opgeslagen foto's. Hij zocht totdat hij er een vond van Madeline in haar schooluniform.

'Laat deze aan haar zien en vraag of ze haar met Peng heeft gezien.'

Sun hield de vrouw het toestel voor en stelde zijn vraag. De vrouw reageerde door haar hoofd te schudden en haar handen weer te vouwen om te benadrukken dat ze echt de waarheid sprak. Bosch wachtte niet op de vertaling. Hij haalde zijn geld tevoorschijn, legde tweeduizend Hongkong-dollar op de keukentafel – nog geen driehonderd Amerikaanse – en liep naar de deur.

'Kom, we zijn hier klaar,' zei hij.

32

Ze klopten nog een keer op Pengs deur maar weer werd er niet opengedaan. Bosch knielde neer om zijn schoenveter los te maken en opnieuw te strikken. Terwijl hij dat deed, keek hij naar het slot in de deurknop.

'Wat doen we nu?' vroeg Sun toen Bosch was opgestaan.

'Ik heb slothaakjes. Ik kan de deur openmaken.'

Zelfs met zijn zonnebril op was op Suns gezicht duidelijk te zien dat hij daar niets voor voelde.

'Mijn dochter kan binnen zijn. En zo niet, dan vinden we misschien iets wat ons vertelt waar ze haar vasthouden. Als jij achter me gaat staan en het zicht blokkeert, heb ik het slot binnen een minuut open.'

Sun keek om zich heen naar de muur van identieke woontorens, die als reuzen om hen heen stonden.

'Eerst kijken,' zei hij.

'Kijken?' vroeg Bosch. 'Waarnaar?'

'De deur in de gaten houden. Peng kan terugkomen. Hij kan ons bij Madeline brengen.'

Bosch keek op zijn horloge. Het was half twee.

'Ik denk dat we daar geen tijd voor hebben. Geen tijd voor een status-quo.'

'Wat is dat, "status-quo"?'

'We kunnen hier niet blijven niksen, man. We moeten in beweging blijven als we haar willen vinden.'

Sun draaide zich om en keek Bosch recht aan.

'Een uur. We wachten een uur. En als we terugkomen om de deur open te maken, dan zonder pistool.'

Bosch knikte. Hij begreep het. Betrapt worden als je ergens inbrak was één ding. Betrapt worden met een pistool betekende tien jaar cel of nog erger.

'Goed dan, één uur.'

Ze gingen met de lift naar beneden en liepen door de tunnel naar buiten. Bosch tikte Sun op zijn arm en vroeg of hij kon zien welke brievenbus van Pengs flat was. Sun zocht hem op en ze zagen dat er al lange tijd geen slot meer op zat. Bosch keek achterom naar binnen, naar de bewakingsman, die nog steeds zijn krant zat te lezen. Hij deed de brievenbus open en zag twee brieven.

'Zo te zien heeft niemand de post van zaterdag eruit gehaald,' zei Bosch. 'Ik denk dat Peng en de rest van het gezin ervandoor zijn.'

Ze liepen terug naar de auto en Sun zei dat hij die op een minder in het oog lopende plek wilde neerzetten nu ze erin gingen zitten wachten. Hij reed een stukje door, keerde en zette de Mercedes achter een lage muur die de vuilcontainers aan het oog van de woontoren aan de overkant en ernaast onttrok. Ze hadden hier nog steeds goed zicht op de galerij van de zesde en de deur van Pengs flat.

'Ik denk dat we onze tijd verspillen,' zei Bosch. 'Die komen niet terug.'

'Eén uur, Harry. Alsjeblieft.'

Bosch besefte dat het de eerste keer was dat Sun hem Harry had genoemd. Het had geen invloed op hoe hij over de situatie dacht.

'Je geeft hem een extra uur voorsprong, meer niet.'

Bosch haalde het doosje uit de zak van zijn jasje. Hij deed het open en keek naar de telefoon.

'Hou jij de galerij in de gaten,' zei hij. 'Ik ga hiermee aan de slag.'

De kunststof scharnieren van het toestel waren gesmolten en het kostte Bosch moeite het open te vouwen. Ten slotte, toen hij te veel kracht zette, brak het in tweeën. Het beeldschermpje was gebarsten en deels gesmolten. Bosch legde dat deel opzij en concentreerde zich op het andere. Het afdekplaatje aan de achterkant was ook gesmolten en zat muurvast. Hij opende het portier en boog zich naar buiten. Hij sloeg de behuizing tegen de stoeprand, drie keer, elke keer harder, totdat de naden het begaven en het plaatje op de grond viel.

Hij draaide zich weer de auto in en trok het portier dicht. De batterij van het toestel leek intact, maar door de hitte was ook daar geen beweging in te krijgen. Bosch haalde het mapje met zijn penning uit zijn zak, trok een van de slothaakjes onder het leer vandaan en gebruikte het om de batterij van zijn plek te wrikken. Daaronder was de ruimte voor de simkaart van de telefoon.

De ruimte was leeg.

'Shit!'

Bosch liet de telefoon op de vloer van de auto vallen. Weer een dood spoor.

Hij keek op zijn horloge. Er waren pas twintig minuten verstreken sinds hij met Sun was overeengekomen een uur te wachten. Maar hij kon niet stil blijven zitten. Al zijn instincten zeiden hem dat hij die flat moest binnengaan. Zijn dochter kon daar zijn.

'Het spijt me, Sun Yee,' zei hij. 'Jij kunt hier blijven wachten, maar ik kan het niet. Ik ga naar binnen.'

Hij boog zich naar voren, bracht zijn hand naar zijn rug en trok het pistool achter zijn broekband vandaan. Hij wilde het buiten de Merce-des verstoppen voor het geval hij in de flat werd betrapt en de politie hem in verband bracht met de auto. Hij pakte de deken van zijn doch-ter, wikkelde die om het pistool, opende het portier en stapte uit. Hij liep door een opening in de muur en legde de bundel op een van de overvolle vuilnisbakken. Hij zou die weer meenemen als hij terug-kwam.

Toen hij achter de muur vandaan kwam, was Sun uitgestapt en stond hij naast de auto te wachten.

'Oké,' zei Sun. 'We gaan naar binnen.'

Ze gingen lopend op weg naar het gebouw.

'Mag ik je iets vragen, Sun Yee? Zet je die zonnebril wel eens af?'

Sun antwoordde zonder verdere uitleg te geven.

'Nee.'

Ook nu keek de man van de bewaking in de hal niet eens op. Er woonden zo veel mensen in het gebouw dat er altijd wel iemand met een sleutel bij de liften stond te wachten. Vijf minuten later stonden ze weer voor de deur van Pengs flat. Sun ging bij de balustrade staan, als uitkijk en om Bosch aan het zicht te onttrekken, terwijl Bosch op zijn ene knie steunde en met het slot aan de slag ging. Het kostte hem meer tijd dan hij had verwacht – bijna vier minuten – maar hij kreeg het open.

'Klaar,' zei hij.

Sun maakte zich los van de balustrade en volgde Bosch naar bin-nen.

Nog voor Bosch de deur had dichtgedaan wist hij dat hij de dood in de flat zou aantreffen. In het hoofdvertrek hing geen overheersende geur, zat geen bloed op de muren en wees verder niets in die richting. Maar Bosch had, na al die jaren bij de politie en de meer dan vijfhonderd plaatsen delict waar hij was geweest, een zintuig ontwikkeld dat hij 'gevoel voor bloed' noemde. Hij had geen wetenschappelijke ondersteuning voor zijn theorie, maar Bosch geloofde dat vergoten bloed de samenstelling van de lucht in een afgesloten ruimte veranderde. En hij nam die verandering nu waar. Dat het hier om het bloed van zijn eigen dochter kon gaan, maakte het besef alleen maar erger.

Hij stak zijn hand op om Sun tot staan te brengen.

'Voel je het, Sun Yee?'

'Nee. Wat moet ik voelen?'

'Er is iemand dood. Raak niets aan en volg zo veel mogelijk dezelfde route als ik.'

De flat had dezelfde indeling als die ernaast. Een tweekamerflat, deze bewoond door een moeder met haar twee tienerkinderen. In het eerste vertrek leek niets verstoord en wees niets op gevaar. Er was een bank met daarop een bedkussen en een opzij geworpen laken, en Bosch ging ervan uit dat de jongen op de bank had geslapen en dat de moeder en het zusje de slaapkamer hadden gedeeld.

Bosch liep langzaam door naar de slaapkamer. Het gordijn was dicht en het was er donker. Met zijn elleboog drukte Bosch op de muurschakelaar en de plafondlamp boven het bed ging aan. Het bed was niet opgemaakt, maar er lag niemand op. Geen sporen van een worsteling of de aanwezigheid van de dood. Bosch keek naar rechts. Daar waren twee deuren. De ene van een kast en de andere van de badkamer, nam hij aan.

Bosch had altijd een kleine voorraad gummihandschoenen in de zak van zijn jasje. Hij haalde er een paar uit en trok de linkerhandschoen aan. Eerst deed hij de rechterdeur open. Het was de kast, propvol kleding aan hangertjes en in stapels op de vloer. Daarboven een plank vol dozen met Chinese symbolen erop. Bosch deed een stap achteruit en ging door naar de andere deur. Zonder te aarzelen deed hij hem open.

De kleine badkamer was bruin van het opgedroogde bloed. De wastafel, de wc, de betegelde vloer, alles zat onder. In vegen, spetters en druipende zakkers zat het op de achterwand en op het grauwe, gebloemde douchegordijn.

Het was onmogelijk om de badkamer binnen te gaan zonder een

235

van de bloedsporen te verstoren. Maar daar kon Bosch geen rekening mee houden. Hij móést het weten.

Hij liep de badkamer in en trok het plastic opzij.

Een kleine douchecel naar Amerikaanse begrippen. Niet groter dan de telefooncel voor de deur van Du-Par's in de Farmers Market. Maar op de een of andere manier was iemand erin geslaagd er drie lijken op elkaar te stapelen.

Bosch hield zijn adem in toen hij zich vooroverboog en de slachtoffers probeerde te identificeren. Ze waren alle drie volledig gekleed. De jongen, de grootste van de drie, lag bovenop. Hij lag op zijn buik op een vrouw van een jaar of veertig – zijn moeder – die onderuitgezakt tegen de achterwand zat. Het leek wel een of andere oedipale fantasie zoals hij boven op haar lag, maar dat was waarschijnlijk niet de bedoeling van de moordenaar geweest. Van allebei was de keel doorgesneden, diep en van oor tot oor.

Achter en deels onder de moeder – alsof ze had geprobeerd zich te verstoppen – lag het lijk van een jong meisje. Haar lange, donkere haar hing voor haar gezicht.

'O mijn god,' riep Bosch uit. 'Sun Yee!'

Twee tellen later stond Sun achter hem en hoorde Bosch hem naar adem happen. Bosch trok zijn rechterhandschoen aan.

'Achter de moeder ligt een meisje en ik kan niet zien of het Maddie is,' zei hij. 'Hier, trek aan.'

Hij haalde nog een paar gummihandschoenen uit zijn zak en gaf ze aan Sun, die ze snel aantrok. Samen trokken ze het lijk van de jongen uit de douchecabine en legden het onder de wastafel. Daarna duwde Bosch voorzichtig het bovenlichaam van de moeder opzij, totdat hij het gezicht van het meisje op de tegelvloer kon zien. Ook van haar was de keel doorgesneden. De ogen waren open en de blik erin was die van pure doodsangst. Bosch voelde een steek in zijn hart toen hij die blik zag, maar het was niet het gezicht van zijn dochter.

'Ze is het niet,' zei hij. 'Het moet haar vriendin zijn. Hei.'

Harry keerde zich af van het slagveld en wrong zich langs Sun heen. Hij liep de slaapkamer in en ging op het bed zitten. Hij hoorde een doffe bons in de badkamer en nam aan dat Sun de lijken teruglegde zoals ze die hadden gevonden.

Bosch ademde een paar keer diep in en uit, sloeg zijn armen om zijn borstkas en boog zich voorover. Hij dacht aan de doodsbange blik in de ogen van het meisje en viel bijna voorover van het bed.

'Wat is hier gebeurd?' vroeg hij op fluistertoon.

Sun kwam de badkamer uit en bleef in zijn kenmerkende lijfwacht-houding naast de deur staan. Hij zei niets. Harry zag dat er bloed op Suns handschoenen zat.

Bosch stond op en keek om zich heen in de slaapkamer, alsof die kon verklaren wat er in de badkamer had plaatsgevonden.

'Is het mogelijk dat een andere triade haar van Peng heeft gestolen? Dat ze iedereen hebben vermoord om geen sporen achter te laten?'

Sun schudde zijn hoofd.

'Dan zou er een oorlog uitbreken. Trouwens, de jongen is niet van een triade.'

'Nee? Hoe weet je dat?'

'Er is maar één triade in de hoogbouw van Tuen Mun. De Gouden Driehoek. Ik heb gekeken en hij draagt het teken niet.'

'Wat voor teken?'

Sun aarzelde, draaide zich om naar de badkamer en weer terug naar Bosch. Daarna trok hij zijn ene handschoen uit, bracht zijn vingers naar zijn mond en trok zijn onderlip omlaag. In de zachte roze huid was een oude, vage tatoeage van twee Chinese symbolen te zien. Bosch ging ervan uit dat die voor de Gouden Driehoek stonden.

'Dus je zit wel in een triade?'

Sun liet zijn lip los en schudde zijn hoofd.

'Niet meer. Dat was meer dan twintig jaar geleden.'

'Ik dacht dat je niet zomaar uit een triade kon stappen. Dat ze je alleen in een lijkkist lieten gaan.'

'Ik heb een offer gebracht en toen vond de raad van wijzen het goed dat ik vertrok. Ik moest wel Tuen Mun voor altijd verlaten. Zo ben ik in Macau terechtgekomen.'

'Wat voor offer?'

Met nog meer tegenzin dan toen hij Bosch de tatoeage had laten zien bracht Sun zijn hand weer naar zijn gezicht, deze keer om zijn zonnebril af te zetten. Even dacht Bosch dat er niets bijzonders te zien was, maar toen besefte hij dat Suns linkeroog een prothese was. Hij had een glazen oog. En bij de buitenste ooghoek, net zichtbaar, liep een litteken omlaag.

'Heb je verdomme je oog uit je kop laten snijden om uit de triade te mogen stappen?'

'Ik heb geen spijt van mijn besluit.'

Hij zette zijn zonnebril weer op.

Na het horrortafereel in de badkamer en Suns onthulling begon Bosch het gevoel te krijgen dat hij in een of ander middeleeuws schilderij rondliep. Hij hield zichzelf voor dat zijn dochter niet in de badkamer lag, dat ze nog in leven was en dat ze ergens te vinden moest zijn.

'Oké,' zei hij. 'Ik weet niet wat er hier is gebeurd of waarom, maar we moeten op de ingeslagen weg blijven. Er moet in deze flat iets zijn wat ons vertelt waar Maddie is. We moeten het zien te vinden en de tijd begint te dringen.'

Bosch stak zijn hand in de zak van zijn jasje maar voelde niets.

'Ik ben door mijn handschoenen heen, dus pas op met wat je aanraakt. En er zit waarschijnlijk bloed op onze schoenzolen. We mogen niet overal onze voetafdrukken achterlaten.'

Bosch trok zijn schoenen uit, liep ermee naar het keukentje en waste onder de kraan het bloed van de zolen en van zijn handschoenen. Sun deed daarna hetzelfde. Samen doorzochten ze de flat, waarbij ze begonnen in de slaapkamer en langzaam naar de voordeur toe werkten. Ze vonden niets waar ze iets aan hadden, totdat ze in het keukentje kwamen, waar net als in de flat ernaast een schaaltje met zout op tafel stond. Alleen vormde het zout in dit schaaltje een hoger bergje en zag Bosch de sporen van vingers die het in de vorm van een punt hadden gestreken. Hij stak zijn vingers erin, voelde op de bodem en vond een vierkantje van zwart plastic. Bosch wist onmiddellijk dat het de simkaart van een mobiele telefoon was.

'Ik heb iets.'

Sun keek op van de keukenlade die hij doorzocht. Bosch liet hem de simkaart zien. Hij wist zeker dat die uit de telefoon van zijn dochter afkomstig was.

'In het zout. Misschien heeft hij hem verstopt net voordat ze de flat binnendrongen.'

Bosch keek nog eens naar het plastic kaartje. Er moest een reden zijn waarom Peng Qingcai het uit Maddies telefoon had gehaald voordat hij die in brand had gestoken. En er moest een reden zijn waarom hij had geprobeerd het kaartje te verstoppen. Bosch zou het liefst meteen willen weten wat die redenen waren, maar het leek hem geen slimme zet om hun verblijf in een flat waar drie lijken in de douche lagen langer te rekken dan strikt noodzakelijk was.

'Kom, we gaan,' zei hij.

Bosch liep naar het raam naast de voordeur, deed het gordijn opzij en keek naar buiten voordat hij het sein gaf dat de kust veilig was. Sun deed de voordeur open en ze haastten zich de flat uit. Bosch deed de deur zachtjes achter zich dicht voordat hij zijn handschoenen uittrok. Toen hij achteromkeek, zag hij de oude vrouw van de aangrenzende flat op haar knieën voor het kleine altaar bij de balustrade zitten. Ze was weer een offer voor de hongerige geesten aan het branden. Bosch geloofde zijn ogen niet toen ze een van de echte biljetten van honderd dollar die hij haar had gegeven in een kaarsvlam hield en brandend in het emmertje liet vallen.

Bosch draaide zich om en liep snel over de galerij de andere kant op. Hij was terechtgekomen in een wereld waar hij niets van begreep, wist hij. Maar het enige wat hij hoefde te begrijpen, was dat hij zijn dochter moest terugvinden. Al het andere deed er niet toe.

33

Bosch haalde het pistool op maar liet de deken liggen. Zodra hij in de auto zat, haalde hij zijn telefoon uit zijn zak. Het was een exacte kopie van die van zijn dochter, tegelijk gekocht, met korting per twee. Hij schoof het afdekplaatje eraf en nam de batterij en de simkaart eruit. Daarna schoof hij de kaart van Maddies toestel in de sleuf. Hij deed de batterij er weer in, drukte het afdekplaatje op zijn plek en zette het toestel aan.

Terwijl Bosch wachtte totdat de telefoon was opgestart, zette Sun de auto in beweging en reden ze weg van de woontoren waar het gezin was afgeslacht.

'Waar gaan we naartoe?' vroeg Harry.

'Naar het park bij de rivier. Daar blijven we totdat we weten waar we naartoe moeten.'

Met andere woorden: er was nog geen vervolgplan. De simkaart was het plan.

'Wat je mij vertelde over die piraten toen je jong was, dat was de triade, hè?'

Na een tijdje knikte Sun kort.

'Was dat waar jij je mee bezighield, mensen smokkelen?'

'Nee, ik had een andere taak.'

Dat was alles wat hij zei en Bosch drong niet verder aan. De telefoon was opgestart. Hij ging snel naar de ontvangen gesprekken. Die waren er niet. Het schermpje bleef leeg.

'Er zit niks in het geheugen. Geen lijst van gesprekken.'

Hij schakelde naar de e-mailfunctie, maar opnieuw bleef het schermpje leeg.

'Er is niks vastgelegd,' zei hij, en zijn stem begon bezorgd te klinken.

'Dat hoort zo,' zei Sun onverstoord. 'Alleen permanente bestanden worden op de simkaart vastgelegd. Kijk of je video's of foto's kunt vinden.'

Met de navigatietoetsen in het midden van het bedieningspaneel ging Bosch naar de videofunctie. Ook daar was niets opgeslagen.

'Geen video's,' zei hij.

Bosch begon te vermoeden dat Peng het kaartje uit Madelines toestel had gehaald met het idee dat alle handelingen op de simkaart waren vastgelegd. Maar dat was niet zo. Ook dit laatste, veelbelovende spoor leek dood te lopen.

Hij klikte op de fotofunctie en vond een lijst met opgeslagen jpeg-bestandjes.

'Ik heb foto's gevonden.'

Hij klikte de bestandjes een voor een aan, maar de enige recente foto's waren die van John Li's longen en de tatoeages op zijn enkels, die Bosch haar had gestuurd. Voor de rest waren het alleen foto's van Madelines vriendinnen en reisjes met school. Er stond geen datum bij de foto's vermeld, maar zo te zien had geen ervan iets te maken met haar kidnapping. Hij vond een paar foto's van haar bezoek aan de jademarkt in Kowloon. Ze had opnamen gemaakt van enkele jaden beeldjes van een man en een vrouw die in Kama Sutra-houdingen seks hadden. Bosch schreef het toe aan nieuwsgierigheid die bij haar leeftijd paste. Hij was ervan overtuigd dat ze opgelaten gegiechel hadden opgeleverd toen ze ze aan haar vriendinnen op school had laten zien.

'Ook niks,' meldde hij aan Sun.

Hij bleef zoeken, ging van de ene functie naar de andere en klikte alle icoontjes aan in de hoop ergens een verborgen boodschap te vinden. Uiteindelijk ontdekte hij dat Madelines contactenlijst ook op de simkaart was opgeslagen en dat die nu in zijn toestel zat.

'Ik heb hier haar telefoonboek.'

Hij opende het bestand en kreeg een lijst van haar contacten te zien. Bosch kende al haar vriendinnen niet en de meeste werden alleen bij voornaam genoemd. Hij klikte door naar 'Papa' en las zijn eigen nummers op het schermpje, zowel mobiel als privé, maar verder niets, geen verborgen boodschap.

Hij ging terug naar de lijst en zocht door, en toen hij bij de T kwam, vond hij ten slotte een vermelding die iets zou kunnen zijn. 'Tuen Mun', las hij, en daaronder alleen een telefoonnummer.

Sun was een lang, smal park langs de rivier in gereden en was onder een van de bruggen gestopt. Bosch hield hem de telefoon voor.

'Ik heb een nummer gevonden. Het staat onder "Tuen Mun". Het enige nummer zonder naam erbij.'

'Waarom zou ze dat hebben opgeslagen?'

Bosch dacht enige tijd na, probeerde een verklaring te bedenken.

'Geen idee,' zei hij.

Sun nam het toestel van hem over en keek naar het schermpje.

'Het is een mobiel nummer.'

'Hoe weet je dat?'

'Het begint met een negen. Dat is de mobiele regiocode van Hongkong.'

'Oké, maar wat kunnen we ermee? De vermelding is "Tuen Mun". Misschien is het van degene die mijn dochter gevangen houdt.'

Sun tuurde door de voorruit naar de rivier, zocht naar een antwoord en probeerde een plan te bedenken.

'We kunnen hem een sms sturen,' zei hij. 'Misschien krijgen we antwoord.'

Bosch knikte.

'Ja, we houden hem een worst voor. Misschien geeft hij een locatie prijs.'

'Hoe bedoel je, "een worst"?'

'Een lokaas. We lokken hem uit zijn tent. We doen alsof we hem kennen en proberen een afspraak te maken. Dan moet hij ons een locatie geven.'

Sun dacht hierover na terwijl hij naar de rivier bleef staren. Een rivieraak voer langzaam naar het zuiden, naar zee. Ondertussen had Bosch al een ander plan bedacht. David Chu in Los Angeles beschikte misschien over contacten die een naam en een adres konden vinden bij een mobiel nummer uit Hongkong.

'Er is een kans dat hij het nummer herkent en onraad ruikt,' zei Sun ten slotte. 'We kunnen het beter met mijn telefoon doen.'

'Denk je?' vroeg Bosch.

'Ja. We moeten het bericht in traditioneel Chinees opstellen, vind ik. Dat is beter als lokaas.'

Bosch knikte weer.

'Je hebt gelijk. Goed idee.'

Sun haalde zijn telefoon tevoorschijn en vroeg Bosch om het nummer dat hij had gevonden. Hij opende een berichtvenster maar aarzelde toen.

'Wat moet ik zeggen?'

'Nou, we moeten doen alsof er iets ernstigs aan de hand is om hem zover te krijgen dat hij reageert en akkoord gaat met een afspraak.'

Ze bespraken een aantal ideeën met elkaar en na een paar minuten waren ze het eens over een boodschap die simpel en direct was. Sun vertaalde de tekst en verzond de sms. De tekst, in het Chinees, luidde: *We hebben een probleem met het meisje. Kunnen we ergens afspreken?*

'Oké, nu wachten we,' zei Bosch.

Hij had besloten Chu er niet bij te betrekken tenzij het niet anders kon.

Bosch keek op zijn horloge. Het was twee uur geweest. Hij was nu negen uur op Hongkongse bodem en was nog geen stap dichter bij zijn dochter gekomen dan toen hij op tien kilometer hoogte boven de Stille Oceaan vloog. Gedurende die tijd was Eleanor Wish hem voor eeuwig afgenomen en nu speelde hij een spelletje dat hem dwong te wachten, waardoor gevoelens van schuld en verlies vrije toegang hadden tot zijn geest en hij niets had om zich te laten afleiden. Hij keek naar de telefoon in Suns hand en hoopte dat ze snel antwoord zouden krijgen.

Het antwoord kwam niet.

Minuten in stilte gingen net zo langzaam voorbij als de aken op de rivier. Bosch probeerde zijn gedachten te sturen in de richting van Peng Qingcai en de vraag hoe de kidnapping van zijn dochter had plaatsgevonden. Er waren aspecten die hij niet kon plaatsen, omdat hij niet alle informatie had, maar waar hij niet omheen kon, waren de chronologie en de opeenvolging van de gebeurtenissen. Als hij die naast elkaar zette, wist hij dat alles aan zijn eigen daden te wijten was.

'Het is allemaal mijn schuld, Sun Yee. Ik heb een fout gemaakt en daardoor heeft dit allemaal kunnen gebeuren.'

'Harry, het heeft geen zin om...'

'Nee, wacht. Laat me even uitpraten. Ik vind dat je alles moet weten, omdat jij misschien dingen ziet die mij ontgaan.'

Sun zei niets en Bosch vervolgde zijn verhaal.

'Het begint allemaal bij mij. Ik was in Los Angeles bezig met een zaak waarin een triademan de verdachte is. Ik kwam niet verder en toen heb ik mijn dochter gevraagd de Chinese symbolen van een tatoeage voor me te vertalen. Ik heb haar een foto gemaild, heb tegen haar gezegd dat het om een triadezaak ging, dat ze de foto aan niemand mocht laten zien en dat ze er ook niet over mocht praten. Dat is mijn grote fout geweest. Een meisje van dertien zoiets verbieden is hetzelfde als haar uitnodigen het wereldkundig te maken... in haar eigen wereldje. Ze ging toen al met Peng en zijn zus om. Die kwamen uit een ander nest en waarschijnlijk wilde ze indruk op hen maken. Ze heeft hun over de tatoeage en de moordzaak verteld en daarmee is al deze ellende begonnen.'

Hij keek opzij maar aan Suns gezichtsuitdrukking was niets af te lezen.

'Wat voor ander nest?' vroeg Sun.

'Doet er niet toe, het is maar een uitdrukking. Ze woonden niet in Happy Valley, dat bedoel ik ermee. En Peng was geen lid van een triade in Tuen Mun, zoals jij zei, maar misschien kende hij mensen van de triade en wilde hij er juist ín. Hij kwam helemaal naar Happy Valley, hing daar in de mall rond. Misschien kende hij iemand en dacht hij dat dit zijn grote kans was om in de triade te komen. Dus vertelde hij wat hij had gehoord. Die mensen legden de link met Los Angeles, ze gaven hem opdracht het meisje te kidnappen en stuurden mij daarna een boodschap. De video.'

Bosch stopte hier even, werd weer afgeleid door gedachten aan de huidige situatie waarin zijn dochter zich bevond.

'Maar terwijl dit allemaal gaande was, is er iets gebeurd. Er was iets veranderd. Peng bracht haar naar Tuen Mun. Misschien heeft hij haar daar aan de triade aangeboden en hebben ze haar van hem overgenomen. Toch namen ze hem niet aan als lid van de triade. Integendeel, ze vermoordden hem en de rest van het gezin.'

Sun schudde kort zijn hoofd en toen hij ten slotte begon te praten, bleek dat hij Bosch' theorie niet kon volgen.

'Maar waarom zouden ze dat doen? Het hele gezin uitmoorden.'

'Kijk naar de timing, Sun Yee. De dame in de buurflat had aan het eind van de middag stemmen door de muur gehoord, weet je nog?'

'Ja.'

'Op dat moment zat ik in het vliegtuig. Ik was op weg hiernaartoe en op de een of andere manier waren ze dat te weten gekomen. Ze konden niet het risico nemen dat ik Peng of zijn zus of hun moeder zou vinden. Dus hebben ze die dreiging weggenomen door het hele stel uit te moorden. Want als Peng die simkaart niet had verstopt en wij die niet hadden gevonden, waar zouden we dan zijn? Op een dood spoor.'

Maar Sun was slim genoeg om bloot te leggen wat Bosch buiten zijn verhaal had gelaten.

'Hoe wisten ze dat jij in het vliegtuig naar Hongkong zat?'

Bosch schudde zijn hoofd.

'Goeie vraag. Er heeft vanaf het eerste begin een lek in het onderzoek gezeten. Maar ik had gedacht dat ik op z'n minst een dag voorsprong had.'

'Een lek in Los Angeles?'

'Ja, in Los Angeles. Iemand heeft de verdachte getipt dat wij hem in het vizier hadden en daarom heeft hij geprobeerd het land uit te vluchten. Zodoende waren wij gedwongen hem te arresteren voordat we genoeg bewijs tegen hem hadden, en daarom hebben zij Maddie gekidnapt.'

'Maar je weet niet wie?'

'Nee, niet met zekerheid. Dat ga ik uitzoeken als ik terug ben. En ik zal mijn maatregelen nemen.'

Sun nam die laatste woorden zwaarder op dan Bosch ze had bedoeld.

'Ook als Maddie ongedeerd is?' vroeg hij.

Voordat Bosch kon antwoorden, trilde de telefoon in Suns hand. Hij had een sms ontvangen. Bosch keek mee toen Sun de sms opende. De boodschap, in het Chinees, was kort.

'Wat zegt hij?'

'Verkeerd nummer.'

'Meer niet?'

'Nee. Hij heeft niet gehapt.'

'Shit.'

'Wat nu?'

'Stuur hem nog een bericht. Zeg hem dat we contact willen, of dat we anders naar de politie stappen.'

'Te gevaarlijk. Dan besluit hij misschien zich van haar te ontdoen.'

'Niet als hij een koper voor haar heeft. Je zei zelf dat ze van grote waarde moest zijn. Of het voor seks is of voor haar organen, ze zal veel geld opbrengen. Hij zal haar niet kwijt willen. Misschien zal hij meer haast zetten achter de transactie en dat is het risico dat we nemen, maar hij zal haar niet dumpen.'

'We weten niet eens of we met de juiste persoon te maken hebben. Misschien is het gewoon een telefoonnummer van iemand die je dochter kent.'

Bosch schudde zijn hoofd. Hij wist dat Sun gelijk had. Dit roepen in het duister was veel te riskant. Hij dacht weer aan David Chu. Het was heel goed mogelijk dat de rechercheur van de AGU het lek was in het onderzoek dat de kidnapping van Bosch' dochter tot gevolg had gehad. Kon hij het risico nemen hem nu te bellen?

'Sun Yee, ken jij iemand bij de beveiliging van het casino die dit telefoonnummer kan traceren en ons een naam en een factuuradres kan leveren?'

'Nee, daar kan ik mijn collega's niet bij betrekken. Er zal een onderzoek komen vanwege Eleanor…'

Bosch begreep het. Sun moest doen wat hij kon om de schade voor de beveiligingsdienst en het casino te beperken. Dat bracht Bosch toch weer bij Chu.

'Oké. Dan blijft er maar één over die ik kan bellen.'

Bosch klapte zijn telefoon open om in zijn contactenlijst te zoeken, maar besefte op dat moment dat de simkaart van zijn dochter nog in zijn toestel zat. Hij maakte het toestel open en haalde alles eruit om zijn eigen simkaart er weer in te stoppen.

'Wie ga je bellen?'

'Iemand met wie ik heb samengewerkt. Hij is van de Asian Gang Unit en heeft hier contacten.'

'Is hij degene van wie je denkt dat hij het lek kan zijn?'

Bosch knikte. Een gerechtvaardigde vraag.

'Ik kan hem niet uitsluiten. Maar het kan iedereen van zijn unit zijn, of van een ander politiekorps waarmee we hebben samengewerkt. Het probleem is dat we op dit moment geen andere keus hebben.'

Toen hij het toestel had opgestart, ging hij naar zijn contactenlijst en zocht Chu's mobiele nummer op. Hij belde het en keek op zijn horloge. Het was bijna middernacht op zaterdag in Los Angeles.

Chu antwoordde meteen.

'Rechercheur Chu.'

'David, Bosch hier. Sorry dat ik je zo laat bel.'

'Geeft niks. Ik ben nog aan het werk.'

Dat verbaasde Bosch.

'Aan de Li-zaak? Wat is er gebeurd?'

'Ja, ik heb bijna de hele avond met Robert Li zitten praten. Ik probeer hem zover te krijgen dat hij aangifte doet tegen Chang.'

'En? Is het je gelukt?'

Het duurde even voordat Chu antwoord gaf.

'Tot nu toe niet. Maar ik heb tot maandagochtend om op hem in te praten. Ben je nog steeds in Hongkong? Heb je je dochter al gevonden?'

Chu's stem klonk bezorgd toen hij naar Madeline vroeg.

'Nog niet. Maar ik heb een spoor. Daar bel ik je voor, want ik heb je hulp nodig. Kun je een mobiel nummer in Hongkong voor me nagaan?'

Weer een stilte.

'Harry, de politie daar kan dat veel beter dan ik.'

'Dat weet ik, maar ik werk hier niet samen met de politie.'

'Dat doe je niet…'

Het was geen vraag.

'Ik kan geen lek naar de triades riskeren. Maar ik begin in de buurt te komen. Ik ben haar al de hele dag op het spoor en het hangt nu af van dit telefoonnummer. Ik denk dat het is van degene die haar gevangen houdt. Kun je me helpen?'

Chu bleef lange tijd zwijgen.

'Als ik je help, zit mijn contact bij de politie van Hongkong, dat weet je, hè?'

'Je hoeft ze toch niet te vertellen waar je die informatie voor nodig hebt, of voor wie?'

'Maar als de zaak daar uit de hand loopt, komen ze wel bij mij terug.'

Bosch begon zijn geduld te verliezen, maar hij bleef beheerst praten toen hij Chu zonder terughoudendheid vertelde over de nachtmerrie die zich aan het ontvouwen was.

'Luister, we hebben geen tijd meer. Onze informatie wijst erop dat ze haar gaan verkopen. Waarschijnlijk vandaag. Misschien wel op dit moment. Ik heb die informatie nodig, David. Kun je die voor me opvragen of niet?'

Deze keer aarzelde Chu niet.

'Geef me het nummer.'

34

Chu zei dat het hem minstens een uur zou kosten om het nummer door zijn contacten bij de politie van Hongkong te laten nagaan. Het idee dat hij zo lang moest wachten terwijl zijn dochter ieder moment in andere handen kon overgaan stond Bosch niet aan, maar hij had geen keus. Hij geloofde dat Chu zich bewust was van de ernst van de situatie. Hij beëindigde het gesprek door Chu op het hart te drukken dat hij met niemand van welke politiedienst ook over Bosch' verzoek mocht praten.

'Geloof je nog steeds dat er een lek is, Harry?'

'Ik wéét dat er een lek is, maar ik heb nu geen tijd om me daarmee bezig te houden.'

'En ik? Vertrouw je mij?'

'Ik heb je gebeld, of niet soms?'

'Volgens mij vertrouw jij niemand, Harry. Je hebt me alleen gebeld omdat je niet wist wie je anders moest bellen.'

'Luister, ga dat nummer nou maar voor me na en bel me terug, oké?'

'Natuurlijk, Harry. Wat je wilt.'

Bosch klapte zijn telefoon dicht en keek Sun aan.

'Hij zegt dat het een uur kan duren.'

Sun reageerde er niet op. Zijn hand ging naar de contactsleutel en hij startte de auto.

'Je moet iets eten terwijl we wachten.'

Bosch schudde zijn hoofd.

'Nee, ik kan niks eten. Niet zolang zij ergens gevangenzit en... na wat er is gebeurd. Mijn maag... ik denk niet dat ik iets kan binnen-houden.'

Sun zette de motor weer uit. Ze zouden hier blijven wachten totdat Chu terugbelde.

De minuten tikten tergend traag voorbij en leken steeds kostbaarder te worden. Bosch ging in gedachten terug naar het moment dat hij was neergehurkt achter de toonbank van Fortune Liquors om het stoffelijk overschot van John Li te bekijken. Hij besefte beter dan ooit dat hij met zijn nietsontziende jacht op de dader anderen in gevaar had gebracht. Zijn dochter. Zijn ex-vrouw. Een heel gezin in het verre Tuen Mun. De schuldlast die hij zou moeten dragen, was de zwaarste van zijn hele leven, en hij wist niet zeker of hij die wel aankon.

Voor het eerst in zijn leven dacht hij aan zijn toekomst met het voorvoegsel 'als'. Als hij zijn dochter terugvond, zou hij een manier moeten zien te bedenken om zijn geweten te zuiveren. En als hij haar nooit meer terugzag, was er geen verlossing meer mogelijk.

Dan hield alles op.

Dit besef deed een rilling over zijn rug lopen. Hij draaide zich opzij en opende het portier.

'Ik ga een eindje lopen.'

Hij stapte uit en sloot het portier voordat Sun iets kon zeggen. Er was een voetpad langs de rivier en hij liep het op. Hij keek naar de grond, met zijn hoofd vol duistere gedachten, en sloeg geen acht op de mensen die hem tegemoet kwamen, of op de boten die op de rivier voorbijschoven.

Uiteindelijk kwam Bosch tot het besef dat hij noch zichzelf, noch zijn dochter hielp door te doemdenken over zaken waar hij geen vat op had. Hij probeerde zich onder de last vandaan te worstelen en zich te concentreren op iets zinvols. Bijvoorbeeld op de vraag over de simkaart van de telefoon van zijn dochter, die nog steeds onbeantwoord was en die hem flink dwarszat. Waarom had Madeline een mobiel nummer met alleen de vermelding 'Tuen Mun' in haar telefoon opgeslagen?

Nadat hij de vraag nog eens grondig had ontleed, kwam hij tot een antwoord dat hij niet eerder had bedacht. Madeline was gekidnapt. Toen dat gebeurde, was haar vrijwel zeker haar telefoon afgenomen. Dus was het ook mogelijk dat het niet Madeline, maar haar kidnapper was geweest die het nummer in de telefoon had opgeslagen. Deze optie bood ruimte voor nieuwe veronderstellingen. Peng had de video opgenomen en die naar Bosch gestuurd. Dus híj had de telefoon in zijn bezit gehad. In plaats van zijn eigen telefoon kon hij ook die hebben gebruikt tijdens de volgende stap van de kidnapping en de uitlevering van Madeline, of wat hij verder ook met haar wilde.

Dus waarschijnlijk was hij het geweest die het nummer op de simkaart had opgeslagen. Of omdat hij er vaak gebruik van maakte tijdens de onderhandelingen, óf omdat hij een spoor wilde achterlaten voor het geval er iets misging. En dat zou de reden kunnen zijn dat hij de simkaart in het bergje zout had verstopt. In de hoop dat iemand die zou vinden.

Bosch maakte rechtsomkeert om zijn nieuwe theorie aan Sun voor te leggen. Hij was de auto tot honderd meter genaderd toen hij Sun ernaast zag staan, opgewonden zwaaiend en wenkend naar hem. Bosch pakte zijn telefoon en keek naar het schermpje. Hij had geen oproep gemist, dus Suns opwinding kon niets te maken hebben met zijn telefoontje naar Chu.

Bosch begon terug te rennen naar de auto.

Sun zag hem aankomen, stapte in en trok het portier dicht. Even later zat Bosch naast hem.

'Wat is er gebeurd?'

'Een tweede bericht. Een sms.'

Sun hield zijn toestel op om Bosch de sms te laten zien, ook al was die in het Chinees.

'Wat staat er?'

'Hij schrijft: "Wat is het probleem? Wie ben je?"'

Bosch knikte. Nog steeds een heel terughoudende reactie. De afzender deed alsof hij nergens van wist. Hij had zogenaamd geen idee waar het over ging, maar toch had hij de sms beantwoord, wat Bosch vertelde dat ze mogelijk op het goede spoor zaten.

'Hoe reageren we nu?' vroeg Sun.

Bosch gaf geen antwoord. Hij dacht na.

Suns telefoon begon te trillen. Hij keek naar het schermpje.

'Hij is het. Dit is het nummer. Hij belt me.'

'Niet opnemen,' zei Bosch snel. 'Dat kan alles verpesten. We kunnen hem altijd terugbellen. Laten we eerst kijken of hij nog een bericht stuurt.'

De telefoon hield op met trillen en ze wachtten weer. Bosch probeerde te bedenken wat hun volgende stap moest zijn in dit sluwe, uiterst gevaarlijke spel. Na een tijdje schudde Sun zijn hoofd.

'Geen bericht. Dat zou inmiddels binnen moeten zijn.'

'Wat stond er in jouw sms? Heb je een naam genoemd?'

'Nee, geen naam. Ik heb een standaardbericht gemaakt en dat ge-stuurd.'

Dat was goed. Een neutrale, voorgekookte sms. De beller was na-tuurlijk uit op meer informatie, een naam, een stem...

'Oké, stuur hem nog een sms. Zeg: geen contact per telefoon of sms. Niet veilig. Zeg dat je hem zelf wilt spreken.'

'Meer niet? Hij vraagt wat het probleem is. Moet ik daar geen ant-woord op geven?'

'Nee, nog niet. Gewoon negeren. Hoe langer we dit weten te rek-ken, hoe meer tijd we Maddie geven. Begrijp je?'

Sun knikte kort.

'Ja, ik begrijp het.'

Hij typte wat Bosch had voorgesteld en verzond de sms.

'Nu wachten we weer,' zei hij.

Daar hoefde Bosch niet aan herinnerd te worden. Maar hij had het gevoel dat ze niet zo lang zouden hoeven wachten. Het lokaas had zijn werk gedaan en iemand aan de andere kant van de lijn had toegehapt. Hij was nauwelijks tot deze conclusie gekomen toen de volgende sms op Suns telefoon binnenkwam.

'Hij gaat akkoord,' zei Sun toen hij naar zijn schermpje keek. 'Om vijf uur bij Geo.'

'Wat is dat? Geo?'

'Een restaurant bij het Gold Coast Hotel. Heel beroemd. Het is er altijd heel druk op zondagmiddag.'

'Hoe ver is het naar het Gold Coast?'

'Vanaf hier? Bijna een uur rijden.'

Bosch moest rekening houden met de mogelijkheid dat degene met wie ze te maken hadden een spelletje met hen speelde door op zíjn beurt tijd te rekken. Bosch keek op zijn horloge. Het was bijna een uur geleden dat hij Chu had gesproken. Voordat de ontmoeting bij Geo zou plaatsvinden, moest hij eerst checken of Chu al iets voor hem had. Terwijl Sun de auto startte en het park uit reed, belde Bosch nog een keer naar Chu.

'Rechercheur Chu.'

'Met Bosch. Er is een uur verstreken.'

'Nog niet helemaal, maar ik zit nog te wachten. Ik heb gebeld, maar ik ben nog niet teruggebeld.'

'Heb je iemand aan de lijn gehad?'

'Eh... nee, maar ik heb een bericht achtergelaten voor mijn contactpersoon daar. Omdat het al zo laat is, is hij misschien niet meer...'

'Het is niet laat, Chu! In Los Angeles is het laat, hier niet. Heb je gebeld of niet?'

'Harry, doe me een lol. Ja, ik heb gebeld. Ik haal gewoon twee dingen door elkaar. Het is hier laat, maar het is daar al zondag. En omdát het zondag is, checkt hij zijn telefoon misschien minder vaak dan anders. Maar ik heb gebeld en ik bel jou zodra ik iets weet.'

'Ja, nou, dan is het misschien al te laat.'

Bosch beëindigde het gesprek. Hij had er nu al spijt van dat hij Chu had vertrouwd.

'Niks,' zei hij tegen Sun.

Drie kwartier later waren ze bij het Gold Coast, een resort aan de westelijke rand van de New Territories, geliefd bij reizigers van het Chinese vasteland, uit Hongkong en toeristen uit de rest van de wereld. Het reusachtige hotel rees hoog uit boven Castle Peak Bay en de openluchtrestaurants op de promenade langs de haven.

Geo was slim gekozen door de man met wie ze hadden afgesproken. Het was gelegen tussen twee soortgelijke openluchtrestaurants en het was in alle drie heel druk. Op de promenade was een markt met kunst en ambachten gaande, waardoor het bezoekersaantal nog eens werd verdubbeld en er ontelbare plekken waren om iemand ongezien te observeren. Dat maakte het identificeren van degene met wie ze hadden afgesproken vrijwel onmogelijk.

Volgens het plan dat Bosch en Sun tijdens de rit hadden bedacht werd Bosch voor de ingang van het Gold Coast afgezet. Ze hadden hun horloges gelijkgezet en daarna was Sun doorgereden. Bosch ging het hotel binnen, liep door naar de cadeauwinkel en kocht daar een zonnebril en een honkbalpet met het gouden embleem van het hotel erop. Ook kocht hij een stadsplattegrond en een wegwerpcamera.

Tegen tien voor vijf liep Bosch naar de ingang van Yellow Flower, het restaurant aan de rechterkant, waar hij een goed uitzicht had op het grote terras van Geo. Hun plan was heel simpel. Ze wilden de man van het telefoonnummer uit de contactenlijst van zijn dochter identificeren en hem volgen wanneer hij uit Geo wegging.

Bijna alle tafeltjes onder de witte luifels van Yellow Flower, Geo en het derde restaurant, dat Big Sur heette, waren bezet. Een briesje van zee hield de gasten koel en liet de luifels klapperen. Bosch wachtte tot hij naar een tafeltje zou worden gebracht, keek op zijn horloge en liet zijn blik over de gasten gaan.

Er waren diverse grote gezelschappen, hele families die tezamen de zondagse maaltijd gebruikten. Die tafels kon hij alvast overslaan bij het zoeken naar de man van hun afspraak, want het leek Bosch sterk dat die deel uitmaakte van een gezelschap. Maar ook dan nog was het een schier onmogelijke taak om hun contact te vinden. Dat ze in Geo hadden afgesproken betekende nog niet dat hun man ook werkelijk in het restaurant wás. Hij kon in een van de twee andere restaurants zijn en daar hetzelfde doen als wat Bosch en Sun deden... onopvallend in het rond kijken om zijn contact te identificeren.

Bosch had geen andere keus dan door te gaan zoals ze hadden gepland. Hij stak zijn vinger op naar een van de gastvrouwen en zoals hij had gehoopt werd hij naar een tafeltje in de hoek gebracht. Het was een zogenaamd slecht tafeltje, dat ze altijd bewaarden voor alleenstaande gasten, want van de zee was vanaf die plek niets te zien, maar hij had er wel een goed zicht op de terrassen van alle drie de restaurants, en daar ging het hem om.

Hij keek weer op zijn horloge en legde de plattegrond opengevouwen op het tafeltje. De camera legde hij er als gewicht bovenop en hij zette zijn pet af. Het was een goedkoop ding dat slecht paste, dus hij was blij dat hij hem kon afzetten.

Het was bijna vijf uur en hij liet zijn blik nog één keer over de drie terrassen gaan, maar hij zag niemand die zijn contactpersoon zou kunnen zijn. Niemand zoals hij, die alleen of met meer duistere types aan een tafeltje zat, met een zonnebril op of met een ander soort vermomming. Hij begon te vrezen dat hun plan was doorzien. Dat het contact er het zijne van had gedacht en op zijn beurt hén had misleid.

Toen hij weer op zijn horloge keek, schoof de secondewijzer juist voorbij de twaalf en was het precies vijf uur. Sun zou nu zijn volgende sms versturen.

Bosch keek van het ene tafeltje naar het andere in de hoop ergens een vluchtige beweging te zien, iemand die naar het schermpje van zijn telefoon keek. Maar er waren veel te veel mensen en terwijl de seconden voorbij tikten, kon hij niemand ontdekken.

'Goedemiddag, meneer. U bent maar alleen?'

Er was een serveerster bij zijn tafeltje komen staan. Bosch negeerde haar, bleef naar de mensen aan de tafeltjes bij Geo kijken.

'Meneer?'

Bosch antwoordde zonder haar aan te kijken.

'Geef me eerst maar een kop koffie. Zwart.'

'Ja, meneer.'

Hij kon voelen dat ze wegliep. Nog een minuut lang bleef hij naar de gasten aan de tafeltjes kijken. Daarna breidde hij het zoekgebied uit tot Yellow Flower en Big Sur. Hij zag een vrouw in een mobiele telefoon praten, maar verder niemand.

Bosch' eigen telefoon trilde in zijn broekzak. Hij haalde hem eruit en antwoordde, wist dat het Sun was.

'Hij heeft de eerste sms beantwoord. "Ik wacht," zegt hij, dat is alles.'

Ze hadden afgesproken dat Sun hem precies om vijf uur een sms zou sturen met de boodschap dat hij vastzat in het verkeer en iets later zou komen. Sun had dat gedaan, en de boodschap was ontvangen en beantwoord.

'Ik zie niemand,' zei Bosch. 'Het is hier veel te groot. Hij heeft een goeie plek gekozen.'

'Ja.'

'Waar ben jij?'

'Ik zit aan de bar achter in Big Sur. Ik heb ook niemand gezien.'

'Oké, ben je klaar voor het volgende bericht?'

'Ja, ik ben klaar.'

'We proberen het opnieuw.'

Bosch klapte zijn telefoon dicht toen de serveerster zijn koffie kwam brengen.

'Wilt u nu bestellen?'

'Nee, nog niet. Ik wil het menu bekijken.'

Ze liep weer weg. Bosch nam haastig een slokje koffie en sloeg het menu open. Hij bekeek de lijst en liet zijn rechterhand op tafel liggen zodat hij zijn horloge in de gaten kon houden. Om 5.05 uur zou Sun de volgende sms versturen.

De serveerster kwam terug en vroeg opnieuw of Bosch wilde bestellen. De boodschap was duidelijk: bestellen of ophoepelen. De tafel moest geld opbrengen.

'Heb je *gway lang go*?'

'Dat is schildpaddengelei.'

Ze zei het op een toon alsof ze vermoedde dat hij zich vergiste.

'Dat weet ik. Het wondermiddel voor al je kwalen. Hebben jullie het?'

'Niet op het menu.'

'Oké, geef me dan maar een portie noedels.'

'Wat voor noedels?'

Ze wees naar het menu. Er stonden geen plaatjes bij, dus Bosch had geen idee.

'Laat maar. Geef me maar een kom gebakken rijst met garnalen.'

'Is dat alles?'

'Ja, dat is alles.'

Hij reikte haar het menu aan in de hoop dat ze zou weggaan.

De serveerster liet hem alleen en Bosch keek weer op zijn horloge voordat hij zijn blik door het restaurant liet gaan. De volgende sms was verzonden. Zijn blik schoot van het ene tafeltje naar het andere. Opnieuw zag hij niets wat in het scenario paste. De vrouw die hij eerder had gezien, werd weer gebeld en sprak een paar woorden in haar toestel. Ze zat aan een tafeltje met een klein jongetje, dat er verveeld en onwennig uitzag in zijn zondagse kleren.

Bosch' toestel op de tafel trilde.

'Ik heb weer een reactie,' zei Sun. '"Als je er binnen vijf minuten niet bent, gaat de afspraak niet door," zegt hij.'

'Maar je hebt niemand gezien?'

'Nee.'

'Heb je de volgende sms al verstuurd?'

'Dat doe ik zo meteen, om tien over vijf.'

'Oké.'

Bosch klapte zijn toestel dicht en legde het op tafel. Ze hadden afgesproken dat de derde sms het eigenlijke werk moest doen... die moest hun contact definitief uit zijn tent lokken. Het bericht zou luiden dat Sun de ontmoeting afzegde omdat hij had gezien dat hij werd gevolgd en vermoedde dat het de politie was. Hij zou de onbekende contactpersoon aanraden Geo onmiddellijk te verlaten.

De serveerster kwam terug en zette een kom rijst op tafel. De garnalen, die op de rijst lagen, waren heel en ongepeld, met melkwitte oogjes die hem aankeken. Bosch schoof de kom van zich af.

Zijn telefoon trilde weer. Hij keek op zijn horloge voordat hij antwoordde.

'Heb je hem al verstuurd?' vroeg Bosch.

Het bleef stil aan de andere kant van de lijn.

'Sun Yee?'

'Harry, ik ben het, Chu.'

Bosch keek weer op zijn horloge. Het was tijd voor de laatste sms.

'Ik bel je zo terug.'

Hij klapte zijn toestel dicht en voor de zoveelste keer ging zijn blik langs de tafeltjes in de drie restaurants terwijl hij hoopte op die kans van een op de miljoen dat hun contact zich zou prijsgeven. Iemand die iets van het schermpje van zijn telefoon las, of die een antwoord intoetste.

Niets te zien. Hij zag niemand een telefoon pakken en naar het schermpje kijken. Er waren gewoon te veel mensen om in één keer te observeren. Het ondoordachte van hun plan begon tot hem door te dringen en veroorzaakte een hol gevoel in zijn borstkas. Hij keek naar het tafeltje waaraan de vrouw en het jongetje hadden gezeten en zag dat ze er niet meer waren. Snel liet hij zijn blik door het restaurant gaan en zag ze naar de uitgang lopen. De vrouw maakte een gehaaste indruk en trok het kind aan zijn handje achter zich aan. Ze had haar mobiele telefoon in haar andere hand.

Bosch klapte zijn toestel open en belde Sun. Hij antwoordde meteen.

'De vrouw met het kind,' zei Bosch. 'Ze komen jouw kant op. Volgens mij is zij het.'

'Heeft zij de sms'jes ontvangen?'

'Nee, ik denk dat ze is gestuurd om het eerste contact te leggen. Door iemand anders. We moeten haar volgen. Waar staat de auto?'

'Voor de deur.'

Bosch stond op, legde drie biljetten van honderd Hongkong-dollar op tafel en haastte zich naar de uitgang.

35

Sun zat al in de Mercedes, die voor Yellow Flower stond. Toen Bosch het portier opentrok, hoorde hij achter zich iemand roepen.

'Meneer! Meneer!'

Hij draaide zich om en zag dat de serveerster hem achternakwam met zijn pet en de plattegrond. Ze had ook het wisselgeld van zijn bon meegebracht.

'U bent dit vergeten, meneer.'

Bosch pakte de spullen aan en bedankte haar. De hand met het wisselgeld duwde hij terug.

'Dat is voor jou,' zei hij.

'Maar u hebt uw rijst met garnalen niet opgegeten,' zei ze.

'Nee, dat heb je goed gezien.'

Bosch dook de auto in en hoopte dat ze de vrouw en het jongetje niet zouden kwijtraken door het oponthoud. Sun reed meteen weg van het restaurant en voegde in tussen de andere auto's. Hij wees door de voorruit.

'Ze zitten in die witte Mercedes,' zei hij.

De auto reed anderhalf blok voor hen, maar het was niet druk op de weg.

'Rijdt ze zelf?' vroeg Bosch.

'Nee, de auto stond voor het restaurant te wachten en ze zijn achter ingestapt. Het is een man die rijdt.'

'Oké. Heb je ze in het vizier? Ik moet even iemand bellen.'

'Ja, ik zie ze.'

Terwijl Sun de witte Mercedes volgde, belde Bosch Chu terug.

'Bosch hier.'

'Oké, ik heb wat informatie van de politie van Hongkong losgekregen. Maar ze hebben me een hoop vragen gesteld, Harry.'

'Geef me eerst de informatie.'

Bosch haalde zijn notitieboekje en een pen tevoorschijn.

'Goed dan. Het telefoonnummer staat op naam van een bedrijf. Northstar Seafood & Shipping. Northstar aan elkaar. Ze zijn gevestigd in Tuen Mun. Dat is in de New…'

'Ik weet waar Tuen Mun is. Heb je het precieze adres?'

Chu gaf hem een adres aan Hoi Wah Road. Bosch herhaalde het hardop. Sun knikte. Hij wist waar het was.

'Oké, verder nog iets?' vroeg Bosch.

'Ja. Northstar staat onder verdenking, Harry.'

'Hoe bedoel je? Onder verdenking waarvan?'

'Daar wilden ze niet verder op ingaan. Illegale handel en transporten, dat is het enige wat ik weet.'

'Zoals mensensmokkel?'

'Zou kunnen. Maar zoals ik al zei, daar wilden ze geen verdere informatie over kwijt. Wat ik wel kreeg, waren een heleboel vragen over waarom ik het nummer naging.'

'Wat heb je gezegd?'

'Dat het zomaar een spoor was. Dat het nummer stond op een stukje papier dat we tijdens een moordonderzoek hebben gevonden. Ik heb gezegd dat we nog niks van een mogelijk verband wisten.'

'Goed gedaan. Is er een naam die aan het telefoonnummer gekoppeld kan worden?'

'Nee, niet rechtstreeks. Maar de eigenaar van Northstar Seafood & Shipping is ene Dennis Ho. Hij is vijfenveertig jaar oud en dat is het enige wat ik te weten kon komen zonder zelf specifieke informatie prijs te geven. Heb je er iets aan?'

'Ja. Bedankt.'

Bosch beëindigde het gesprek en gaf Sun een samenvatting van wat Chu hem had verteld.

'Zegt die naam je iets, Dennis Ho?' vroeg hij.

Sun schudde zijn hoofd.

'Nooit van gehoord.'

Bosch wist dat ze nu een belangrijke beslissing moesten nemen.

'We weten niet of die vrouw iets met de kidnapping te maken heeft,' zei Bosch, en hij wees door de voorruit naar de witte Mercedes. 'Misschien rijden we voor niks achter haar aan. Ik stel voor dat we dit afkappen en meteen naar Northstar rijden.'

'Dat hoeven we nu nog niet te besluiten.'

'Waarom niet? Ik wil geen tijd verspillen.'

Sun knikte in de richting van de witte Mercedes, die ongeveer twee-honderd meter voor hen reed.

'We rijden al naar de haven. Misschien gaan zij daar ook naartoe.'

Bosch knikte. Beide mogelijkheden bleven voorlopig open.

'Heb je genoeg benzine?' vroeg Bosch.

'Diesel,' zei Sun. 'En ja, we hebben genoeg.'

Het daaropvolgende half uur reden ze naar de kust over Castle Peak Road, met een ruime afstand tussen hen en de Mercedes, maar zonder die uit het oog te verliezen. Ze zeiden geen van tweeën iets. Ze beseften allebei dat de tijd begon te dringen en dat er niets te zeggen viel. Of de Mercedes, of Northstar zou hen bij Maddie Bosch brengen, of er was een grote kans dat ze haar nooit meer terugzagen.

Toen in de verte de groepen woontorens van Central Tuen Mun in zicht kwamen, zag Bosch de richtingaanwijzer van de witte Mercedes oplichten. De auto wilde links afslaan, weg van de haven.

'Ze slaan af,' zei hij voor de zekerheid.

'Dat is een probleem,' zei Sun. 'Het industriegebied van de haven is rechtdoor. Zij slaan af naar de woonwijken.'

Ze bleven allebei even zwijgen in de hoop dat een nieuw plan zich zou aandienen, of dat de bestuurder van de Mercedes zou beseffen dat hij rechtdoor moest en dat hij alsnog zijn koers wijzigde.

Geen van beide gebeurde.

'Wat doen we?' vroeg Sun ten slotte.

Bosch stond voor een groot dilemma. De keus die hij nu maakte, kon bepalen of zijn dochter zou blijven leven of niet. Hij wist dat hij en Sun niet konden opsplitsen, dat ze niet zowel de auto konden volgen als naar de haven konden gaan. Ten eerste hadden ze maar één auto en ten twee-de bevond Bosch zich in een wereld die hij niet kende en waar hij alleen weinig kon uitrichten. Hij was op Suns hulp aangewezen. Hij kwam tot dezelfde conclusie als die hij na Chu's telefoontje had getrokken.

'Laat haar gaan,' zei hij uiteindelijk. 'Wij gaan naar Northstar.'

Sun bleef rechtdoor rijden en ze passeerden de witte Mercedes toen die bij Tsing Ha Lane links afsloeg. Bosch keek uit het zijraampje toen ze de auto passeerden. De bestuurder draaide zijn hoofd om en keek hem heel even aan.

'Shit,' zei Bosch.

'Wat is er?' vroeg Sun.

'Hij keek naar me. De bestuurder. Ik denk dat ze wisten dat ze werden gevolgd. Ik denk dat we gelijk hadden... dat de vrouw erbij betrokken is.'

'Dat is gunstig.'

'Gunstig? Hoe bedoel je?'

'Als ze weten dat ze worden gevolgd, zijn ze misschien afgeslagen om ons weg te lokken van de haven en Northstar. Begrijp je?'

'Op die manier. Laten we hopen dat je gelijk hebt.'

Even later kwamen ze aan in het havengebied vol vervallen pakhuizen en verpakkingsbedrijfjes langs de werven en kades. Er lagen rivieraken en kleinere zeeschepen aangemeerd, vaak wel twee of drie naast elkaar. Alles maakte een verlaten indruk. Op zondag werd er niet gewerkt.

Een stuk of tien vissersboten lagen buiten de haven aangemeerd, in de luwte van de lange betonnen stormvloedkering die als buitenhaven fungeerde.

Er was hier nauwelijks verkeer en Bosch bedacht dat de glanzende zwarte Mercedes van het casino te veel zou opvallen als ze die voor de deur van Northstar parkeerden. Sun was blijkbaar op hetzelfde idee gekomen. Hij reed het parkeerterrein van een gesloten levensmiddelenzaak op en stopte daar.

'We zijn er bijna,' zei hij. 'Ik denk dat we de auto beter kunnen laten staan.'

'Mee eens,' zei Bosch.

Ze stapten uit en liepen de rest van de weg, dicht langs de gevels van de pakhuizen terwijl ze voortdurend om zich heen keken en zochten naar uitkijkposten. Sun had de leiding genomen en Bosch liep vlak achter hem.

Northstar Seafood & Shipping was gelegen aan werf 7. Een grote, groene loods met de naam in het Chinees en het Engels op de zijkant, en een eigen pier die haaks op de kade stond en die een flink eind de baai in stak. Aan weerskanten van de pier lagen vier vissersboten met een lengte van vijfentwintig meter, een zwarte romp en een groene opbouw. En aan het uiteinde lag een groter schip, met een zware hijskraan die hoog de lucht in stak.

Vanaf de plek waar hij stond, bij de hoek van een pakhuis op werf 6, zag Bosch geen enkele activiteit in de haven. De grote roldeuren van

het Northstar-pakhuis waren omlaag en de vissersboten leken aangemeerd voor het weekend. Bosch begon te denken dat hij een vreselijke fout had gemaakt toen hij voor de haven in plaats van de witte Mercedes had gekozen. Op dat moment tikte Sun hem op de schouder en
wees naar het kraanschip aan het uiteinde van de pier.

Suns vinger wees schuin omhoog en toen Bosch de kijkrichting
volgde, kwam hij uit bij de kraan. De stalen hijsarm stak uit een vijf
meter hoge opbouw op het dek van het schip. De kraan was verrijd-
baar over de hele lengte van het schip, zodat het ruim van elke vissers-
boot van zijn last kon worden ontdaan. Het kraanschip was duidelijk
ontworpen om uit te varen en kleinere vissersboten van hun vangst te
ontdoen, zodat die op zee konden doorgaan met vissen. De kraan
werd bestuurd vanuit een cabine op het bovenste platform, zodat de
kraanmachinist op zee tegen de wind en de andere elementen werd
beschermd.

Het waren de getinte ruiten van de kraan waar Sun naar wees. De
zon stond laag aan de hemel achter het schip, en Bosch zag het silhouet
van een man in de cabine.

Snel trok Bosch zich weer terug achter de hoek van het pakhuis
waar hij met Sun stond.

'Bingo,' zei hij, en zijn stem klonk al een beetje afgeknepen als gevolg van de plotselinge stoot adrenaline in zijn bloed. 'Denk je dat hij
ons heeft gezien?'

'Nee,' zei Sun. 'Ik heb in ieder geval geen reactie gezien.'

Bosch knikte en dacht na over de situatie waarin ze zich nu bevonden. Hij was er opeens heilig van overtuigd dat zijn dochter zich ergens op dat schip moest bevinden. Maar het was onmogelijk om bij het
kraanschip te komen zonder te worden gezien. Ze konden wachten tot
de machinist naar beneden kwam om te eten, naar de wc te gaan of afgelost te worden, maar ze hadden geen idee wanneer dat ging gebeuren, en óf het wel zou gebeuren. En het wachten zou Bosch' gevoel van
onrust in zijn borstkas alleen maar groter maken.

Hij keek op zijn horloge. Het was bijna zes uur. Het zou nog minstens twee uur duren voordat het helemaal donker was. Ze konden
wachten en dan in actie komen. Maar twee uur kon ook te lang zijn. De
sms'jes moesten de kidnappers van zijn dochter op scherp hebben gezet. Misschien stonden ze wel op het punt haar ergens anders naartoe
te brengen.

Alsof deze mogelijkheid benadrukt moest worden, hoorden ze opeens het donkere geronk van een zware dieselmotor. Bosch wierp een snelle blik om de hoek en zag rook opstijgen bij de achtersteven van het schip. En nu zag hij ook beweging achter de ruiten van de kraancabine.

Hij trok zich weer terug.

'Misschien heeft hij ons toch gezien,' meldde hij. 'Ze hebben de scheepsmotor gestart.'

'Hoeveel man heb je gezien?' vroeg Sun.

'Minstens één in het stuurhuis en die andere boven in de kraan. We moeten iets doen. Nu meteen.'

Om de noodzaak om tot actie over te gaan te accentueren bracht hij zijn hand naar zijn rug en trok het pistool achter zijn broekband vandaan. Hij was in de verleiding om uit de dekking te komen en schietend de pier over te rennen. Hij had een geladen .45 en was niet bang het risico te nemen. Hij had in de tunnels in Vietnam wel erger meegemaakt. Acht kogels, acht draken. En daarna was hij er zelf nog. Bosch zou de negende draak zijn, net zo onstuitbaar als een pistoolkogel.

'Wat is het plan?' vroeg Sun.

'Ik heb geen plan. Ik ga dat schip op en haar halen. Als ik het niet red, zal ik ervoor zorgen dat zij het ook niet overleven. Dan kom jij, je haalt haar van het schip en zet haar op een vliegtuig hiervandaan. Haar paspoort zit in de rugzak in je kofferbak. Dat is het plan.'

Sun schudde zijn hoofd.

'Wacht. Ze zullen zeker gewapend zijn. Geen goed plan.'

'Heb jij een beter idee? We kunnen niet wachten tot het donker is. Dat schip staat op het punt te vertrekken.'

Bosch waagde nog een blik om de hoek. Er was niets veranderd. De uitkijk zat nog steeds op zijn post en er was iemand in het stuurhuis. De scheepsmotor draaide stationair maar het schip lag nog steeds aangemeerd aan het uiteinde van de pier. Het leek wel alsof ze ergens op wachtten. Of op iemand.

Bosch trok zich weer terug en maande zichzelf tot kalmte. Hij keek om zich heen, zocht naar iets wat ze zouden kunnen gebruiken. Misschien was er een andere mogelijkheid dan een zelfmoordsprint de pier op. Hij keek Sun aan.

'We hebben een boot nodig.'

'Een boot?'

'Ja, een kleine boot. We kunnen die pier niet op lopen zonder te worden gezien. Ze zullen vooral op de pier letten. Maar met een bootje kunnen we een afleiding aan de andere kant creëren. Lang genoeg voor mij om ongezien naar het schip te rennen.'

Sun kwam naast Bosch staan en gluurde om de hoek. Hij bekeek de situatie en trok zich snel weer terug.

'Ja, dat zou kunnen lukken. Wil je dat ik ergens een boot steel?'

'Ja. Ik heb het pistool, dus ik ren die pier over om mijn dochter te bevrijden.'

Sun knikte. Hij stak zijn hand in zijn zak en haalde de autosleutels eruit.

'Hier, neem jij de sleutels. Als je je dochter hebt, neem je de auto en smeer je 'm. Ik red me wel.'

Bosch schudde zijn hoofd en haalde zijn telefoon uit zijn zak.

'We rijden naar een veilige plek in de buurt en dan bel ik je. We wachten op je.'

Sun knikte.

'Succes, Harry.'

Hij draaide zich om.

'Jij ook succes,' zei Bosch.

Nadat Sun was weggelopen, leunde Bosch met zijn rug tegen de muur van het pakhuis en maakte hij zich op voor het wachten. Hij had geen idee hoe Sun aan een boot moest komen, maar op de een of andere manier was hij ervan overtuigd dat het hem zou lukken en dat hij zou zorgen voor de afleidingsmanoeuvre die Bosch in staat zou stellen naar het schip te rennen.

Hij bedacht dat het nu misschien het moment was om de politie van Hongkong te bellen, nu hij wist waar zijn dochter was, maar hij zette het idee weer snel overboord. Tientallen politiemensen die de pier op stormden gaven hem niet de garantie dat zijn dochter het zou overleven. Hij bleef bij zijn plan.

Hij gluurde nog eens om de hoek van het pakhuis om te zien of er iets op het kraanschip van Northstar gebeurde, toen hij in de verte, vanuit zuidelijke richting, een auto zag aankomen. Algauw herkende hij de neus als die van een Mercedes. En de auto was wit.

Bosch trok snel zijn hoofd terug en liet zich langs de muur in zithouding zakken. De visnetten die op de twee boten tussen hem en de naderende auto te drogen hingen, onttrokken hem voor een deel aan het zicht. Hij zag dat de auto vaart minderde, werf 7 op draaide en langzaam de pier naar het kraanschip op reed. Het was de Mercedes die ze vanaf de Gold Coast hadden gevolgd. Hij ving een glimp van de bestuurder op en herkende hem als de man die hem een half uur geleden had aangekeken.

Bosch paste snel de stukjes in elkaar en kwam tot de conclusie dat de bestuurder van de Mercedes degene moest zijn van wie Peng het telefoonnummer in Maddies contactenlijst had gezet. Hij had de vrouw en het kind – waarschijnlijk zijn echtgenote en zoontje – als verkenners bij Geo naar binnen gestuurd om te weten te komen wie hem de sms'jes zond. Geschrokken door Suns laatste bericht had hij vrouw en kind naar huis gebracht, of naar een andere veilige plek, en was hij doorgereden naar werf 7, waar Bosch' dochter gevangen werd gehouden.

Er waren nog een hoop open plekken in te vullen, gezien de beperkte informatie die hij had, maar Bosch had de stellige indruk dat hij vlak bij zijn doel was en dat er iets te gebeuren stond wat geen deel uitmaakte van het oorspronkelijke plan van de man in de witte Mercedes. Die was aan het improviseren. Hij nam overhaaste beslissingen, was van plan de handelswaar te verplaatsen, of iets wat veel erger was: zich te ontdoen van zijn handelswaar.

De Mercedes stopte bij het kraanschip aan het eind van de pier. De bestuurder stapte uit en liep de loopplank van het schip op. Hij riep iets naar de man in de kraancabine, wachtte niet op antwoord en liep met grote passen door naar het stuurhuis.

Daarna gebeurde er even niets. Toen zag Bosch de man uit de kraanmachine komen en afdalen van het platform. Toen hij het dek had bereikt, liep hij ook naar het stuurhuis.

Bosch wist dat ze een strategische fout hadden begaan die hem een tijdelijk voordeel bood. Dít was zijn kans om ongezien over de pier naar het schip te lopen. Hij haalde zijn telefoon uit zijn zak en belde Sun. Suns toestel ging over en schakelde door naar de voicemail.

'Sun, waar ben je? De man van de witte Mercedes is hier en er staat niemand meer op de uitkijk. Laat die afleidingsmanoeuvre zitten, kom terug en hou je gereed om weg te rijden. Ik ga nu naar het schip.'

Bosch stak het toestel in zijn zak en richtte zich op. Hij keek nog een laatste keer naar het schip en schoot tevoorschijn uit zijn dekking. Hij rende over de werf naar de pier en ging op weg naar het schip. Hij had beide handen om de kolf van het pistool geklemd. Hij was er klaar voor.

36

De opgestapelde lege kisten op de pier boden Bosch een gedeeltelijke dekking, maar de laatste twintig meter naar het kraanschip waren open, onbeschermd terrein. Hij ging nog harder lopen, overbrugde de afstand zo snel als hij kon en dook op het laatste moment achter de Mercedes, die met stationair draaiende motor bij de loopplank stond. Bosch hoorde het kenmerkende geluid van de motor en snoof de geur van diesel op. Hij gluurde over de kofferbak en zag dat zijn komst niet had geleid tot reacties op het schip. Hij schoot tevoorschijn uit zijn dekking, liep snel en zo geruisloos mogelijk de loopplank op en zocht zijn weg tussen de twee meter brede ruimluiken op het dek. Hij ging pas langzamer lopen toen hij het stuurhuis naderde. Naast de deur van het stuurhuis ging hij met zijn rug tegen de stalen wand staan.

Harry nam even de tijd om op adem te komen en te luisteren. Afgezien van het doffe gestamp van de scheepsmotoren en het slaan van de touwen van de vissersboten in de wind hoorde hij niets. Hij draaide zich om en keek door het vierkante raampje in de deur. Hij zag niemand in het stuurhuis. Hij pakte de deurknop vast, opende geruisloos de deur en ging naar binnen.

Dit was het commandocentrum van het schip. Afgezien van het stuurwiel zag Bosch diverse verlichte meters, twee radarschermen, een dubbele gashendel en een groot staand kompas. Bij de achterwand stond de kaartentafel en daarnaast waren twee ingebouwde slaapkooien met gordijntjes voor de privacy.

Links aan de voorkant was een groot, open vloerluik met een ladder naar het ruim van het schip. Hij hoorde stemmen in het ruim, maar er werd Chinees gesproken, dus hij kon niet verstaan wat er werd gezegd. Hij probeerde de stemmen van elkaar te onderscheiden om te tellen hoeveel mannen er beneden waren, maar door de holle echo's lukte dat niet. Hij wist dat het er minimaal drie waren. De stem van zijn dochter hoorde hij niet, maar hij wist dat ook zij beneden moest zijn.

Bosch liep naar de besturingsconsole van het schip. Hij zag allerlei knoppen en schakelaars, maar allemaal met Chinese symbolen erop. Ten slotte kwam hij uit bij twee grote tuimelschakelaars met rode brandende lampjes erboven. Hij zette de ene schakelaar om en hoorde het motorgeronk met de helft afnemen. Hij had de ene motor uitgezet.

Hij wachtte vijf tellen, zette de andere schakelaar om en bracht daarmee de tweede motor tot zwijgen. Hij draaide zich om, liep naar achterkant van het stuurhuis en verstopte zich in de onderste kooi. Hij trok het gordijntje voor de helft dicht en wachtte af. Als er iemand door het luik naar boven kwam, kon hij Bosch niet zien. Bosch stak het pistool weer achter zijn broekband en haalde het knipmes uit de zak van zijn jasje. Geruisloos liet hij het lemmet eruit springen.

Algauw hoorde hij rennende voetstappen in het ruim. Hieruit leidde hij af dat de mannen in de voorsteven van het schip waren geweest. Hij telde maar één paar naderende voetstappen. Dat kwam hem goed uit.

Er kwam een man door het luik naar boven, met zijn rug naar de kooien en zijn blik gericht op de besturingsconsole. Zonder achterom te kijken ging hij bij de console staan om te zien waarom de scheepsmotoren er spontaan mee waren opgehouden. Hij kon de oorzaak niet vinden en begon aan de handelingen om de motoren opnieuw op te starten. Bosch kroop geruisloos uit de kooi en sloop naar hem toe. Op het moment dat de tweede scheepsmotor grommend tot leven kwam, drukte hij de scherpe punt van het lemmet van het knipmes in de onderrug van de man.

Met zijn andere hand greep hij hem in zijn kraag, trok hem weg van de console en fluisterde in zijn oor: 'Waar is het meisje?'

De man antwoordde iets in het Chinees.

'Vertel op, waar is het meisje?'

De man schudde zijn hoofd.

'Hoeveel mensen zijn er beneden?'

De man zei niets, waarop Bosch hem naar de deur van het stuurhuis duwde en hem ruw het dek op sleepte. Hij gooide de man tegen de reling aan en boog hem eroverheen. Het water was vier meter onder hem.

'Kun je zwemmen, klootzak? Waar is het meisje?'

'Niet... praten,' stamelde de man. 'Niet Engels.'

Met de man over de reling gebogen keek Bosch om zich heen. Hij zocht Sun, zijn tolk, maar die was nergens te zien. Waar hing hij verdomme uit?

Het moment van afleiding gaf de man de gelegenheid voor een tegenactie. Hij zwaaide zijn elleboog achteruit naar Bosch' ribbenkast. De stoot kwam hard aan en Bosch sloeg achterover tegen de wand van het stuurhuis. Toen had de man zich al omgedraaid en beide vuisten geheven om in de tegenaanval te gaan. Bosch ging in een bokshouding staan om de slagen af te weren, maar de voet van de man kwam het eerst omhoog, raakte Bosch op zijn pols en schopte het knipmes uit zijn hand.

Het mes vloog door de lucht, maar de man keek er niet naar. Hij kwam snel naar voren, haalde uit met beide vuisten en raakte Bosch met een aantal korte, harde stoten in het middenrif. Bosch voelde hoe de lucht uit zijn longen werd geperst toen de man nog een keer naar hem trapte en hem boven op zijn strottenhoofd raakte.

Bosch sloeg tegen het dek. Hij probeerde zich te herstellen, maar alles draaide in het rond en hij kon niet goed zien. Zijn aanvaller deed doodkalm een stap opzij en Bosch hoorde staal over staal schrapen toen hij het knipmes van het dek raapte. Bosch schudde zijn hoofd, deed zijn best om bij kennis te blijven en bracht zijn hand achter zijn rug.

De man kwam op hem af en zei in goed verstaanbaar Engels: 'En jij? Kun jij zwemmen, klootzak?'

Bosch trok het pistool achter zijn rug vandaan en loste twee schoten, waarvan het eerste de schouder van de man schampte en het tweede, toen Bosch beter richtte, hem links in de borst trof. Met een blik van verbazing in de ogen zakte hij in elkaar op het dek.

Harry krabbelde overeind tot hij op zijn handen en knieën steunde. Uit zijn mond hing een bloederige sliert speeksel tot op het dek. Steunend tegen de wand van het stuurhuis probeerde hij op te staan. Hij wist dat hij heel weinig tijd had. De mannen in het ruim zouden de schoten zeker hebben gehoord.

Hij stond nog maar net rechtop toen vanaf de voorsteven van het schip het vuur werd geopend. Kogels vlogen fluitend over zijn hoofd en ketsten af op de stalen wand achter hem. Bosch rende de hoek om en zocht dekking achter het stuurhuis. Hij keek door het raampje in de deur en kon door de voorruit de rest van het schip zien. Vanaf de voorsteven kwam een man naar het achterschip lopen. Hij had in beide handen een pistool en achter hem zag Bosch het open luik waardoorheen hij aan dek was gekomen.

Bosch wist dat hij nog maar zes patronen had en hij ging ervan uit dat de naderende schutter met volle magazijnen was begonnen. Dus wat munitie betreft was Harry in het nadeel. Hij moest een manier bedenken om de schutter snel en efficiënt uit te schakelen.

Hij keek om zich heen en probeerde een plan te bedenken toen hij een rij kratten met rubberen stootbumpers tegen de achtersteven zag staan. Hij stak het pistool achter zijn broekband en trok een van de bumpers uit het krat. Hij liep ermee naar de deur van het stuurhuis en keek weer door het raampje. De schutter liep aan de bakboordkant van het dek en was dichter bij het stuurhuis gekomen. Bosch deed een stap achteruit, tilde de bijna een meter lange stootbumper met beide handen boven zijn hoofd en gooide hem over het stuurhuis heen. Terwijl de bumper nog door de lucht vloog, liep hij snel naar de stuurboordkant en trok zijn pistool.

Hij kwam achter het stuurhuis vandaan op het moment dat de schutter wegdook voor de vallende stootbumper. Bosch opende onmiddellijk het vuur en schoot de man een paar keer in de borst, totdat hij op het dek viel zonder een schot te hebben gelost.

Bosch liep naar de man toe en overtuigde zich ervan dat hij dood was. Hij gooide zijn lege .45 over de reling, raapte de wapens van de neergeschoten man op – nog twee Black Star-halfautomaten – en liep terug naar het stuurhuis.

Binnen was niemand. Bosch wist dat er nog minstens één man aan boord moest zijn, in het ruim, bij zijn dochter. Hij liet het magazijn uit beide wapens springen en telde elf patronen in totaal.

Hij stak de pistolen achter zijn broekband en liet zich als een brandweerman – met zijn voeten aan de buitenkant tegen de verticale stangen geklemd – langs de ladder omlaag glijden. Op de bodem van het ruim liet hij zich op de vloer vallen, rolde om en trok zijn pistolen voor het geval hij onder vuur zou worden genomen, maar dat gebeurde niet.

Bosch wachtte tot zijn ogen zich hadden aangepast aan het weinige licht en zag dat hij zich bevond in een lege ruimte met een deur naar een gang die doorliep over de hele lengte van het schip. Het enige licht was afkomstig van het open dekluik helemaal aan het eind van de gang. Tussen Harry en dat punt bevonden zich zes binnenruimen – drie aan elke kant – en van het laatste aan de linkerkant stond de deur open. Bosch stond op en stak het ene pistool achter zijn broekband om één hand vrij te hebben. Langzaam liep hij de gang in, met het andere pistool voor zich uit gericht en klaar om te vuren.

Elk binnenruim had een deur met vier hendels om ze af te sluiten voordat de gevangen vis erin werd gedaan. Op het roestige staal stonden pijlen die aangaven welke kant de hendels op moesten worden gedraaid om de deur te openen. Hij bewoog zich door de gang, checkte de ruimen een voor een, zag dat ze leeg waren en dat ze de laatste tijd duidelijk niet voor de opslag van vis waren gebruikt. De ruimen hadden stalen wanden zonder patrijspoorten en de vloer lag bezaaid met lege waterflessen en platgetrapte dozen van cornflakes. Er stonden houten kratten vol andere rommel en aan de haken in de wanden waren visnetten geknoopt die als hangmat waren gebruikt. In alle binnenruimen hing een penetrante stank en die had niets te maken met de vis die er ooit in was opgeslagen. Dit schip had menselijke vracht vervoerd.

Wat Bosch het meest dwarszat, waren de cornflakesdozen. Die waren allemaal van hetzelfde merk, met een glimlachende pandabeer die op de rand van een kom cornflakes stond en er suiker overheen strooide. Dit was eten voor kinderen.

Zijn laatste doelwit was het ruim met de open deur. Bosch liet zich door zijn knieën zakken, maakte zich klein en draaide in één vloeiende beweging de deuropening in.

Ook hier was niemand.

Maar het zag er wel anders uit. Geen rommel hier. Aan een haak in het plafond, aan een touwtje, hing een lamp die op batterijen brandde. Rechtop tegen de zijwand stond een houten scheepskrat vol nieuwe dozen cornflakes en noedels, en ernaast stonden jerrycans met water. Bosch zocht naar sporen die erop duidden dat zijn dochter hier was vastgehouden, maar hij zag ze niet.

Opeens hoorde hij achter zich het kermende geluid van roestige scharnieren. Hij draaide zich om op het moment dat de deur dichtging. Hij zag dat de hendel rechtsboven dicht werd gedraaid en ook dat de binnenhendels waren verwijderd. Hij werd opgesloten. Hij trok het tweede pistool, richtte beide wapens op de deur en wachtte totdat de volgende hendel zou worden omgedraaid.

Het was de hendel rechtsonder. Op het moment dat Bosch hem in beweging zag komen, begon hij met beide wapens in de deur te schieten in de hoop dat de kogels door het roestige plaatstaal zouden dringen. Dat deden ze, want hij hoorde een kreet van verbazing en pijn. En daarna de doffe plof van een lichaam dat op de grond valt.

Bosch liep naar de deur en probeerde de moer aan de rechterbovenkant los te draaien, maar die was te klein voor zijn vingers om er grip op te krijgen. Uit wanhoop deed hij een stap achteruit, stormde naar voren en beukte zijn schouder tegen de deur opdat het slot het misschien zou begeven. Maar dat gebeurde niet en hij voelde aan de pijn in zijn schouder dat zijn actie zinloos was.

Hij zat hier opgesloten.

Hij ging bij de deur staan en drukte zijn oor ertegenaan om te luisteren. Het enige wat hij hoorde was het doffe gestamp van de scheepsmotoren. Hij sloeg met de kolf van het ene pistool hard op de plaatstalen deur.

'Maddie?' riep hij. 'Maddie, ben je hier?'

Geen reactie. Hij sloeg nog een paar keer op de deur, nu nog harder.

'Geef me een teken, meisje. Als je hier bent, laat je horen!'

Opnieuw geen reactie. Bosch haalde zijn telefoon uit zijn zak en klapte hem open om Sun te bellen. Maar hij zag dat hij geen bereik had. Hij probeerde toch te bellen, maar hoorde niets. Hij bevond zich in een ruimte van plaatstaal, dus hij had niets aan zijn telefoon.

Bosch draaide zich om, sloeg nog een keer op de deur en riep de naam van zijn dochter.

Er kwam geen reactie. Verslagen liet Harry zijn bezwete voorhoofd tegen het roestige staal van de deur rusten. Hij zat opgesloten in een stalen cel, met het besef dat zijn dochter zich niet eens op het schip bevond. Hij had het verprutst, had zijn verdiende loon gekregen.

De voelbare pijn in zijn borstkas vermengde zich met die in zijn geest. Een felle, doordringende, onwrikbare pijn. Hij begon zwaarder te ademen en leunde met zijn rug tegen de deur. Hij deed nog een knoopje van zijn shirt los, liet zich langs het roestige staal omlaag zakken tot hij zat en trok zijn knieën op. De ruimte waarin hij zich bevond, besefte hij, was net zo claustrofobisch als de tunnels waar hij ooit doorheen was gekropen. Straks zou de batterij van de lamp aan het plafond leeg zijn en zou hij hier in het duister zitten. Verslagenheid en wanhoop namen bezit van hem. Hij had zichzelf én zijn dochter teleurgesteld.

37

Opeens schrok Bosch op uit zijn algehele lethargie. Hij had iets gehoord. Iets anders dan het doffe gestamp van de motoren. Een bonzend geluid. Het kwam niet van boven. Het was hier, in het ruim.

Hij sprong op en keerde zich naar de deur. Hij hoorde het weer, het bonzende geluid van iemand die de binnenruimen checkte net zoals hij dat had gedaan.

Hij ramde met de kolf van beide pistolen op de deur en begon te schreeuwen om het echoënde lawaai van staal op staal te overstemmen.

'Sun Yee! Hé! Hier ben ik. Iemand anders? Ik ben hier!'

Eerst kwam er geen reactie, maar toen zag hij de moer aan de rechterbovenkant van de deur in beweging komen. Iemand maakte de deur open. Bosch deed een stap achteruit, veegde met zijn mouwen het zweet van zijn gezicht en wachtte af. Ten slotte werd de onderste hendel omgedraaid en ging de deur langzaam open. Bosch richtte zijn pistolen zonder te weten of er nog wel patronen in zaten.

In het gedempte licht van de middengang zag hij Suns gezicht. Bosch kwam naar voren en duwde de deur helemaal open.

'Waar heb je verdomme uitgehangen?'

'Ik was op zoek naar een boot en...'

'Ik heb je gebeld. Ik heb ingesproken dat je moest terugkomen.'

Toen Bosch de gang op kwam, zag hij de man van de Mercedes een meter van de deur op zijn buik op de grond liggen. Hij hurkte naast hem neer, hoopte dat hij nog in leven zou zijn. Harry rolde hem om en zag het bloed op de borstkas.

De man was dood.

'Harry, waar is Madeline?' vroeg Sun.

'Dat weet ik niet. Iedereen is dood en ik weet niet waar ze is.'

Tenzij...

Een laatste plan ontvouwde zich in Bosch' geest. Een allerlaatste kans. De witte Mercedes. Gloednieuw en glanzend. De auto zou over alle nieuwe snufjes beschikken, waaronder een navigatiesysteem, en daarin moest het huisadres van de man te vinden zijn.

Daar moesten ze naartoe. Ze zouden naar zijn huis gaan en daar zou Bosch alles doen wat nodig was om zijn dochter terug te krijgen. Als hij daarvoor een pistool op het hoofd van het vervelde jongetje moest zetten, zou hij dat doen. Dan zou de vrouw hem vertellen wat hij wilde weten. Zij zou Bosch zijn dochter teruggeven.

Harry staarde naar het lijk op de vloer van het ruim. Hij nam aan dat hij keek naar Dennis Ho, de man achter Northstar. Hij klopte op de zakken van de dode man, zocht naar de autosleutels maar vond ze niet, en net zo snel als zijn plan zich had gevormd, ging het in rook op. Waar waren zijn autosleutels? Hij moest die navigator kunnen aanzetten om te zien waar ze naartoe moesten.

'Harry, wat is er?'

'Zijn sleutels. Ik heb zijn autosleutels nodig, anders…'

Abrupt stopte hij met praten. Hij besefte dat hem iets was ontgaan. Toen hij de pier op was gerend en dekking had gezocht achter de witte Mercedes, had hij de dieselmotor van de auto gehoord en geroken. De auto had daar gestaan met stationair draaiende motor.

Bosch had er op dat moment geen aandacht aan besteed omdat hij ervan overtuigd was dat zijn dochter zich op het kraanschip bevond. Maar nu wist hij beter.

Bosch kwam overeind en liep door de gang naar de ladder, waarbij zijn gedachten hem al ver vooruit waren. Hij hoorde dat Sun hem achternakwam.

Dennis Ho kon maar één reden hebben gehad om zijn auto met lopende motor op de pier te laten staan. Omdat hij van plan was geweest meteen weer terug te komen. Niet mét Madeline, want zij was niet op het schip, maar om haar aan boord van het schip te bréngen, nadat ze het ene binnenruim in orde hadden gemaakt en het veilig was om haar over te brengen.

Bosch stormde het stuurhuis uit en rende over de loopplank naar de pier. Hij liep meteen door naar het portier aan de bestuurderskant van de witte Mercedes en rukte het open. Hij keek op de achterbank en zag dat die leeg was. Daarna keek hij naar het dashboard en zocht naar de knop om de kofferbak te openen.

Toen hij die niet vond, zette hij de motor af en trok de sleutel uit het contactslot. Hij liep naar de achterkant van de auto, richtte de *remote key* erop en drukte op het knopje van de kofferbak.

De klep ging automatisch omhoog. Bosch deed een stap naar voren en daar, gewikkeld in een deken, lag zijn dochter. Ze was geblinddoekt en gekneveld. Haar armen waren met diverse lagen brede grijze tape tegen haar lichaam vastgeplakt. Haar enkels waren ook aan elkaar getapet. Bosch slaakte een kreet toen hij haar zag.

'Maddie!'

Hij liet zich bijna op haar vallen toen hij de blinddoek van haar hoofd trok en aan de knoop van de knevel begon.

'Ik ben het, schat! Papa!'

Ze deed haar ogen open en knipperde.

'Je bent in veiligheid, Maddie. Er zal je niks meer gebeuren.'

Toen Bosch de knevel had losgemaakt, slaakte het meisje een kreet die dwars door haar vaders hart ging en die hem altijd zou bijblijven. Alles zat erin: doodsangst, haar schreeuw om hulp, een enorme opluchting en zelfs blijdschap.

'Papa!'

Ze begon te huilen en Bosch boog zich voorover om haar uit de kofferbak te tillen. Opeens stond Sun naast hem, die hem daarbij hielp.

'Het komt allemaal weer goed,' zei Bosch. 'Alles komt goed.'

Ze zetten het meisje rechtop achter de auto en Bosch zaagde met de tanden van een van de sleutels de tape door. Hij zag dat Madeline nog steeds haar schooluniform aanhad. Zodra ze haar armen en handen vrij had, sloeg ze die om Bosch' nek en drukte ze zich met al haar kracht tegen hem aan.

'Ik wist dat je zou komen,' zei ze tussen twee ademloze snikken door.

Bosch dacht niet dat hij ooit woorden had gehoord die meer voor hem betekenden. Hij sloeg zijn armen om haar heen en drukte haar stevig tegen zich aan. Toen boog hij zijn hoofd om iets in haar oor te fluisteren.

'Maddie?'

'Wat is er, papa?'

'Ben je gewond, Maddie? Lichamelijk, bedoel ik. Als ze iets met je hebben gedaan, moeten we…'

'Nee, ik ben niet gewond.'

Hij hield haar een stukje van zich af, legde zijn handen op haar schouders en keek haar in de ogen.

'Echt niet? Je kunt het gerust tegen me zeggen.'

'Echt niet, papa. Er is niks met me aan de hand.'

'Oké. We moeten hier weg.'

Hij wendde zich tot Sun.

'Kun jij ons naar het vliegveld brengen?'

'Geen probleem.'

'Goed, laten we dan gaan.'

Bosch sloeg zijn arm om haar schouders en ze liepen achter Sun aan de pier af. Ze hield de hele weg haar arm om Bosch' middel geslagen en pas toen ze de auto naderden, scheen ze te beseffen wat Suns aanwezigheid te betekenen had en stelde ze de vraag waar Harry zo bang voor was.

'Papa?'

'Wat is er, Maddie?'

'Waar is mama?'

38

Bosch gaf geen direct antwoord op de vraag. Hij zei alleen dat haar moeder er op dit moment niet bij kon zijn, maar dat ze wel een rugzak voor haar had ingepakt, want ze moesten Hongkong zo snel mogelijk verlaten en zouden nu meteen naar het vliegveld rijden. Sun zei niets. Hij ging sneller lopen om zich op die manier aan het gesprek te onttrekken.

De uitleg gaf Harry enige tijd om na te denken over hoe en wanneer hij zijn dochter het best op de hoogte kon brengen van het nieuws dat de rest van haar leven zou veranderen. Toen ze bij de zwarte Mercedes kwamen, liet hij haar eerst achter instappen voordat hij haar rugzak uit de kofferbak haalde. Hij wilde niet dat ze zag dat Eleanor ook voor zichzelf een koffer had ingepakt. Hij zocht in het zijvak van de koffer, vond Madelines paspoort en stak het in zijn binnenzak.

Bosch stapte voor in en reikte haar over de leuning van zijn stoel de rugzak aan. Hij vroeg haar zich om te kleden, want het schooluniform zou misschien te veel aandacht trekken. Daarna keek hij op zijn horloge en knikte naar Sun.

'Laten we gaan. We moeten het vliegtuig halen.'

Sun zette de auto in beweging en reed met een stevige snelheid – maar niet té hard – het havengebied uit.

'Is er een rechtstreekse ferry of trein naar het vliegveld waar je ons kunt afzetten?' vroeg Bosch.

'Nee, de ferry is opgeheven en met de trein moet je overstappen. Het is beter dat ik jullie breng. Ik sta erop.'

'Oké, Sun Yee.'

Ze reden een paar minuten zonder dat iemand iets zei. Bosch wilde zich omdraaien om met zijn dochter te praten, om zich ervan te overtuigen dat alles met haar in orde was.

'Maddie, heb je je omgekleed?'

Ze gaf geen antwoord.

'Maddie?'

Bosch draaide zich om en keek tussen de leuningen door. Ze had andere kleren aangetrokken. Ze zat achter Sun, leunde tegen het achterportier, staarde door het raampje naar buiten en klemde met beide armen haar kussen tegen zich aan. Ze wekte niet de indruk dat ze had gezien dat er een kogelgat in zat.

'Maddie, alles oké met je?'

Zonder zijn vraag te beantwoorden of hem aan te kijken zei ze: 'Ze is dood, hè?'

'Wat? Wie?'

Bosch wist heel goed waar ze het over had, en over wie, maar toch probeerde hij nog tijd te rekken, om aan het onvermijdelijke te ontkomen.

'Ik ben niet gek, hoor,' zei ze. 'Jij bent hier. Sun Yee is hier. Zij had er ook moeten zijn. Ze zóú er ook zijn, als haar niet iets was overkomen.'

Bosch voelde een onzichtbare mokerslag, die hem boven op zijn borstbeen raakte. Madeline bleef het kussen tegen zich aan drukken en staarde met betraande ogen uit het raampje.

'Maddie, het spijt me zo. Ik wilde het je vertellen, maar dit was het juiste moment niet.'

'Wanneer is het dat wel, het juiste moment?'

Bosch knikte.

'Je hebt gelijk. Nooit.'

Hij stak zijn hand uit en legde die op haar knie, maar ze duwde hem onmiddellijk weg. Het was de eerste confrontatie met het schuldgevoel waaronder hij de rest van zijn leven gebukt zou gaan.

'Het spijt me heel erg. Ik weet niet wat ik moet zeggen. Toen ik hier vanochtend aankwam, werd ik op het vliegveld opgewacht door je moeder. En door Sun Yee. Ze wilde maar één ding, Maddie. Jou weer veilig thuis hebben. Al het andere vond ze niet belangrijk, ook zichzelf niet.'

'Wat is er met haar gebeurd?'

Bosch aarzelde, maar hij wist dat hij haar niets anders dan de waarheid kon vertellen.

'Ze is door een kogel geraakt, schat. Er schoot iemand op mij en zij werd geraakt. Ik denk dat ze het niet eens heeft gevoeld.'

Madeline drukte haar handen op haar ogen.

'Het is allemaal mijn schuld,' zei ze.

Bosch schudde zijn hoofd, ook al kon ze dat niet zien.

'Nee. Maddie, luister naar me. Zeg dat nooit. Je mag het niet eens dénken. Het is jouw schuld niet. Het was míjn schuld. Alles wat er hier is gebeurd, is mijn schuld.'

Ze gaf geen antwoord. Ze drukte het kussen weer tegen zich aan en staarde wezenloos uit het raampje naar het wegdek.

Een uur later stopte de Mercedes voor de hoofdingang van het vliegveld. Bosch hielp zijn dochter uit de auto te stappen en wendde zich tot Sun Yee. Ze hadden de rest van de rit weinig gezegd. Maar het was nu tijd om afscheid te nemen en Bosch wist dat hij zijn dochter nooit had teruggevonden als Sun hem niet had geholpen.

'Hartelijk bedankt, Sun Yee. Je hebt mijn dochter het leven gered.'

'Dat heb jij gedaan. Jij laat je door niets en niemand tegenhouden, Harry Bosch.'

'Wat ga je nu doen? De politie zal onderzoek doen naar de dood van Eleanor en bij jou terechtkomen.'

'Ik handel alles af zonder melding van jou te maken. Dat is mijn belofte aan jou. Wat er ook gebeurt, ik laat jou en je dochter erbuiten.'

Bosch knikte.

'Veel succes,' zei hij.

'Jij ook.'

Bosch schudde hem de hand en deed een stap achteruit. Na een korte, ongemakkelijke stilte kwam Madeline naar voren en omhelsde ze Sun. Ondanks de bescherming van de zonnebril zag Bosch de uitdrukking op zijn gezicht. Ze mochten dan heel erg van elkaar verschillen, Bosch was er zeker van dat het terugvinden van Madeline hem enige troost moest geven. Misschien zou die hem in staat stellen zijn gemoedsrust terug te vinden.

'Ik vind het zo erg voor je,' zei Madeline.

Sun maakte zich van haar los en deed een stap achteruit.

'Je moet nu gaan,' zei hij. 'Zorg dat je een gelukkig leven krijgt.'

Ze lieten hem daar achter en gingen door de glazen schuifdeuren de hoofdterminal binnen.

Bosch en zijn dochter liepen naar de balie van Cathay Pacific waar Harry twee businessclasstickets voor de vlucht van 11.40 uur naar Los

Angeles kocht. Hij kreeg geld terug van zijn geplande retourvlucht van de volgende ochtend, maar toch had hij twee creditcards nodig om het totaalbedrag te betalen. Maar dat kon hem niets schelen. Hij wist dat businessclasspassagiers een speciale status hadden, dat ze snel langs de douane werden geloodst en dat ze als eerste mochten instappen. Luchthaven- en beveiligingspersoneel hadden de neiging zich minder met businessclasspassagiers bezig te houden, ook al ging het om een bezwete man met bloed op zijn jasje en een dertienjarig meisje dat maar niet kon ophouden met huilen.

Bosch begreep ook dat de afgelopen zestig uur heel traumatiserend voor zijn dochter waren geweest en hoewel hij nog geen idee had hoe hij op dat punt voor haar moest zorgen, had hij wel het gevoel dat een beetje extra luxe geen kwaad kon.

De vrouw achter de balie, die Bosch' onverzorgde verschijning opmerkte, zei tegen hem dat de wachtlounge van de businessclass beschikte over douches, waar reizigers zich konden opfrissen. Bosch bedankte haar voor de tip, nam hun instapkaarten in ontvangst en ze volgden hun stewardess naar de beveiliging. Zoals hij al had verwacht werden ze met hun nieuw verworven status snel doorgewuifd.

Ze hadden nog bijna drie uur tijd over en hoewel de eerdergenoemde douchefaciliteit buitengewoon verleidelijk was, besloot Bosch dat iets eten op dit moment een hogere prioriteit genoot. Hij kon zich niet herinneren wanneer hij voor het laatst had gegeten, of wat, en hij ging ervan uit dat zijn dochter ook niet veel te eten had gekregen.

'Heb je honger, Mads?'

'Niet echt.'

'Hebben ze je eten gegeven?'

'Nee, niks. Maar ik had toch nergens trek in.'

'Wanneer heb je voor het laatst gegeten?'

Daar moest ze over nadenken.

'Een stuk pizza in de mall, op vrijdag. Voordat...'

'Oké, dan gaan we eerst eten.'

Ze namen de roltrap naar boven en kwamen in een gedeelte met allerlei restaurants, die uitzicht boden op de grote taxfreeshop van het vliegveld. Bosch koos een restaurant en een tafeltje aan de rand van het atrium, waar hij een goed uitzicht had op het winkelgedeelte onder hen. Zijn dochter bestelde kipnuggets en Bosch nam een biefstuk met patat.

'Je moet op een vliegveld geen biefstuk bestellen,' zei Madeline.

'O nee? Waarom niet?'

'Omdat ze hartstikke taai zijn.'

Bosch knikte. Het was voor het eerst nadat ze afscheid van Sun had genomen dat ze zinnen van meer dan twee à drie woorden had gezegd. Harry had gezien hoe ze langzaam implodeerde toen na de bevrijding de angst van haar gevangenschap begon af te nemen, en de realiteit van wat ze had doorgemaakt en wat haar moeder was overkomen tot haar begon door te dringen. Bosch had min of meer verwacht dat ze in een soort shocktoestand zou raken. Haar merkwaardige opmerking over de kwaliteit van biefstukken op luchthavens leek erop te wijzen dat ze alleen een beetje in de war was.

'Nou, daar ga ik zo meteen achter komen, neem ik aan.'

Daarna gaf ze het gesprek ineens een andere wending.

'Dus nu kom ik bij jou in Los Angeles wonen?'

'Ja, dat lijkt me wel.'

Hij keek naar haar gezicht, zocht naar een reactie. Haar gezichtsuitdrukking bleef hetzelfde: een starende, droevige blik in haar ogen en de strepen van opgedroogde tranen op haar wangen.

'Ik wil graag dat je bij me komt wonen,' zei Bosch. 'En de laatste keer toen je bij me was, zei je dat jij het ook wilde.'

'Maar niet op deze manier.'

'Dat weet ik.'

'Ga ik nog een keer terug om mijn spullen op te halen en afscheid te nemen van mijn vriendinnen?'

Bosch dacht even na voordat hij antwoord gaf.

'Nee, dat denk ik niet,' zei hij ten slotte. 'Ik denk dat we je spullen wel kunnen laten opsturen. Maar je vriendinnen zul je moeten mailen, vermoed ik. Of je kunt ze bellen.'

'Dan kan ik tenminste afscheid van ze nemen.'

Bosch knikte en zei niets, want de verwijzing naar haar omgekomen moeder, van wie ze dat niet had kunnen doen, was duidelijk. Haar geest was als een ballon in de wind, die nu en dan de grond raakte en weer opsprong in een richting die je niet had verwacht, bedacht Bosch toen ze weer iets zei.

'Worden we hier – hoe zeg je dat? – gezocht door de politie?'

Bosch keek snel om zich heen om te zien of niemand het had gehoord, en boog zich naar haar toe om antwoord te geven.

'Dat weet ik niet,' zei hij zacht. 'Het zou kunnen dat we worden gezocht. Of dat ik word gezocht. Maar dat ga ik niet afwachten. Het lijkt me beter om dat vanuit Los Angeles af te handelen.'

Na een korte stilte stelde ze hem weer een vraag, en ook deze overviel hem.

'Papa, de mannen die me gevangen hielden, heb je die doodgeschoten? Ik heb een heleboel schoten gehoord.'

Bosch dacht na over wat hij moest antwoorden – als politieman, als vader – maar veel bedenktijd had hij niet nodig.

'Laten we zeggen dat ze hun verdiende loon hebben gekregen. En dat ze het, hoe het ook met ze is afgelopen, zelf in gang hebben gezet. Oké?'

'Oké.'

Toen het eten werd gebracht zeiden ze niets meer en vielen ze allebei aan. Bosch had het restaurant uitgekozen, en het tafeltje, en de stoel waar hij op zat, om een goed zicht te hebben op het winkelgedeelte en de balie van de beveiliging daarachter. Terwijl hij at wierp hij af en toe een blik naar beneden om te zien of het beveiligingspersoneel zich niet verdacht gedroeg. Elke vorm van samenscholing of zoekende blikken van het personeel zou hem alarmeren. Hij had geen idee of hij al op de radar van de politie stond, maar hij had een spoor van lijken dwars door Hongkong achtergelaten, dus hij kon niet uitsluiten dat ze hem wilden arresteren.

'Ga je die patat nog opeten?' vroeg Maddie.

Bosch verschoof zijn bord een stukje zodat ze erbij kon.

'Ga je gang.'

Toen ze haar hand uitstak om een paar frietjes te pakken, schoof haar mouw omhoog en zag Bosch de pleister in de knik van haar elleboog. Hij moest meteen denken aan het bloed op het propje wc-papier dat Eleanor in de badkamer in Chungking Mansions had gevonden.

Bosch wees naar haar arm.

'Maddie, hoe kom je aan die pleister? Hebben ze bloed bij je afgenomen?'

Ze legde haar hand erop, alsof ze daarmee de aandacht voor haar arm kon wegnemen.

'Moeten we daar nu over praten?'

'Alleen één vraagje?'

'Ja, Quick heeft bloed bij me afgenomen.'

'Ik wilde eigenlijk iets anders vragen. Waar was je voordat ze je in de kofferbak van die auto naar de haven hebben gebracht?'

'Dat weet ik niet precies. In een soort ziekenhuis, of een spreekkamer van een dokter. Ze hebben me de hele tijd in een kamer opgesloten. Papa, alsjeblieft, ik wil er niet over praten. Niet nu.'

'Oké, schat, we praten erover wanneer jij het wilt.'

Toen ze klaar waren met eten, gingen ze naar het winkelgedeelte op de begane grond. Bosch kocht een complete set nieuwe kleren in een herenmodezaak en een paar sportschoenen en badstof zweetbandjes in een sportzaak. Maddie wilde geen nieuwe kleren; ze zou zich wel redden met wat er in haar rugzak zat, zei ze.

Hun volgende tussenstop was een warenhuis, waar Maddie een grote, zachte pandabeer uitkoos om in het vliegtuig als kussen te gebruiken, en een boek dat *Percy Jackson en de bliksemdief* heette.

Ze gingen terug naar de lounge van de businessclass om gebruik te maken van de douches. Ondanks al het bloed, zweet en straatvuil van de afgelopen dag douchte Bosch maar heel kort, want hij wilde zijn dochter niet te lang uit het oog verliezen. Voordat hij zich aankleedde, bekeek hij de snee in zijn arm. Het bloed was gestold en er zat al een korstje op. Hij pakte de zweetbandjes die hij net had gekocht en schoof ze als dubbele bescherming over de wond.

Toen hij zich had omgekleed, liep hij naar de afvalbak naast de wastafel en haalde de bovenkant eraf. Hij wikkelde zijn oude kleren om zijn schoenen en verstopte de bundel zorgvuldig onder een laag papieren handdoekjes en andere rommel. Hij wilde niet dat iemand zijn kleren zag en ze eruit haalde, zeker niet zijn schoenen, waarmee hij in de badkamer in Tuen Mun door het bloed had gelopen.

Redelijk verfrist en klaar voor de lange vlucht die hun te wachten stond, kwam hij de doucheruimte uit en ging naar de lounge om te zien of zijn dochter al klaar was. Hij zag haar nergens en liep terug naar de deur van de damesbadkamer om daar op haar te wachten. Na een kwartier was Madeline nog steeds nergens te bekennen, en Bosch begon zich zorgen te maken. Hij wachtte nog eens vijf minuten, ging terug naar de lounge en vroeg de vrouw achter de receptiebalie of ze iemand naar de damesdouches kon sturen om te kijken of alles in orde was met zijn dochter.

De vrouw zei dat ze zelf zou gaan kijken. Bosch liep haar achterna en wachtte bij de deur toen zij de badkamer binnenging. Toen de deur open was, hoorde hij het geruis van water. Daarna hoorde hij stemmen en even later kwam de vrouw van de receptie de badkamer uit.

'Ze staat nog onder de douche en zegt dat alles in orde is. Ze wil alleen nog even blijven staan, zei ze.'

'Oké, bedankt.'

De vrouw ging terug naar de receptie en Bosch keek op zijn horloge. Ze hadden nog minstens een half uur voordat ze aan boord van het vliegtuig moesten gaan. Tijd genoeg. Hij ging terug naar de lounge en nam plaats in de fauteuil die het dichtst bij de gang naar de douches stond. Hij bleef de hele tijd naar de gang kijken.

Bosch had geen idee wat er op dit moment in Madelines hoofd omging. Hij wist dat ze behoefte had aan professionele hulp, en dat hij absoluut niet bij machte was haar die te geven. Het enige wat hij kon doen, was ervoor zorgen dat ze veilig in Los Angeles aankwam en dat ze van daaruit verder zouden gaan. Hij had al iemand in gedachten die Maddie kon begeleiden bij haar herstel als ze eenmaal thuis waren.

Net toen in de lounge hun vlucht werd omgeroepen, kwam Madeline de gang in lopen, met haar donkere haar vochtig en achterovergekamd. Ze had de kleren aan die ze in de auto had aangetrokken, en daaroverheen een sweatshirt met capuchon. Ze had het blijkbaar koud.

'Alles oké met je?' vroeg Bosch.

Ze gaf geen antwoord. Ze bleef voor hem staan en keek naar de grond.

'Domme vraag, ik weet het,' zei Harry. 'Maar ben je klaar voor de vlucht? Die werd net omgeroepen. We moeten nu gaan.'

'Ja, ik ben er klaar voor. Ik wilde alleen heel lang onder de warme douche staan.'

'Ik begrijp het.'

Ze verlieten de lounge, zochten hun gate en toen ze die naderden, zag Bosch geen extra beveiligingsmensen of ander afwijkend gedrag. Hun tickets werden ingenomen, hun paspoort werd bekeken, en toen mochten ze aan boord.

Het vliegtuig was een enorme dubbeldekker met de cockpit bovenin en de businessclass recht daaronder in de neus van het toestel. Een stewardess kwam hun vertellen dat ze de enige passagiers in de businessclass waren en dat ze konden gaan zitten waar ze wilden. Ze kozen twee stoelen in de voorste rij, waardoor ze het gevoel kregen dat ze het hele vliegtuig voor henzelf hadden. Bosch was niet van plan zijn dochter uit het oog te verliezen totdat ze in Los Angeles waren.

Toen iedereen en alles aan boord was, riep de piloot via de luidsprekers om dat de vlucht dertien uur zou duren. Dat was een uur minder dan de vlucht hiernaartoe, omdat ze de wind mee hadden. Maar ze vlogen nu tegen de klok in, wat inhield dat ze zondagavond om 21.30 uur in Los Angeles zouden landen, twee uur voordat ze in Hongkong waren opgestegen.

Bosch rekende het uit en kwam tot de slotsom dat de dag, wanneer ze op LAX landden, negenendertig uur had geduurd. De langste dag van zijn leven.

Ten slotte kreeg het grote vliegtuig toestemming om te vertrekken, taxiede het naar de startbaan, werd er snelheid gemaakt en klommen ze de donkere lucht in. Bosch haalde iets opgeluchter adem toen hij uit het raampje keek en de lichtjes van Hongkong achter de wolken zag verdwijnen. Hij hoopte hier nooit meer terug te komen.

Madeline boog zich opzij, overbrugde de afstand tussen hun stoelen en pakte zijn hand vast. Hij draaide zijn hoofd om en keek haar aan. Ze huilde weer. Bosch kneep zachtjes in haar hand en knikte.

'Het komt allemaal goed, Maddie.'

Ze knikte terug en bleef zijn hand vasthouden.

Toen het vliegtuig op vluchthoogte was, kwam de stewardess vragen of ze iets wilden eten of drinken, maar zowel Bosch als zijn dochter sloeg het aanbod af. Madeline keek naar een film over tienervampiers, liet daarna de rugleuning van haar stoel achteroverzakken – een van de geneugten van de businessclass – en ging slapen.

Algauw was ze diep in slaap en stelde Bosch zich voor dat er een soort inwendig genezingsproces in werking trad. De legers van de slaap rukten op door haar hersenen en vielen de nare herinneringen aan.

Hij boog zich opzij en kuste haar zacht op de wang. Terwijl de seconden, minuten en uren in omgekeerde richting verstreken, zag hij haar slapen en wenste hij het onmogelijke: dat de tijd zo ver terugliep dat hij de hele afgelopen dag nog eens over kon doen. Dat was zijn fantasie. De realiteit was echter dat zijn leven bijna net zo onomkeerbaar was veranderd als het hare. Ze was nu bij hem. En hij wist dat wat hij tot dit moment in zijn leven ook had gedaan, of wat hij ook in gang had gezet waardoor dit had kunnen gebeuren, zíj zijn enige kans op vergeving was.

Als hij haar kon beschermen en dienen, het motto van zijn werk, kon hij het misschien goedmaken. Alles wat er was gebeurd.

Eigenlijk was hij van plan de hele nacht naast haar te blijven waken. Maar uiteindelijk kreeg zijn vermoeidheid de overhand en vielen ook zíjn ogen dicht. Algauw droomde hij over een plek aan de rivier. Er stond een picknicktafel met een wit kleed, dat zachtjes bewoog in de wind. Hij zat aan de ene kant van de tafel en Eleanor en Madeline aan de andere. Ze glimlachten allebei naar hem. Het was een droom over een plek waar hij nooit was geweest en waar hij ook nooit zou komen.

Deel drie

Om te beschermen en te dienen

39

De laatste horde was de douane en de immigratiedienst in Los Angeles. De beambte achter de balie bekeek hun paspoort en wilde er al een stempel in zetten toen iets op zijn computerscherm zijn aandacht trok. Bosch hield zijn adem in.

'Meneer Bosch. Bent u nog geen dag in Hongkong geweest?'

'Dat klopt. Ik heb niet eens bagage nodig gehad. Ik ben er alleen naartoe gegaan om mijn dochter op te halen.'

De beambte knikte alsof hij het begreep en het eerder had meegemaakt. Hij stempelde de twee paspoorten af. Toen keek hij Madeline aan en zei: 'Welkom in Los Angeles, jongedame.'

'Dank u,' zei ze.

Het was bijna middernacht toen ze het huis aan Woodrow Wilson Drive binnengingen. Bosch bracht de rugzak naar de logeerkamer en zijn dochter kwam hem achterna. De kamer was haar vertrouwd door haar eerdere bezoeken aan Los Angeles.

'Nu je hier permanent komt wonen, kunnen we deze kamer opknappen en inrichten zoals je maar wilt,' zei Bosch. 'Ik weet dat je in Hongkong posters en allerlei andere dingen aan de muur had. Dat kun je hier ook doen.'

In de hoek stonden twee kartonnen dozen met oude dossiers die Bosch had gekopieerd.

'Ik zal die meteen weghalen,' zei hij.

Een voor een bracht hij de dozen naar zijn slaapkamer. Hij bleef tegen haar praten terwijl hij heen en weer door de gang liep.

'Ik weet dat je hier geen eigen badkamer hebt, maar de andere badkamer in de gang is helemaal van jou. Zo veel logés krijg ik hier trouwens niet.'

Nadat Bosch de dozen had weggebracht, ging hij op de rand van het bed zitten en keek Madeline aan. Ze stond nog steeds midden in de kamer. De blik in haar ogen was hartverscheurend. Hij kon zien dat de realiteit van de situatie echt tot haar begon door te dringen. Het maakte geen verschil dat ze herhaaldelijk had gezegd dat ze in Los Angeles wilde komen wonen. Nu woonde ze hier ineens permanent en dat feit moest ze nog verwerken.

'Maddie, ik moet je iets vertellen,' zei hij. 'Tot nu toe ben ik vier weken per jaar je vader geweest. Dat was ik gewend en dat was heel gemakkelijk. Zoals we het nu gaan doen is een stuk moeilijker. Ik zal in het begin veel dingen fout doen en ik wil aan jou vragen geduld met me te hebben terwijl ik leer hoe het moet. Maar ik beloof je dat ik mijn uiterste best zal doen.'

'Oké.'

'Wel, kan ik iets voor je doen? Heb je honger? Ben je moe? Iets anders?'

'Nee, ik hoef niks. Ik denk dat ik in het vliegtuig niet zo lang had moeten slapen.'

'Geeft niks. Je had je slaap blijkbaar nodig. En slapen is altijd goed. Slaap geneest.'

Ze knikte en keek opgelaten om zich heen. Het was een standaard logeerkamer. Een bed, een tafel met een lampje en een stoel.

'Morgen gaan we een tv voor je kopen. Zo'n flatscreen. En een bureau met een computer. We zullen een hoop moeten shoppen.'

'En ik heb een nieuwe telefoon nodig. Quick heeft de mijne ingepikt.'

'Ja, we gaan ook een nieuwe telefoon voor je kopen. Ik heb de simkaart van je oude toestel, dus je contactenlijst ben je niet kwijt.'

Ze keek hem aan en Bosch besefte dat hij een fout had gemaakt.

'Mijn simkaart? Van wie heb je die? Van Quick? Heb je zijn zus ook gezien?'

Bosch schudde zijn hoofd en stak in een kalmerend gebaar zijn handen op.

'Ik heb Quick en zijn zus nooit ontmoet. Ik had je telefoon gevonden, maar die was kapot. Het enige wat ik eruit kon halen, was de simkaart.'

'Ze heeft me geprobeerd te redden. Ze was erachter gekomen dat Quick me wilde verkopen en heeft geprobeerd daar een stokje voor te steken. Maar toen heeft hij haar de auto uit getrapt.'

Bosch wachtte tot ze meer zou zeggen, maar dit was het voorlopig. Hij had haar veel meer willen vragen over broer en zus, en over al het andere, maar op dit moment vond hij zijn rol van vader belangrijker dan die van politieman. Dit was niet het goede moment. Hij moest haar tot rust en tot zichzelf laten komen. Hij zou nog vaak genoeg de kans krijgen om de smeris uit te hangen, haar uit te horen over Quick en Hei en te vertellen hoe het hun was vergaan.

Hij keek naar haar gezicht, waarop nauwelijks emoties te zien waren. Ze zag er nog steeds moe uit, ondanks de vele uren slaap die ze in het vliegtuig had gehad.

'Alles komt goed, Maddie. Dat beloof ik je.'

Ze knikte.

'Ik eh… zou graag even alleen willen zijn. Vind je dat goed?'

'Natuurlijk. Het is jouw kamer. Ik moet trouwens een paar mensen bellen.'

Bosch stond op en liep naar de deur. Voordat hij die achter zich dichtdeed, keek hij nog een keer naar haar om.

'Als je iets nodig hebt, geef je maar een gil. Afgesproken?'

'Ja, papa. Dank je wel.'

Hij deed de deur dicht en liep naar de woonkamer. Hij haalde zijn telefoon uit zijn zak en belde David Chu.

'Met Bosch. Sorry dat ik zo laat bel.'

'Geeft niet. Hoe is het daar?'

'Ik ben terug in Los Angeles.'

'Ben je terug? En je dochter?'

'Die is in veiligheid. Hoe staat het met Chang?'

Het bleef even stil voordat Chu antwoordde. Hij wilde niet de brenger van het slechte nieuws zijn.

'Nou, die moeten we morgenochtend laten gaan. We hebben niks om hem ten laste te leggen.'

'En de afpersing?'

'Ik heb Li en Lam vandaag nog een laatste keer onder handen genomen. Ze weigeren een officiële aanklacht in te dienen. Ze zijn doodsbang voor de triade. Li zei dat ze al zijn gebeld en bedreigd.'

Bosch dacht aan de telefonische bedreiging die híj afgelopen vrijdag had ontvangen. Hij nam aan dat de beller dezelfde persoon was geweest.

'Dus Chang wandelt morgenochtend de gevangenis uit, gaat rechtstreeks naar het vliegveld en we zien hem nooit meer terug,' zei hij.

'Ja. Het ziet ernaar uit dat we deze zaak verliezen, Harry.'

Bosch schudde zijn hoofd en voelde zijn woede oplaaien.

'Die godverdomde schoften!'

Bosch bedacht opeens dat zijn dochter hem zou kunnen horen. Hij trok de glazen schuifdeur open en liep de achterveranda op. Het geruis van het verkeer op de snelweg in het dal was voldoende om zijn woorden in ieder geval voor een deel te overstemmen.

'Ze waren van plan mijn kind te verkopen,' zei hij. 'Voor haar organen.'

'Mijn god,' zei Chu. 'Ik dacht dat ze je alleen wilden intimideren.'

'Ja, nou, ze hadden haar bloed afgenomen en haar bloedgroep kwam blijkbaar overeen met die van iemand met veel geld, want ze hadden hun plan gewijzigd.'

'Nou, misschien hebben ze haar alleen bloed afgenomen om er zeker van te zijn dat ze clean was voordat ze…'

Hij maakte zijn zin niet af, besefte blijkbaar dat deze optie verontrustender was dan die van Bosch. Hij veranderde snel van onderwerp.

'Is ze met je meegekomen, Harry?'

'Ik heb je verteld dat ze in veiligheid is.'

Bosch wist dat Chu zijn ontwijkende antwoord als een motie van wantrouwen zou opvatten, maar dat moest dan maar. Na alles wat hij achter de rug had, kon hij er weinig aan doen. Hij veranderde zelf ook van onderwerp.

'Wanneer heb je Ferras of Gandle voor het laatst gesproken?'

'Je partner heb ik sinds vrijdag niet meer gezien. De hoofdinspecteur heb ik een paar uur geleden gesproken. Hij wilde weten hoe de zaak ervoor stond. Hij heeft er ook flink de pest over in.'

Het was bijna middernacht op zondag en toch was het druk op de snelweg onder hem, op alle tien de rijbanen. Maar de buitenlucht was helder en koel, een welkome verandering na de kleffe warmte in Hongkong.

'Wie gaat het OM vertellen dat ze hem moeten laten gaan?' vroeg Bosch.

'Ik was van plan ze morgenochtend te bellen. Tenzij jij het wilt doen.'

'Ik weet niet of ik er morgenochtend ben. Nee, doe jij het maar, maar wacht tot tien uur met bellen.'

'Oké, maar waarom tien uur?'

'Dat geeft mij de kans ernaartoe te rijden en afscheid te nemen van meneer Chang.'

'Harry, doe geen dingen waar je spijt van krijgt.'

Bosch dacht kort terug aan de afgelopen drie dagen.

'Daar is het al te laat voor.'

Hij beëindigde zijn gesprek met Chu, ging bij de balustrade staan en tuurde naar het nachtelijke duister. Dat hij weer thuis was gaf hem een veilig gevoel, maar zonder het te willen moest hij denken aan wat er fout was gegaan en wat hij had moeten achterlaten. Het was alsof de hongerige geesten over de Stille Oceaan met hem mee waren gevlogen.

'Papa?'

Hij draaide zich om. Zijn dochter stond in de deuropening van de schuifpui.

'Hé, meisje.'

'Alles oké met je?'

'Ja hoor. Hoezo?'

Ze kwam de veranda op en ging naast hem bij de balustrade staan.

'Je klonk zo boos toen je aan het bellen was.'

'Dat ging over de zaak. Die gaat niet goed.'

'Sorry.'

'Het is jouw schuld niet. Hoor eens, ik moet morgenochtend even de stad in. Ik zal een paar mensen bellen en kijken of er iemand is die op je kan passen als ik weg ben. En als ik terugkom, gaan we shoppen, zoals we hadden afgesproken. Oké?'

'Bedoel je een babysitter?'

'Nee, ik bedoel… of ja, eigenlijk wel.'

'Papa, ik heb geen oppas meer gehad sinds ik twaalf was.'

'Ja, nou, dat is nog maar een jaar geleden.'

'Ik weet zeker dat ik mezelf wel even kan redden. Ik bedoel, mama laat me na schooltijd ook alleen naar de mall gaan.'

Het viel Bosch op dat ze het laatste in de tegenwoordige tijd zei. Hij was even in de verleiding om tegen haar te zeggen dat de laatste keer dat ze alleen naar de mall was gegaan het niet al te goed was afgelopen, maar hij was zo verstandig om dat voor een andere keer te bewaren. Waar het om ging was dat hij haar veiligheid belangrijker vond dan al het andere. Om de vraag of degenen die haar in Hongkong in handen hadden gekregen, in staat waren haar hier, in zijn eigen huis, iets te doen.

Het leek hem niet waarschijnlijk, maar al was de kans nog zo klein, hij kon het gewoon niet riskeren haar alleen te laten. Het probleem was alleen dat hij niet wist wie hij moest bellen. Hij had nauwelijks contacten in de buurt. Hij stond bekend als de buurtsmeris, iemand die alleen werd gebeld als er problemen waren. Verder had hij nooit sociaal contact met de mensen in zijn straat gehad, sterker nog, hij had buiten het politiekorps vrijwel helemaal geen sociale contacten. Hij wist niet wie hij wel of niet kon vertrouwen en voelde er ook niets voor om een volslagen onbekende oppas uit het telefoonboek te bellen. Bosch wist niet wat hij moest doen en het begon hem te dagen dat het grootbrengen van zijn eigen dochter iets inhield waar hij misschien niet geschikt voor was.

'Maddie, hoor eens, dit is een van die keren dat ik je vraag geduld met me te hebben, zoals ik zonet tegen je heb gezegd. Ik wil je niet alleen laten. Nog niet. Je kunt in je kamer blijven als je wilt… en waarschijnlijk slaap je gewoon door vanwege de jetlag, maar ik wil per se dat er een volwassene bij je in de buurt is. Iemand die ik vertrouw.'

'Goed dan, als jij het wilt.'

Door zijn gedachte aan 'de buurtsmeris' moest hij opeens aan iets anders denken.

'Oké, weet je wat? Als je geen oppas wilt, heb ik een ander idee. Er is een school aan de voet van de heuvel. Een openbare middelbare school. Volgens mij zijn de lessen vorige week begonnen, want ik heb de auto's bij de ingang gezien toen ik 's morgens naar mijn werk reed. We hoeven nog niet te besluiten dat je naar die school gaat, of dat we op zoek gaan naar een privéschool, maar ik kan je er morgenochtend naartoe brengen zodat je er gewoon eens kunt rondkijken. Misschien kun je wel één of twee lessen volgen terwijl ik in de stad ben, om te zien wat je ervan vindt. Lijkt het je wat? Ik ken het adjunct-hoofd en ik vertrouw haar volledig. Zij zal goed op je passen.'

Madeline streek een lok haar achter haar oor en bleef enige tijd in het duister turen voordat ze antwoord gaf.

'Ja, dat wil ik wel, denk ik.'

'Oké, goed, dan doen we dat. Ik zal het morgenochtend regelen.'

Probleem opgelost, dacht Bosch.

'Papa?'

'Ja, schat?'

'Ik heb gehoord wat je zei toen je aan het bellen was.'

Hij schrok.

'Het spijt me. Ik zal mijn best doen om niet meer te vloeken. Niet als jij in de buurt bent.'

'Nee, dat bedoel ik niet. Ik bedoel toen je hier op de veranda stond. Wat je zei over dat ze mijn organen wilden verkopen. Is dat waar?'

'Ik weet het niet, schat. Ik weet niet wat ze precies van plan waren.'

'Het was Quick die bloed bij me heeft afgenomen. Hij zei dat het was om naar jou toe te sturen. Je weet wel, dan kon jij het DNA laten nagaan en zou je weten dat ik echt gekidnapt was.'

Bosch knikte.

'Ja, nou, dan heeft hij tegen je gelogen. De video die hij me had gestuurd was meer dan genoeg om me te overtuigen. Dat bloed was nergens voor nodig. Hij heeft je voorgelogen, Maddie. Hij heeft je verkwanseld en heeft daarvoor zijn verdiende loon gekregen.'

Onmiddellijk draaide ze zich naar hem om en besefte Bosch dat hij weer een fout had gemaakt.

'Hoe bedoel je dat? Wat is er met hem gebeurd?'

Bosch wilde niet liegen tegen zijn dochter; op dat gladde ijs weigerde hij zich te begeven. Hij wist dat Madeline bevriend was geweest met Quicks zus, en misschien ook wel met Quick zelf. Waarschijnlijk besefte ze nog niet hoe groot Quicks verraad was geweest.

'Hij is dood.'

Haar adem stokte en ze sloeg haar hand voor haar mond.

'Heb jij…'

'Nee, Maddie, ik heb het niet gedaan. Ik heb hem dood in een huis aangetroffen toen ik je telefoon vond. Ik weet dat je hem op de een of andere manier wel mocht, dus het spijt me voor je. Maar hij heeft je voorgelogen en je verraden, en ik moet je bekennen dat als ik hem levend in dat huis had aangetroffen, ik misschien wel hetzelfde zou hebben gedaan. Zullen we naar binnen gaan?'

Bosch liep weg van de balustrade.

'En Hei?'

Bosch bleef staan en keek om.

'Van Hei weet ik niks.'

Hij liep naar de deur en ging naar binnen. En met die laatste woorden had hij voor het eerst tegen haar gelogen. Hij had het gedaan om haar meer verdriet te besparen, maar dat maakte geen verschil. Hij voelde dat hij nu al op het gladde ijs begon weg te glijden.

40

Op maandagochtend om elf uur stond Bosch voor het Downtown Detention Center te wachten op de vrijlating van Bo-Jing Chang. Hij wist nog niet wat hij ging doen of zeggen wanneer de moordenaar als vrij man naar buiten kwam. Maar hij wist wel dat hij het moment niet voorbij mocht laten gaan. Als Changs arrestatie de aanleiding was geweest voor alles wat er in Hongkong was gebeurd, ook voor de dood van Eleanor, zou Bosch nooit met zichzelf in het reine komen als hij de man er niet op aansprak wanneer hij de kans kreeg.

Zijn telefoon trilde in zijn broekzak en Bosch had de neiging het gesprek niet aan te nemen vanwege het risico dat hij Chang dan misschien zou mislopen. Maar hij zag op het schermpje dat het hoofdinspecteur Gandle was en antwoordde.

'Ik hoor dat je terug bent.'

'Ja, ik wilde u al bellen.'

'Heb je je dochter gevonden?'

'Ja. Ze is ongedeerd en in veiligheid.'

'Waar?'

Bosch aarzelde, maar niet te lang.

'Ze is met me meegekomen.'

'En haar moeder?'

'Die is nog in Hongkong.'

'Hoe bedoel je?'

'Ze komt bij mij wonen. De eerstkomende tijd in ieder geval.'

'Wat is er daar gebeurd? Iets waarover ik me zorgen moet maken?'

Bosch vroeg zich af hoeveel hij hem moest vertellen. Hij besloot de boot voorlopig af te houden.

'Ik hoop dat het geen terugslag zal hebben. Maar het zóú kunnen.'

'Ik laat het je weten zodra ik iets hoor. Kom je werken?'

'Eh... nee, vandaag niet. Ik heb een paar dagen nodig om mijn dochter te installeren en een school te zoeken en zo. En ze moet in therapie.'

'Is dat ijsvrij of neem je vakantiedagen op? Ik moet iets invullen.'

Compensatie-uren werden bij de LAPD 'ijsvrij' genoemd, naar het witte formulier waarop ze werden bijgehouden.

'Kan me niet schelen. Maak er maar ijsvrij van.'

'Oké, dan doen we dat. Is alles in orde met je, Harry?'

'Ja.'

'Ik neem aan dat Chu je heeft verteld dat Chang vrijuit gaat?'

'Ja, ik heb het gehoord.'

'Die arrogante advocaat van hem was hier vanochtend al om zijn koffer op te halen. Het spijt me, Harry. We konden verder niks doen. De zaak is niet ontvankelijk en die twee lafbekken in de Valley willen geen aangifte doen van afpersing.'

'Ik weet het.'

'Het heeft ons ook niet geholpen dat je partner het hele weekend is thuisgebleven. Hij was zogenaamd ziek.'

'Ja, nou…'

Bosch' geduld met Ferras was nu echt op, maar dat was iets tussen hem en zijn partner. Hij wilde dat nog niet met Gandle bespreken.

De deur van het administratiekantoor van de strafinrichting ging open en Bosch zag een Aziatische man in pak naar buiten komen met een attachékoffertje in zijn hand. Het was niet Chang. De man hield de deur open met zijn schouder en wenkte een auto die verderop stond te wachten. Bosch wist wie dit was. De man in pak was een vermaarde strafpleiter, die luisterde naar de naam Anthony Wing.

'Meneer, ik moet ophangen. Kan ik u terugbellen?'

'Bel me maar als je weet hoeveel dagen je nodig hebt en wanneer ik je weer op het rooster kan zetten. In de tussentijd zoek ik wel een klusje voor Ferras. Iets in de teamkamer.'

'Ik spreek u later.'

Bosch klapte zijn telefoon dicht op het moment dat een zwarte Cadillac Escalade langzaam kwam aanrijden en Bo-Jing Chang het administratiekantoor uit kwam. Bosch posteerde zich tussen hem en de SUV. Vervolgens ging Wing tussen Bosch en Chang in staan.

'Neem me niet kwalijk, rechercheur,' zei Wing. 'U hindert mijn cliënt in zijn doen en laten.'

'O ja, doe ik dat, hem "hinderen"? En dat hij John Li heeft "gehinderd" tot de dood erop volgde, dat mag wel?'

Bosch keek naar Chang, die hoofdschuddend en grijnzend achter Wing stond. Achter zich hoorde hij een autoportier dichtslaan en hij zag dat Wing langs hem heen keek.

'Zorg ervoor dat je dit vastlegt,' commandeerde Wing.

Bosch keek achterom en zag dat er een man met een videocamera uit de grote suv was gestapt. De camera werd op hem gericht.

'Wat moet dit voorstellen?'

'Rechercheur, als u meneer Chang met één vinger aanraakt of op welke andere manier ook hindert, wordt het gefilmd en naar de pers gestuurd.'

Bosch keerde zich weer om naar Wing en Chang. Changs grijns was veranderd in een zelfingenomen glimlach.

'Denk je dat het nu voorbij is, Chang? Het kan me niet schelen waar je naartoe gaat, maar je bent nog niet van me af. Jij en je mensen hebben er een persoonlijke zaak van gemaakt, klootzak, en dat vergeet ik nooit.'

'Rechercheur, gaat u opzij,' zei Wing, waarbij hij zich vooral op de camera richtte. 'Meneer Chang mag hier weg omdat hij onschuldig is aan de aanklacht die u hem probeert aan te wrijven. Hij keert terug naar Hongkong omdat hij zich geïntimideerd voelt door de LAPD. Door uw schuld kan hij niet langer genieten van het leven dat hij hier jarenlang heeft geleid.'

Bosch deed een stap opzij en liet de twee doorlopen naar de auto.

'Je bent een vuile rat, Wing. En je mag die camera van je in je reet steken.'

Chang stapte achter in de Escalade en Wing gebaarde de cameraman dat hij voorin moest gaan zitten.

'We hebben uw dreigement nu op tape, rechercheur,' zei Wing. 'Vergeet dat niet.'

Wing nam naast Chang op de achterbank plaats en trok het portier dicht. Bosch keek de grote suv na toen die wegreed, hoogstwaarschijnlijk om Chang rechtstreeks naar het vliegveld te brengen en daarmee zijn wettelijk geoorloofde ontsnapping te voltooien.

Toen Bosch terugkwam bij de school, liep hij meteen door naar het kantoor van het adjunct-hoofd. Sue Bambrough was er die ochtend mee akkoord gegaan dat Madeline een paar uur meeliep met een klas

om te zien of de school haar beviel. Toen Bosch haar kantoor binnenkwam, vroeg Bambrough hem te gaan zitten en vertelde ze hem dat
zijn dochter nog in het klaslokaal was en dat ze zich goed leek aan te
passen. Dat verbaasde Bosch. Ze was amper twaalf uur terug in Los
Angeles nadat ze haar moeder had verloren en een heel weekend in
gevangenschap had doorgebracht. Bosch was bang geweest dat het bezoek aan de school op een regelrechte ramp zou uitdraaien.

Bosch kende Sue Bambrough al. Een paar jaar daarvoor had een van
Bosch' buren, van wie het zoontje op de school zat, hem gevraagd of hij
voor de klas van het jongetje een praatje over politiewerk en criminali-
teit wilde houden. Bambrough was de scherpzinnige, oppassende admi-
nistratrice geweest die Bosch langdurig had uitgehoord voordat ze hem
had toegestaan de leerlingen toe te spreken. Bosch was zelden zo grondig door de mangel gehaald, ook niet door strafpleiters op het gerechtshof. Ze had kritiek gehad op de kwaliteit van het functioneren
van de politie in Los Angeles, maar haar argumenten waren weldoor-
dacht en steekhoudend geweest. Bosch had veel respect voor haar.

'De les is over tien minuten afgelopen,' zei Bambrough. 'Dan breng
ik je naar haar toe. Maar er is iets wat ik eerst met je zou willen bespreken, rechercheur Bosch.'

'Zoals ik de vorige keer al zei, noem me maar Harry. Waar wil je het
over hebben?'

'Nou, je dochter heeft de neiging nogal fantasierijke verhalen te
vertellen. Een van de docenten heeft haar vanochtend tegen de andere leerlingen horen zeggen dat ze net uit Hongkong was overgekomen
omdat haar moeder daar was vermoord en zij was gekidnapt. Waar ik
me zorgen om maak, is dat ze de weg van overdrijving kiest om…'

'Het is waar. Alles wat ze zegt is waar.'

'Hoe bedoel je?'

'Ze is echt gekidnapt en haar moeder is doodgeschoten toen die
haar probeerde te redden.'

'O mijn god! Wanneer is dit gebeurd?'

Bosch had er nu spijt van dat hij Bambrough niet het hele verhaal
had verteld toen hij haar die ochtend had gesproken. Hij had alleen
gezegd dat zijn dochter bij hem kwam wonen en dat ze op zoek waren
naar een school voor haar.

'Het afgelopen weekend,' antwoordde Bosch. 'We zijn gisteravond
uit Hongkong teruggevlogen.'

Bambrough keek hem aan alsof ze water zag branden.

'Het afgelopen weekend? Is dat echt waar?'

'Ja, echt! Ze heeft het zwaar te verduren gehad. Ik weet dat het misschien te vroeg is om haar naar school te laten gaan, maar ik had vanochtend een… afspraak waar ik echt niet omheen kon. Ik breng haar straks naar huis en als ze over een paar dagen wil terugkomen, zal ik het je laten weten.'

'Maar moet ze dan niet in therapie? En moet ze niet door een arts worden onderzocht?'

'Daar wordt aan gewerkt.'

'Wees niet bang om professionele hulp in te schakelen. Kinderen praten graag over dingen. Alleen doen ze dat soms liever niet tegen hun ouders. Ik ben tot de ontdekking gekomen dat kinderen zelf weten waar ze behoefte aan hebben om zich te herstellen en om te overleven. Zonder haar moeder en met jou nu ineens als fulltime vader, kan het zijn dat Madeline behoefte heeft aan een buitenstaander om mee te praten.'

Bosch knikte om aan te geven dat hij haar raad ter harte zou nemen.

'Ze krijgt alles waar ze behoefte aan heeft. Wat moet ik doen als ze hier op school wil?'

'Dan bel je me. Je woont in het district en we hebben plaats. Er zijn wat papieren nodig om het officieel te maken, en we willen graag haar schoolresultaten uit Hongkong. Je hebt haar geboorteakte nodig, en dat is het zo ongeveer.'

Bosch besefte dat de geboorteakte van zijn dochter zich waarschijnlijk in de flat in Hongkong bevond.

'Ik heb haar geboorteakte niet. Die zal ik hier moeten opvragen. Ik geloof dat ze in Las Vegas is geboren.'

'Dat geloof je?'

'Ik, eh… werd pas van haar bestaan op de hoogte gebracht toen ze al vier was. Ze woonde toen met haar moeder in Las Vegas, dus ik neem aan dat ze daar is geboren. Ik kan het aan haar vragen.'

De verbazing op Bambroughs gezicht werd steeds groter.

'Ik heb haar paspoort,' probeerde Bosch. 'Daar staat in waar ze is geboren. Ik heb er nog niet in gekeken.'

'Nou, daar kunnen we het mee doen totdat je de geboorteakte hebt. Ik denk dat het op dit moment het belangrijkst is dat er voor het geestelijk welzijn van je dochter wordt gezorgd. Dit moet een reusachtig trauma voor haar zijn. Je moet haar echt met een therapeut laten praten.'

'Maak je geen zorgen, dat zal ik zeker doen.'

De bel ging en Bambrough stond op. Ze liepen het kantoor uit en de lange gang in. De school en de campus waren lang en smal omdat ze tegen de heuvel aan lagen. Bosch zag dat Bambrough nog steeds moest wennen aan het idee van wat Madeline allemaal had doorgemaakt en dat ze het had overleefd.

'Maddie is een taaie,' zei hij.

'Dat moet wel, na een ervaring als deze.'

Bosch wilde van onderwerp veranderen.

'Aan welke lessen heeft ze meegedaan?'

'Ze zijn vanochtend begonnen met wiskunde en na een korte pauze hebben ze maatschappijleer gehad. Toen was het lunchtijd en ze hebben nu net Spaans gedaan.'

'Ze heeft in Hongkong Chinees geleerd.'

'Tja, dat is dan een van de vele veranderingen die haar te wachten zullen staan.'

'Ik denk dat ze zich er wel doorheen slaat. Zoals ik al zei, ze is een taaie.'

Terwijl ze doorliepen draaide Bambrough haar hoofd om en glimlachte naar hem.

'Net als haar vader, neem ik aan.'

'Haar moeder was pas echt een taaie.'

De leerlingen kwamen de gang op om naar de volgende les te gaan. Bambrough zag Bosch' dochter eerder dan hij.

'Madeline,' riep ze.

Bosch zwaaide. Maddie was de klas uit gekomen met twee meisjes, dus op de een of andere manier was het haar al gelukt om contact te leggen. Ze zei de meisjes gedag en kwam naar hen toe hollen.

'Hoi, pa.'

'Hoi. En, beviel het?'

'Ja, het was best leuk.'

Ze klonk een beetje terughoudend en Bosch wist niet of dat kwam doordat het adjunct-hoofd erbij stond.

'Hoe ging de Spaanse les?' vroeg Bambrough.

'Nou, daar bakte ik nog niks van.'

'Ik heb gehoord dat je Chinees hebt geleerd. Dat is een veel moeilijker taal dan Spaans. Ik denk dat je Spaans heel snel onder de knie zult krijgen.'

'Misschien wel.'

Bosch besloot een eind aan het gesprek te maken.

'Nou, ben je klaar, Mad? We zouden gaan shoppen, weet je nog?'

'Ja, ik ben er klaar voor.'

Bosch keek Bambrough aan en knikte.

'Hartelijk bedankt voor je medewerking, en ik bel je.'

Zijn dochter bedankte haar ook en ze liepen het schoolgebouw uit. Ze stapten in de auto en Bosch reed de hellende weg naar hun huis op.

'Zo, en nu we alleen zijn, wat vond je er echt van, Mad?'

'Nou, het was best oké. Het is alleen heel anders, begrijp je?'

'Ja, dat begrijp ik. We kunnen ook privéscholen proberen. Er zijn er een paar in de buurt, aan de kant van de Valley.'

'Ik wil geen Valley-girl worden, papa.'

'Ik betwijfel ten zeerste of jij ooit een Valley-girl zult worden. Dat word je trouwens niet door er alleen naar school te gaan.'

'Ik denk dat ik wel naar deze school wil,' zei ze nadat ze enige tijd zwijgend had nagedacht. 'Ik heb al een paar meisjes leren kennen en die waren heel aardig.'

'Weet je het zeker?'

'Ik denk het wel. Mag ik morgen beginnen?'

Bosch keek haar even aan en richtte zijn blik weer op de bochtige weg.

'Is dat niet wat snel? Je bent hier net gisteravond aangekomen.'

'Dat weet ik, maar wat moet ik dán de hele dag doen? Thuiszitten en huilen?'

'Nee, maar ik dacht dat als we er de tijd voor nemen, het misschien…'

'Ik wil niet te ver achteropraken. De school is al een week geleden begonnen.'

Bosch dacht aan wat Bambrough had gezegd over kinderen die zelf weten waar ze behoefte aan hebben om te herstellen. Hij besloot op zijn dochters intuïtie te vertrouwen.

'Oké, als je het echt wilt. Ik zal mevrouw Bambrough terugbellen en zeggen dat je graag wilt komen. Even iets anders, je bent in Las Vegas geboren, hè?'

'Bedoel je dat je dat niet weet?'

'Nee, ik wist het wel, maar ik moet het alleen zeker weten omdat ik een kopie van je geboorteakte moet opvragen. Voor de school.'

Ze reageerde niet. Bosch reed de garage naast het huis in.

'Dus, was het Las Vegas?'

'Ja! Je wist het echt niet, hè? Mijn god!'

Voordat Bosch een antwoord kon bedenken, werd hij gered door zijn telefoon. Het toestel zoemde in zijn zak en hij haalde het eruit. Zonder naar het schermpje te kijken zei hij tegen Madeline dat hij het gesprek moest aannemen.

Het was Ignacio Ferras.

'Harry, ik hoorde dat je terug bent en dat je dochter in veiligheid is.'

Hij was wel laat met zijn reactie op het nieuws. Bosch draaide de keukendeur van het slot en hield hem open voor zijn dochter.

'Ja, we zijn oké.'

'En je neemt een paar dagen vrij?'

'Dat is de bedoeling. Waar ben jij mee bezig?'

'O, een paar dingen. Ik ben de rapportage van de John Li-zaak aan het afronden.'

'Waarvoor? Er ís geen zaak meer. Die hebben we verprutst.'

'Dat weet ik, maar we moeten het dossier compleet houden en ik moet het gerechtshof melden wat de gerechtelijke bevelen hebben opgeleverd. Daar bel ik eigenlijk voor. Jij bent vrijdag de deur uit gerend zonder iets op schrift te zetten over wat het doorzoeken van de koffer en de telefoon heeft opgeleverd. Ik heb het rapport over de auto al klaar.'

'Ja, nou, ik heb niks gevonden. Dat is de reden dat we de zaak hebben moeten sluiten, weet je nog?'

Bosch gooide zijn sleutels op de eettafel en zag zijn dochter de gang naar haar kamer in lopen. Hij begon zich steeds meer aan Ferras te ergeren. Er was een tijd geweest dat hij het leuk had gevonden om als mentor van de jonge rechercheur op te treden en hem het vak te leren. Maar hij kon niet langer om de waarheid heen, en die was dat Ferras nooit zou herstellen van de schotwond die hij in diensttijd had opgelopen. Lichamelijk wel, naar niet mentaal. Ferras zou nooit meer de oude worden. Hij zou een bureauman blijven.

'Dus ik vul "opbrengst: nul" in?' vroeg Ferras.

Even dacht Bosch aan het visitekaartje van de taxiservice in Hongkong. Het was een dood spoor gebleken, niet de moeite waard om het als opbrengst aan de rechter te melden.

'Ja, "opbrengst: nul". Er was niks.'

'En in de telefoon ook niet?'

Bosch moest opeens aan iets denken, maar tegelijkertijd wist hij dat ze waarschijnlijk te laat zouden zijn.

'Nee, niet ín de telefoon, maar hebben jullie de belstaten opgevraagd bij de provider?'

Chang mocht dan het geheugen van zijn telefoon hebben gewist, aan de belstaten die werden bijgehouden door zijn provider had hij niet kunnen komen. Het duurde even voordat Ferras antwoord gaf.

'Nee, ik dacht… jij had de telefoon voor je rekening genomen, Harry. Ik dacht dat jij contact zou opnemen met de provider.'

'Dat heb ik niet gedaan omdat ik naar Hongkong moest.'

Alle telefoonproviders hielden er een vast protocol op na als het ging om het verstrekken van de belstaten en andere informatie over hun abonnees. Meestal was het voldoende om een getekend gerechtelijk bevel naar de juridische afdeling van de provider te faxen. Het was een simpele handeling, maar die was deze keer over het hoofd gezien. Nu was Chang op vrije voeten en hoogstwaarschijnlijk al lang het land uit.

'Godverdomme,' zei Bosch. 'Daar had je aan moeten denken, Ignacio.'

'Ik? Jij had de telefoon, Harry. Ik dacht dat jij het had gedaan.'

'Ja, ik had de telefoon, maar jij deed de gerechtelijke bevelen. Je had het moeten checken voordat je vrijdag naar huis ging.'

'Dat is je reinste gelul, man. Wil je dit míj aanwrijven?'

'Ik wrijf het ons allebei aan. Ja, ik had het kunnen doen, maar jíj had moeten checken of het was gedaan. Dat heb je nagelaten omdat je vroeg naar huis bent gegaan. Daarom heb je het laten versloffen. Zoals je je hele werk laat versloffen, partner.'

Zo, hij had het gezegd.

'En jij kraamt klinkklare onzin uit, partner. Laat ik mijn werk versloffen omdat ik niet ben zoals jij, omdat ik mijn gezin buiten mijn werk hou en het leven van mijn vrouw en kinderen niet op het spel zet voor mijn baan? Bedoel je dat? Je weet niet waar je het over hebt, man.'

Bosch was sprakeloos door Ferras' verbale aanval. Ferras had hem geraakt op het punt dat de afgelopen tweeënzeventig uur zijn leven had beheerst. Ten slotte schudde hij het van zich af en reageerde hij.

'Ignacio,' zei hij beheerst, 'dit gaat zo niet langer. Ik weet niet wanneer ik deze week weer op het bureau ben, maar als ik terugkom, moeten we praten.'

'Mij best. Je weet me te vinden.'

'Ja, natuurlijk weet ik dat. In de teamkamer, want daar ben je altijd. Tot dan.'

Bosch verbrak de verbinding voordat Ferras op zijn laatste opmerking kon reageren. Bosch wist zeker dat Gandle hem zou steunen als hij om een andere partner vroeg. Hij ging naar de keuken om een biertje te pakken en een beetje tot rust te komen. Hij deed de koelkast open, stak zijn hand erin en stopte abrupt. Het was veel te vroeg voor een biertje. Hij moest nog rijden en zou de rest van de dag met zijn dochter gaan shoppen in de Valley.

Hij deed de koelkast weer dicht en liep de gang in. De deur van Madelines kamer was dicht.

'Maddie, ben je klaar om te gaan?'

'Ik ben me aan het omkleden. Ik kom zo.'

Ze had op afgemeten toon antwoord gegeven, alsof ze met rust gelaten wilde worden. Bosch wist niet wat hij daarvan moest denken. Het plan was dat ze eerst naar de telefoonwinkel zouden gaan en daarna kleren, meubilair en een nieuwe laptop zouden kopen. Hij zou alles voor haar kopen wat ze wilde hebben, en dat wist ze. Toch had ze hem kortaf geantwoord en hij wist niet precies waarom. Pas één dag fulltime vader en hij tastte nu al compleet in het duister.

41

De volgende ochtend gingen Bosch en zijn dochter aan de slag met enkele van de aankopen die ze de dag daarvoor hadden gedaan. Maddie was nog niet naar school want de administratieve afwikkeling van de toelating op een openbare school kostte een extra dag... een oponthoud dat Bosch helemaal niet erg vond, want dan hadden ze meer tijd om samen te zijn.

Hun eerste taak was het in elkaar zetten van het computerbureau en de stoel die ze bij IKEA in Burbank hadden gekocht. Ze hadden in ruim vier uur schoolspullen, kleding, elektronica en meubilair gekocht, totdat de auto propvol zat en Bosch een nieuw soort schuldgevoel had ervaren. Dat hij alles had gekocht wat ze aanwees of vroeg, had hem het gevoel gegeven dat hij op die manier geluk voor haar probeerde geluk te kopen... en hopelijk ook de vergevingsgezindheid die erbij hoorde, dat wist hij heel goed.

Hij had de salontafel tegen de muur geschoven en de onderdelen van het prefab bureautje op de vloer van de woonkamer neergelegd. Volgens de handleiding kon het in elkaar worden gezet met één stukje gereedschap: een kleine inbussleutel die ook in de doos zat. Harry en Madeline zaten in kleermakerszit op de vloer en probeerden de handleiding te doorgronden.

'Zo te zien moeten we eerst de zijpanelen aan het werkblad vastmaken,' zei Madeline.

'Weet je het zeker?'

'Ja. Kijk, de dingen waar het cijfer 1 bij staat, die moet je het eerst doen.'

'Ik dacht dat er een 1 bij stond om aan te geven dat er één van was.'

'Nee, want er zijn twee zijpanelen en daar staat een 1 bij. Volgens mij moeten we daarmee beginnen.'

'O.'

De telefoon ging en ze keken elkaar aan. Madeline had de dag daarvoor een nieuwe mobiele telefoon uitgezocht en ook deze keer had ze voor hetzelfde toestel als dat van haar vader gekozen. Het probleem was dat ze nog geen eigen ringtoon had, zodat beide telefoons hetzelfde geluid produceerden. Ze was die ochtend al gebeld door diverse vriendinnen in Hongkong, die ze een sms had gestuurd om te zeggen dat ze naar Los Angeles was verhuisd.

'Volgens mij is dat de jouwe,' zei ze. 'De mijne ligt op mijn kamer.'

Bosch kwam langzaam overeind, met pijnlijke knieën van de houding waarin hij had gezeten. Hij haastte zich naar de eettafel om zijn toestel te pakken voordat de beller het opgaf.

'Harry, met dokter Hinojos. Hoe gaat het?'

'We ploeteren voort, doc. Fijn dat je terugbelt.'

Bosch trok de glazen schuifdeur open, liep de veranda op en deed de deur achter zich dicht.

'Sorry dat ik vandaag pas terugbel,' zei Hinojos. 'Op maandag is het hier altijd een heksenketel. Wat kan ik voor je doen?'

Hinojos was het hoofd van Gedragswetenschappen, de afdeling die psychiatrische diensten leverde aan zowel personeel als politieonderzoeken. Bosch kende haar al bijna vijftien jaar, vanaf het moment dat ze als therapeut Bosch' evaluatie had gedaan nadat hij op bureau Hollywood op de vuist was gegaan met een meerdere.

Bosch bleef zachtjes praten.

'Ik wilde je vragen of je iets voor me wilt doen, als een gunst.'

'Hangt ervan af wat het is.'

'Ik zou graag willen dat je met mijn dochter praat.'

'Je dochter? De laatste keer dat je me over haar vertelde, woonde ze bij·haar moeder in Las Vegas.'

'Ze zijn verhuisd. Ze heeft de afgelopen zes jaar in Hongkong gewoond. Ze woont nu bij mij. Haar moeder is dood.'

Het duurde even voordat Hinojos antwoordde. Bosch hoorde de piep van een tweede gesprek in zijn oor, maar hij schonk er geen aandacht aan en wachtte.

'Harry, je weet dat we hier alleen politiemensen doen, niet hun gezinsleden. Ik kan je een nummer van een goede kinderpsychiater geven.'

'Ik wil geen kinderpsychiater. Dan had ik er wel een uit het telefoonboek geprikt. Daar komt de gunst om de hoek kijken. Ik wil dat ze met jou praat. Jij kent me, ik ken jou. Op die manier.'

'Maar, Harry, zo werkt het hier niet.'

'Ze is gekidnapt in Hongkong. En haar moeder is doodgeschoten toen we haar probeerden terug te vinden. Het kind gaat onder een zware last gebukt, doc.'

'O mijn god! Wanneer is dit gebeurd?'

'Het afgelopen weekend.'

'O, Harry!'

'Ja, niet best. Maar ze moet dus met iemand anders dan met mij praten. Ik zou graag willen dat jij dat bent, dokter.'

Weer een stilte en opnieuw wachtte Bosch af. Het had geen zin om Hinojos onder druk te zetten. Bosch wist dat uit eigen ervaring.

'Ik denk dat ik haar wel buiten de boeken kan houden. Heeft ze gezegd dat ze met iemand wil praten?'

'Ze heeft er niet zelf om gevraagd, maar ik heb tegen haar gezegd dat ik het graag wilde. Ze heeft me niet tegengesproken. Ik denk dat ze jou aardig zal vinden. Wanneer zou je haar kunnen ontvangen?'

Bosch drong nu wel aan, besefte hij. Maar het was voor een goede zaak.

'Nou, ik heb vandaag wel tijd,' zei Hinojos. 'Ik kan haar na de lunch ontvangen. Hoe heet ze?'

'Madeline. Hoe laat?'

'Kan ze om één uur hier zijn?'

'Geen probleem. Kan ik haar brengen, of krijg je dan problemen?'

'Nee, dat komt wel goed. Ik noteer het gewoon niet als sessie.'

Bosch hoorde weer een piep. Deze keer haalde hij het toestel van zijn oor en keek op het schermpje. Het was hoofdinspecteur Gandle.

'Oké, doc,' zei Bosch. 'Alvast hartelijk bedankt.'

'Het zou goed zijn jou ook weer eens te zien, Harry. Misschien moeten jij en ik ook een keer praten. Ik weet dat je ex-vrouw nog steeds veel voor je betekende.'

'Laten we eerst voor mijn dochter zorgen. Daarna kunnen we ons met mij bezighouden. Ik zet haar bij je af en maak dat ik wegkom. Misschien ga ik wel een ommetje te maken of zoiets.'

'Oké, tot vanmiddag, Harry.'

Bosch beëindigde het gesprek en keek of Gandle een bericht had ingesproken. Dat was niet zo. Hij ging weer naar binnen en zag dat zijn dochter al bijna het hele bureautje in elkaar had gezet.

'Wauw, meisje, jij kunt er wat van.'

'Het is heel simpel.'

'Nou, zo zag het er anders niet uit.'

Hij was net weer op de vloer gaan zitten toen de vaste telefoon in de keuken overging. Hij stond op en liep ernaartoe. Het was een ouderwetse telefoon, die aan de muur hing, zonder schermpje en nummervermelding.

'Bosch, wat ben je aan het doen?'

Het was hoofdinspecteur Gandle.

'Ik had u toch gezegd dat ik een paar dagen vrij nam?'

'Ik wil dat je naar het bureau komt, met je dochter.'

Bosch keek in de lege spoelbak van het aanrecht.

'Mijn dochter? Waar is dat voor nodig, meneer?'

'Omdat er in het kantoor van commissaris Dodds twee mensen van de politie van Hongkong op je zitten te wachten. Ze willen je spreken. Je hebt me niet verteld dat je ex-vrouw dood is, Harry. En je hebt me ook niet verteld dat je een spoor van lijken hebt achtergelaten toen je daar was.'

Bosch zweeg en dacht na over wat hij moest doen.

'Zeg maar tegen ze dat ik er om half twee ben,' zei hij ten slotte.

Gandles reactie was woedend.

'Om half twee? Waar heb je drie uur voor nodig? Kom onmiddellijk naar het bureau.'

'Dat gaat niet, meneer. Om half twee ben ik er.'

Bosch hing op en haalde zijn mobiele telefoon uit zijn zak. Hij had geweten dat de politie van Hongkong uiteindelijk zou komen en had al een plan bedacht voor als het zover was.

Zijn eerste telefoontje was naar Sun Yee. Hij wist dat het laat was in Hongkong, maar het kon niet wachten. Suns telefoon ging acht keer over en schakelde door naar de voicemail.

'Met Harry Bosch. Bel me terug als je dit hoort.'

Bosch verbrak de verbinding en bleef enige tijd naar zijn toestel staren. Dit was zorgwekkend. Het was half twee 's nachts in Hongkong en je zou verwachten dat Sun in de buurt van zijn telefoon was. Tenzij die hem was afgenomen.

Bosch opende zijn contactenlijst en zocht een nummer dat hij al meer dan een jaar niet had gebeld.

Hij belde het nu en kreeg onmiddellijk antwoord.

'Mickey Haller.'

'Met Bosch.'

'Harry? Ik had niet verwacht dat ik jou…'

'Ik denk dat ik een advocaat nodig heb.'

Het bleef even stil.

'Oké. Wanneer?'

'Nu meteen.'

42

Gandle kwam zijn kantoor uit benen zodra hij Bosch de teamkamer zag binnenkomen.

'Bosch, ik had tegen je gezegd dat je onmiddellijk naar het bureau moest komen. Waarom heb je je telefoon niet...'

Hij stopte abrupt toen hij zag wie er achter Bosch binnenkwam. Mickey Haller was een welbekend strafpleiter. Er was geen rechercheur op het hoofdbureau die hem niet meteen herkende.

'Is dit je advocaat?' zei Gandle vol afkeer. 'Ik heb gezegd dat je je dochter moest meebrengen, niet je advocaat.'

'Hoofdinspecteur,' zei Bosch, 'laten we één ding meteen duidelijk stellen: mijn dochter blijft hierbuiten. En meneer Haller is hier om me te adviseren en me te helpen uitleggen aan de heren uit Hongkong dat ik geen misdaden heb begaan toen ik in hun stad was. Nou, stelt u me aan ze voor of moet ik dat zelf doen?'

Gandle aarzelde en bond toen in.

'Deze kant op.'

Gandle ging hun voor naar de vergaderzaal naast het kantoor van commissaris Dodds. Ze werden opgewacht door de twee politiemensen uit Hongkong. Ze stonden op toen Bosch binnenkwam en gaven hem allebei hun visitekaartje. Alfred Lo en Clifford Wu. Beiden waren van het triadebureau van de politie van Hongkong.

Bosch stelde Haller aan hen voor en gaf de visitekaartjes aan hem.

'Hebben we een tolk nodig, heren?' vroeg Haller.

'Dat is niet nodig,' zei Wu.

'Nou, dat is alvast iets,' zei Haller. 'Laten we dan gaan zitten en deze zaak de wereld uit helpen.'

Iedereen, ook Gandle, nam plaats aan de vergadertafel. Haller nam als eerste het woord.

'Laten we beginnen met te stellen dat mijn cliënt, rechercheur

Bosch, tijdens dit gesprek geen afstand doet van welk constitutioneel recht dan ook. We bevinden ons hier op Amerikaanse bodem en dat houdt in dat hij de heren niet te woord hoeft te staan. Mijn cliënt is echter ook politieman en hij is zich bewust van de strijd die de heren dag in dag uit tegen het kwaad moeten voeren. Tegen mijn advies in is hij bereid met u te praten. Dus we doen het als volgt: u kunt hem vragen stellen en hij zal proberen die te beantwoorden als ik vind dat hij dat moet doen. Er wordt van dit gesprek niets opgenomen, maar als u wilt kunt u aantekeningen maken. We hopen dat dit gesprek zal leiden tot een beter begrip van de gebeurtenissen die het afgelopen weekend in Hongkong hebben plaatsgevonden. Maar één ding is zeker: u vertrekt hier niet tezamen met de heer Bosch. Zijn medewerking eindigt op het moment dat dit gesprek afgelopen is.'

Haller eindigde zijn openingssalvo met een glimlach.

Voordat ze naar het bureau waren gekomen, hadden Bosch en Haller bijna een uur zitten praten op de achterbank van Hallers Lincoln. De auto stond geparkeerd bij het hondenparkje in de buurt van Franklin Canyon en terwijl ze hun gesprek voerden, keken ze naar Harry's dochter, die door het parkje wandelde en de honden aaide. Toen ze uitgepraat waren, hadden ze Maddie naar haar afspraak met dokter Hinojos gebracht en waren ze doorgereden naar het hoofdbureau.

Ze waren het niet helemaal eens geworden, maar waren toch tot een soort strategie gekomen. Een snelle zoekopdracht op internet met Hallers laptop had zelfs wat ondersteunend materiaal opgeleverd. Dus ze waren redelijk goed voorbereid voor hun gesprek met de mannen uit Hongkong.

Als rechercheur bevond Bosch zich echter op dun ijs. Hij wilde zijn collega's aan de andere kant van de oceaan laten weten wat er was gebeurd, maar wilde zichzelf, zijn dochter of Sun Yee aan geen enkel risico blootstellen. Hij geloofde dat al zijn acties in Hongkong gerechtvaardigd waren geweest. Hij had Haller verteld dat hij zich had bevonden in door anderen gecreëerde situaties waarin hij had moeten kiezen tussen 'doden of gedood worden'. Daaronder viel ook zijn treffen met de hotelmanager in Chungking Mansions. In elke situatie was hij als winnaar uit de bus gekomen. Dat was geen misdaad. Niet volgens zíjn normen.

Lo haalde een notitieboekje en een pen tevoorschijn en Wu stelde zijn eerste vraag, daarmee aangevend dat hij de leiding had.

'Onze eerste vraag is: waarom bent u voor zo'n kort bezoek naar Hongkong gekomen?'

Bosch haalde zijn schouders op.

'Om mijn dochter op te halen en met haar naar de Verenigde Staten te vliegen.'

'Op zaterdagochtend had uw voormalige echtgenote uw dochter als vermist bij de politie gemeld,' zei Wu.

Bosch bleef hem lange tijd aankijken.

'Is dat een vraag?'

'Werd ze vermist?'

'Ik heb begrepen dat ze inderdaad werd vermist, maar op zaterdagochtend bevond ik mij tien kilometer boven de Stille Oceaan. Dus ik kan niet zeggen wat mijn ex-vrouw op dat moment deed.'

'Wij geloven dat uw dochter is gekidnapt door iemand die Peng Qingcai heet. Kent u hem?'

'Ik heb hem nooit ontmoet.'

'Peng is dood,' zei Lo.

Bosch knikte.

'Dat doet me weinig verdriet.'

'Meneer Pengs buurvrouw, mevrouw Fengyi Mai, zegt dat u op zondagochtend bij haar thuis bent geweest,' zei Wu. 'U en meneer Sun Yee.'

'Ja, we hebben bij haar aangeklopt. Ze kon ons niet helpen.'

'Waarom niet?'

'Nou, omdat ze niks wist. Ze wist niet waar Peng was.'

Wu boog zich naar voren en zijn lichaamstaal liet zich gemakkelijk raden. Hij dacht dat hij Bosch in de klem had.

'Bent u Pengs flat binnengegaan?'

'We hebben op de deur geklopt, maar er deed niemand open. Na een tijdje zijn we weggegaan.'

Wu ging weer rechtop zitten, was teleurgesteld.

'U geeft toe dat u in het gezelschap van Sun Yee was?' vroeg hij.

'Ja, hij was bij me.'

'Waar kent u deze persoon van?'

'Ik heb hem via mijn ex-vrouw leren kennen. Ze kwamen me op zondagochtend van het vliegveld halen en zeiden dat ze op zoek waren naar mijn dochter, omdat de plaatselijke politie niet geloofde dat ze was gekidnapt.'

Bosch keek de twee mannen een voor een aan voordat hij doorging. 'Want kijk, het is jullie politie geweest die in gebreke is gebleven. Ik hoop dat jullie daar melding van maken in het rapport. Want als ik hierbij word betrokken, zal ik dat zeker doen. Dan bel ik elke krant in Hongkong – het kan me niet schelen in welke taal – en vertel hun míjn kant van het verhaal.'

Dat was het plan, om de politie van Hongkong te dreigen met internationaal gezichtsverlies om de twee rechercheurs wat te laten inbinden.

'Bent u zich ervan bewust,' zei Wu, 'dat uw ex-vrouw, Eleanor Wish, is omgekomen als gevolg van een schotwond op de vijftiende verdieping van Chungking Mansions in Kowloon?'

'Ja, daar ben ik me van bewust.'

'Was u daar aanwezig toen het gebeurde?'

Bosch keek naar Haller en de advocaat knikte.

'Ja, ik was erbij. Ik heb het zien gebeuren.'

'Kunt u ons vertellen hoe het is gebeurd?'

'We waren daar op zoek naar onze dochter. We vonden haar niet. Toen we de gang op liepen om weg te gaan, openden twee mannen het vuur op ons. Eleanor werd geraakt en... kwam om het leven. En de twee mannen werden ook geraakt. Het was zelfverdediging.'

Wu boog zich weer naar voren.

'Wie heeft die mannen doodgeschoten?'

'Ik denk dat u dat al weet.'

'We willen het graag van u horen.'

Bosch dacht aan het pistool dat hij in Eleanors levenloze hand had gedrukt. Hij wilde de leugen uitspreken toen Haller ingreep.

'Ik sta niet toe dat rechercheur Bosch zich waagt aan theorieën over wie wie heeft doodgeschoten,' zei hij. 'Ik ben ervan overtuigd dat uw uitstekende politiekorps beschikt over geavanceerde forensische middelen en dat u door middel van kruitsporenonderzoek en ballistische analyse allang een antwoord op deze vraag hebt.'

Wu ging door.

'Was Sun Yee op de vijftiende verdieping toen het gebeurde?'

'Nee, op dat moment niet.'

'Kunt u iets gedetailleerder zijn?'

'Over de schietpartij? Nee. Maar ik kan jullie wel iets vertellen over de kamer waarin mijn dochter is vastgehouden. We hebben een propje wc-papier met bloed erop gevonden. Er was bloed bij haar afgenomen.'

Bosch keek zijn verhoorders aan om te zien hoe ze op deze informatie reageerden. Op hun gezicht was niets te zien.

De mannen uit Hongkong hadden een dossier meegebracht; het lag vóór hen op tafel. Wu sloeg het open, nam er een document uit en schoof het over de tafel naar Bosch.

'Dit is de verklaring van Sun Yee. We hebben hem in het Engels vertaald. Leest u hem en bevestig of hij juist is, alstublieft.'

Haller boog zich naar Bosch toe en samen namen ze de twee pagina's door. Bosch zag meteen dat de verklaring nep was. Het was hun eigen onderzoekstheorie, vermomd als de verklaring van Sun. Ongeveer de helft ervan was waar. De rest bestond uit veronderstellingen op grond van verhoren en bewijs. De moord op Peng en zijn familie werd Bosch en Sun Yee in de schoenen geschoven.

Harry wist dat ze óf bluften, om hem zover te krijgen dat hij vertelde wat er werkelijk was gebeurd, óf ze hadden Sun gearresteerd en hem gedwongen zijn handtekening te zetten onder het verhaal waaraan zij de voorkeur gaven, namelijk dat Bosch verantwoordelijk was geweest voor het bloedbad dat in Hongkong was aangericht. Het zou de gemakkelijkste manier zijn om de gewelddadige dood van negen mensen op één enkele zondag te verklaren. De Amerikaan had het gedaan.

Maar Bosch herinnerde zich wat Sun bij hun afscheid op het vliegveld tegen hem had gezegd. *Ik handel alles af zonder melding van jou te maken. Dat is mijn belofte aan jou. Wat er ook gebeurt, ik laat jou en je dochter erbuiten.*

'Heren,' zei Haller, die het eerst klaar was met lezen. 'Deze verklaring is...'

'Absolute bullshit,' maakte Bosch de zin voor hem af.

Hij schoof het document terug over de tafel. Wu keek alsof hij een klap in zijn gezicht had gekregen.

'Nee, nee,' zei Wu snel. 'Deze verklaring is helemaal echt. En hij is ondertekend door Sun Yee.'

'Misschien toen je hem een pistool op zijn slaap zette. Werken jullie zo in Hongkong?'

'Rechercheur Bosch!' riep Wu uit. 'U gaat met ons mee naar Hongkong om u voor deze beschuldigingen te verantwoorden.'

'Ik zet nooit van mijn leven nog een stap in Hongkong.'

'U hebt vele mensen gedood. U hebt gebruikgemaakt van vuurwapens. U hebt de veiligheid van uw dochter boven die van alle Chinese burgers geplaatst en…'

'Ze hadden bloed bij haar afgenomen!' snauwde Bosch. 'Om haar bloedgroep te bepalen. Weet je waarom? Ze waren van plan haar organen te verkopen!'

Hij stopte met praten en zag de onzekerheid op Wu's gezicht toenemen. Over Lo maakte Bosch zich niet druk. Wu had de leiding en als ze hém goed aanpakten, kon Bosch niets gebeuren. Haller had gelijk gehad. Toen ze achter in de Lincoln zaten, had Haller een subtiele strategie voor het verhoor voorgesteld. In plaats van zich te focussen op Bosch' daden als zelfverdediging, moesten ze de mannen uit Hongkong duidelijk maken wat er aan de internationale pers zou worden verteld, mochten ze hun zaak tegen Bosch, in welke vorm ook, willen doorzetten.

Het was nu het moment om die kaart op tafel te leggen, dus Haller nam de leiding en begon heel rustig naar de genadeslag toe te werken.

'Heren, u kunt bij uw getekende verklaring blijven als u dat wilt,' zei hij, met een schijnbaar permanente glimlach om zijn mond. 'Laat me u een samenvatting geven van de feiten die worden ondersteund door concreet bewijs. Een Amerikaans meisje van dertien jaar werd gekidnapt in uw stad. Haar moeder belde de politie om deze misdaad aan te geven, zoals het hoort. De politie weigerde een onderzoek in te stellen en…'

'Het meisje was al eens eerder van huis weggelopen,' onderbrak Lo hem. 'Er was geen reden om…'

Haller stak zijn wijsvinger op om hem de mond te snoeren.

'Dat doet niet ter zake,' zei hij, nu zonder glimlach en met beheerste woede in zijn stem. 'Uw politiedepartement kreeg te horen dat er een Amerikaans meisje werd vermist en koos ervoor – om welke reden ook – die aangifte te negeren. Daardoor was de moeder van het meisje gedwongen zelf naar haar dochter op zoek te gaan. En het eerste wat ze deed, was de hulp inroepen van de vader van het meisje, die in Los Angeles woont.'

Haller wees naar Bosch.

'Rechercheur Bosch arriveerde in Hongkong en tezamen met zijn ex-vrouw en een vriend van de familie, meneer Sun Yee, begonnen ze aan de zoektocht waaraan de politie van Hongkong hardnekkig weigerde mee te werken. Op eigen initiatief vonden ze het bewijs dat aantoonde dat ze was gekidnapt voor haar organen. Ze waren van plan dit Amerikaanse meisje te verkopen voor haar organen!'

Hallers woede was verder toegenomen en Bosch geloofde niet dat het een act was. Haller liet de laatste uitspraak enige tijd als een donderwolk boven de tafel hangen voordat hij doorging.

'Welnu, zoals de heren weten zijn er mensen omgekomen. Mijn cliënt gaat niet in op de details hierover. Het volstaat om te zeggen dat deze vader en moeder, geheel op zichzelf aangewezen in Hongkong, zonder enige hulp van de overheid en de politie, bij het zoeken naar hun kind in aanraking zijn gekomen met diverse kwaadwillende individuen en dat ze in situaties belandden waarin ze moesten kiezen tussen doden of gedood worden. Ze bevonden zich in een levensbedreigende situatie!'

Bosch zag de twee rechercheurs uit Hongkong lijfelijk terugdeinzen toen Haller deze laatste woorden uitriep. Daarna vervolgde hij zijn verhaal op de kalme, beheerste toon die hij in de rechtszaal altijd gebruikte.

'Welnu, we beseffen dat u wilt weten wat er heeft plaatsgevonden, dat u daarvan een rapport moet maken en dat uw superieuren op de hoogte moeten worden gesteld. Maar u kunt zich één ding serieus afvragen: is dit de correcte manier om het aan te pakken?'

Hij liet weer een stilte vallen.

'Wat er in Hongkong heeft plaatsgevonden, wat dat ook is, is gebeurd omdat uw politie heeft geweigerd dit jonge Amerikaanse meisje en haar ouders te helpen. En als u dat allemaal prima vindt en hiernaartoe bent gekomen om te analyseren wat rechercheur Bosch heeft móéten doen omdat uw politie niet juist heeft gehandeld... als u op zoek bent naar een zondebok om mee terug te nemen naar Hongkong, dan zult u die hier niet vinden. Daar werken we niet aan mee. Er is echter iemand anders die wel bereid is om met u hierover te praten. Misschien kunnen we hem laten komen?'

Haller haalde een visitekaartje uit de borstzak van zijn overhemd en schoof het over de tafel naar de twee rechercheurs. Wu pakte het op en keek ernaar. Haller had het al aan Bosch laten zien. Het was het visitekaartje van een journalist van de *Los Angeles Times*.

'Jock Meekeevoy,' las Lo voor. 'Heeft hij informatie over deze zaak?'

'Jack McEvoy is de naam. En hij heeft de informatie nog niet. Maar hij zal buitengewoon geïnteresseerd zijn in een verhaal als dit.'

Het hoorde allemaal bij het plan dat ze hadden bedacht. Haller blufte. In werkelijkheid – en Bosch wist ervan – was McEvoy al een half jaar geleden door de *Los Angeles Times* op straat gezet. Haller had het kaartje gevonden in zijn stapeltje visitekaartjes, dat hij met een elastiekje eromheen in zijn Lincoln had liggen.

'Met hem begint het,' zei Haller onbewogen. 'En ik denk dat het een geweldig stuk zal worden. Een dertienjarig Amerikaans meisje wordt in China gekidnapt voor haar organen en de politie doet niks. Haar ouders zijn gedwongen zelf in actie te komen en de moeder wordt doodgeschoten terwijl ze haar dochter het leven probeert te redden. De belangstelling van de internationale pers zal enorm zijn. Elke krant, elke nieuwszender op de hele wereld zal het verhaal willen brengen. En daarna maken ze er in Hollywood een speelfilm van. Met Oliver Stone als regisseur!'

Haller opende nu het dossier dat hij zelf had meegebracht. Het bevatte de artikelen die Haller op internet had gevonden en die hij in de auto had geprint. Hij schoof het stapeltje prints over de tafel naar Wu en Lo. Ze bogen zich naar elkaar toe om ze te bekijken.

'En ten slotte hebt u daar een aantal nieuwsartikelen die ik beschikbaar zal stellen aan meneer McEvoy en alle andere journalisten die mij of rechercheur Bosch erom vragen. De artikelen gaan over de recente groei van de zwarte markt in menselijke organen in China. De wachtlijsten in China zijn de langste ter wereld, wordt erin gesteld, en in sommige artikelen wordt beschreven dat er in China gemiddeld één miljoen mensen zijn die op een orgaan wachten. Dat de Chinese overheid een paar jaar geleden, onder druk van de internationale wereld, is opgehouden met het vergaren van organen van geëxecuteerde gevangenen, heeft de zaak er niet beter op gemaakt. Dat heeft de vraag naar en de waarde van menselijke organen op de zwarte markt alleen maar vergroot. U zult zien dat al deze nieuwsberichten afkomstig zijn uit respectabele kranten, waaronder de *Beijing Review*, waar meneer McEvoy ook naartoe zal gaan met zijn verhaal. Het is nu aan u om te besluiten of u dat werkelijk wilt.'

Wu draaide zijn hoofd opzij en begon in rap Chinees in Lo's oor te fluisteren.

'U hoeft niet te fluisteren, heren,' zei Haller. 'Wij kunnen u niet verstaan.'

Wu keek hen weer aan.

'We zouden graag een privételefoongesprek voeren voordat we het verhoor voortzetten,' zei hij.

'Met Hongkong?' vroeg Bosch. 'Het is daar vijf uur in de ochtend.'

'Dat maakt niet uit,' zei Wu. 'Mag ik even bellen, alstublieft?'

Gandle stond op.

'U kunt mijn kantoor gebruiken. Daar hebt u uw privacy.'

'Dank u, hoofdinspecteur.'

De twee rechercheurs uit Hongkong stonden op.

'Nog één ding, heren,' zei Haller.

Ze keken hem allebei aan alsof ze dachten: wat nu weer?

'Ik wil dat u beiden en degene die u gaat bellen weten dat we ons grote zorgen maken over het welzijn van Sun Yee als gevolg van deze kwestie. We willen dat u weet dat we zullen proberen in contact te treden met meneer Sun en wanneer dat niet lukt, of we komen te weten dat hij op welke manier ook van zijn persoonlijke vrijheid is beroofd, zullen we ook dat melden aan de internationale media.'

Haller glimlachte en wachtte even voordat hij doorging.

'Voor minder doen we het niet, heren. Zeg dat maar tegen uw mensen.'

Haller knikte en bleef glimlachen, maar zijn vriendelijke houding maakte de dreiging niet minder. Wu en Lo knikten om aan te geven dat ze de boodschap hadden begrepen en liepen achter Gandle aan het vertrek uit.

'Wat denk je?' vroeg Bosch aan Haller toen ze alleen waren. 'Zitten we goed?'

'Ja, dat denk ik wel,' zei Haller. 'Volgens mij is er net een punt achter de kwestie gezet. Wat in Hongkong is gebeurd, blijft in Hongkong.'

43

Bosch had geen zin om in de vergaderzaal op de terugkeer van de twee rechercheurs uit Hongkong te wachten. Hij maakte zich nog steeds ongerust over de verbale aanvaring die hij de vorige dag met zijn partner had gehad en liep naar de teamkamer om te zien of Ferras daar was.

Maar Ferras was er niet en Bosch vroeg zich af of hij expres was gaan lunchen om verdere confrontaties te vermijden. Harry ging naar zijn werkplek om te zien of er bureaupost of andere berichten voor hem waren. Die waren er niet, maar op zijn telefoon knipperde een rood lampje. Er was een bericht voor hem. Hij moest er nog steeds aan wennen dat hij zijn telefoon moest checken om te zien of er berichten voor hem waren. In de teamkamer van Parker Center was het er allemaal wat ouderwetser aan toe gegaan en hadden ze geen persoonlijke voicemail gehad. Alle boodschappen werden daar naar een centraal punt gestuurd en kwamen terecht bij de secretaresse van de teamkamer. Zij schreef ze dan op strookjes papier, die ze in je postvakje of op je bureau legde. En als de boodschap urgent was, ging ze persoonlijk op zoek naar de betreffende rechercheur met behulp van diens pieper of mobiele telefoon.

Bosch ging achter zijn bureau zitten en toetste zijn cijfercode in de telefoon. Hij had vijf berichten. De eerste drie gingen over andere zaken. Hij maakte een paar aantekeningen op zijn blocnote en wiste de berichten. Het vierde was van de vorige avond, van rechercheur Wu van de politie van Hongkong. Hij was net gearriveerd, had een kamer in een hotel genomen en wilde een afspraak maken voor de volgende dag. Bosch wiste het bericht.

Het vijfde was van Teri Sopp van Vingerafdrukken. Ze had het die ochtend om 9.15 uur ingesproken, toen Bosch bezig was met het openmaken van de grote, platte doos waarin het nieuwe computerbureau van zijn dochter zat.

'Harry, we hebben de proef met de elektrostatische visualisering gedaan op de huls die je me had gegeven. We hebben er een afdruk van afgehaald en iedereen hier is dolenthousiast. We hebben hem door de computer van justitie gehaald en kregen een match. Dus bel me zodra je dit hoort.'

Toen Bosch het nummer van Vingerafdrukken had ingetoetst, keek hij over het paneel van zijn werkplek en zag hij Gandle en de twee rechercheurs teruglopen naar de vergaderzaal. Gandle wuifde naar Bosch, gebaarde hem ook terug te komen. Bosch stak zijn wijsvinger op om aan te geven dat hij nog een minuutje nodig had.

'Vingerafdrukken.'

'Zoek Teri voor me op, alsjeblieft.'

Hij wachtte nog eens tien seconden terwijl zijn opwinding verder toenam. Bo-Jing Chang was op vrije voeten en misschien al op weg naar Hongkong, maar als ze zijn vingerafdruk hadden op de huls van een van de kogels die John Li hadden gedood, veranderde dat alles. Dat was concreet bewijs dat hem in verband bracht met de moord. Dan konden ze hem in staat van beschuldiging stellen en om zijn uitlevering vragen.

'Met Teri.'

'Harry Bosch hier. Ik heb je bericht net gehoord.'

'Ik vroeg me al af waar je uithing. We hebben een match met je huls.'

'Dat is geweldig. Bo-Jing Chang?'

'Ik sta nu in het lab. Ik moet even naar mijn bureau lopen. Het was een Chinese naam, maar niet die van het kaartje met afdrukken dat je partner me heeft gegeven. Die afdrukken leverden geen match op. Ik zet je even in de wacht.'

Toen was ze weg en zag Bosch in gedachten een grote barst in zijn theorie over de zaak komen.

'Harry, kom je?'

Hij keek weer over het paneel van zijn werkplek. Gandle riep hem vanuit de deuropening van de vergaderzaal. Bosch wees naar de hoorn van zijn telefoon en schudde zijn hoofd. Gandle nam er geen genoegen mee en kwam naar Bosch' werkplek lopen.

'Luister nou,' zei Gandle op dwingende toon. 'Ze zijn teruggefloten. We hebben je nodig om het af te ronden.'

'Mijn advocaat kan het afhandelen. Ik krijg net hét grote nieuws.'

'Wat voor nieuws?'

'Het nieuws dat de doorbraak...'

'Harry?'

Teri Sopp was weer aan de lijn. Bosch legde zijn hand op het spreekgedeelte van de hoorn.

'Ik moet dit even afmaken,' zei hij tegen Gandle. Hij haalde zijn hand weer van de hoorn en zei: 'Teri, geef me de naam.'

Gandle draaide zich om en liep hoofdschuddend terug naar de vergaderzaal.

'Oké, maar het is niet de naam die jij noemde. Het is Henry Lau, L-A-U. Geboortedatum negen, negen, tweeëntachtig.'

'Waarvoor zit hij in de computer?'

'Hij heeft twee jaar geleden een aanrijding veroorzaakt in Venice.'

'Is dat alles?'

'Ja. Verder is hij brandschoon.'

'Heb je een adres?'

'Het adres op zijn rijbewijs is Quarterdeck 18 in Venice. Unit 11.'

Bosch schreef de informatie in zijn notitieboekje.

'Oké, en die afdruk van de huls is goed, dat is zeker?'

'Honderd procent, Harry. Hij kwam op als een kerstboom vol lichtjes. Deze nieuwe technologie is verbazingwekkend. Er gaan grote veranderingen plaatsvinden.'

'En jullie willen dit gebruiken als testcase voor het hof van Californië?'

'Daar zou ik mijn geld nog niet op zetten als ik jou was. Mijn baas wil eerst zien hoe dit uitpakt in jouw zaak. Je weet wel, of deze man je dader is en wat voor ander bewijs er is. We zijn op zoek naar een zaak waarin de technologie een geïntegreerd deel van de berechting kan zijn.'

'Nou, je hoort het van me zodra ik iets weet. Hartelijk bedankt, Teri. We gaan er meteen op af.'

'Succes, Harry.'

Bosch hing op. Hij keek weer over het paneel van zijn werkplek naar de vergaderzaal. De jaloezieën waren neergelaten, maar ze stonden open. Hij zag Haller naar de twee mannen uit Hongkong gebaren. Bosch keek naar de werkplek van zijn partner, maar daar was nog steeds niemand. Hij hakte de knoop door en nam de hoorn weer van zijn telefoontoestel.

David Chu was op het kantoor van de AGU en Bosch kreeg hem meteen aan de lijn. Harry vertelde hem het laatste nieuws over de afdruk op de huls en vroeg hem Henry Laus naam door de database van de triades te halen. In de tussentijd, zei Bosch, kwam hij naar het kantoor van de AGU om Chu op te halen.

'Waar gaan we naartoe?' vroeg Chu.

'We gaan die Lau opzoeken.'

Bosch hing op en liep naar de vergaderzaal, niet om deel te nemen aan wat er daar werd besproken, maar om Gandle te laten weten dat ze een belangrijke doorbraak in de zaak hadden.

Toen hij de deur opendeed, keek Gandle hem aan alsof hij wilde zeggen: het werd een keer tijd. Bosch bleef in de deuropening staan en gebaarde Gandle naar buiten te komen.

'Maar, Harry, de heren hier hebben nog steeds een paar vragen voor je,' zei Gandle.

'Dat zal moeten wachten. We hebben een doorbraak in de zaak van John Li en ik moet ernaartoe. Nu meteen.'

Gandle stond op en kwam naar de deur lopen.

'Harry, ik handel de rest wel af,' zei Haller vanaf zijn plek aan de vergadertafel. 'Maar er is nog één vraag waarop ik een antwoord nodig heb.'

Bosch keek hem aan en Haller knikte, wat inhield dat de vraag geen riskante was.

'Wat wil je weten?'

'Wil je het stoffelijk overschot van je ex-vrouw naar Los Angeles overbrengen?'

Het bleef even stil na de vraag. Bosch' onmiddellijke reactie was ja, maar de onzekerheid sloeg toe toen hij zich afvroeg wat het effect ervan op zijn dochter zou zijn.

'Ja,' zei hij ten slotte. 'Laat haar overbrengen.'

Daarna ging hij opzij voor Gandle en deed de deur dicht.

'Wat is er gebeurd?' vroeg Gandle.

Chu stond al voor de deur te wachten toen Bosch voor het kantoor van de AGU stopte. Hij had een attachékoffertje in zijn hand, waaruit Bosch afleidde dat hij informatie over Henry Lau had gevonden. Chu stapte in en Bosch reed door.

'Gaan we naar Venice?' vroeg Chu.

'Ja. Wat heb je over Lau gevonden?'

'Niks.'

Bosch keek hem aan.

'Niks?'

'Voor zover we weten is hij brandschoon. Ik ben zijn naam nergens tegengekomen. Ik heb op kantoor naar hem geïnformeerd en heb een paar mensen gebeld. Overal niks. O, en ik heb de foto van zijn rijbewijs geprint.'

Hij bukte zich, deed zijn koffertje open en haalde er een kleurenprint van Laus foto uit. Hij gaf hem aan Bosch, die er tijdens het rijden een paar vluchtige blikken op wierp. Ze reden de 101 op vanaf Broadway en namen daarna de 110. Het was druk op de grote wegen door de stad.

Lau had glimlachend in de camera gekeken. Hij had een vriendelijk gezicht en zijn haar was modieus geknipt. Het viel niet mee om dit gezicht in verband te brengen met werk voor de triades, en helemaal niet met de koelbloedige moord op de eigenaar van een drankwinkel. Het adres in Venice paste ook niet in het profiel.

'Ik heb ook bij Vuurwapens geïnformeerd. Henry Lau is de geregistreerde eigenaar van een 9mm Glock Model 19. Hij heeft het wapen niet alleen geladen, het ís van hem.'

'Wanneer heeft hij het gekocht?'

'Zes jaar geleden, een dag nadat hij eenentwintig was geworden.'

Voor Bosch hield dat in dat ze op het goede spoor zaten. Lau was eigenaar van het juiste wapen, en het feit dat hij het had gekocht zodra hij meerderjarig was, gaf aan dat hij al lang daarvoor een wapen had willen bezitten. Dat maakte hem tot een reiziger in een wereld die Bosch kende. Zijn relatie met John Li en Bo-Jing Chang zou aan het licht komen wanneer ze hem in de verhoorkamer hadden en waren begonnen zijn leven te ontmantelen.

Ze sloegen af naar de 10 en reden in westelijke richting naar de Stille Oceaan. Bosch' telefoon zoemde en hij antwoordde zonder te kijken wie hem belde, in de veronderstelling dat het Haller was met de mededeling dat de bespreking met de rechercheurs uit Hongkong achter de rug was.

'Harry, met dokter Hinojos. We zitten op je te wachten.'

Bosch was het vergeten. Meer dan dertig jaar lang had hij door zijn onderzoeken laten bepalen of en wanneer hij in actie moest komen. Hij had nooit rekening hoeven houden met iemand anders.

'O, dokter. Dat spijt me vreselijk. Ik ben het helemaal... ik ben op weg om een verdachte te arresteren.'

'Hoe bedoel je?'

'We hebben een doorbraak in de zaak en ik moet nu... is het mogelijk dat Maddie nog wat langer bij u blijft?'

'Wel, dat is… ach, ik neem aan dat ze nog wel even hier kan blijven. Ik heb de rest van de dag alleen administratief werk te doen. Maar weet je zeker dat je het zo wilt?'

'Hoor eens, ik weet dat het niet goed is. Dit maakt een heel slechte indruk. Ze is hier net en ik laat haar nu al aan haar lot over. Maar deze zaak is de reden dat ze hier is. Ik moet de rit uitzitten. Als die knaap thuis is, arresteer ik hem en kom ik terug naar de stad. Dan bel ik u en kom ik haar meteen halen.'

'Goed dan, Harry. Een beetje extra tijd met haar kan geen kwaad. Maar jij en ik moeten ook tijd maken voor een gesprek. Over Maddie en ook over jou.'

'Oké, dat doen we. Is ze daar? Mag ik haar even?'

'Momentje.'

Even later kwam Madeline aan de lijn.

'Papa?'

In dat ene woord was alles te horen: verbazing, ongeloof en grote teleurstelling.

'Ik weet het, schat. Het spijt me heel erg. Er is iets tussen gekomen en ik móét het afmaken. Blijf nog even bij dokter Hinojos, dan kom ik je zo snel mogelijk halen.'

'Goed dan.'

Twee porties teleurstelling. Bosch vermoedde niet de laatste.

'Tot straks, Mad. Ik hou van je.'

Hij klapte zijn telefoon dicht en stak hem in zijn zak.

'Ik wil er niet over praten,' zei hij voordat Chu iets kon vragen.

'Oké,' zei Chu.

Het werd minder druk op de weg en binnen een half uur waren ze in Venice. Bosch werd onderweg nog een keer gebeld en deze keer was het het verwachte telefoontje van Haller. Hij vertelde Harry dat de politie van Hongkong hem niet meer zou lastigvallen.

'Dus het is voorbij?'

'Ja. Ze nemen contact met je op over het stoffelijk overschot van je ex-vrouw, maar daar blijft het bij. Ze zien af van verder onderzoek naar jouw aandeel in het gebeuren in Hongkong.'

'En Sun Yee?'

'Ze beweren dat hij na verhoor is vrijgelaten en dat hem niets ten laste wordt gelegd. Ik zou hem wel even bellen om het van hemzelf te horen, uiteraard.'

'Dat zal ik zeker doen. Bedankt, Mickey.'

'Fluitje van een cent.'

'Stuur me de rekening maar.'

'Nee, we staan quitte, Harry. Maar wat zou je ervan vinden als mijn dochter met de jouwe kennismaakte? Ze zijn ongeveer van dezelfde leeftijd.'

Bosch aarzelde. Hij wist dat Haller hem om meer vroeg dan alleen een kennismaking van de twee meisjes. Haller was Bosch' halfbroer, hoewel ze dat pas hadden ontdekt toen hun wegen elkaar hadden gekruist tijdens een zaak van amper een jaar geleden. De dochters bijeenbrengen betekende dat de vaders ook bijeen werden gebracht, en Bosch wist niet of hij daar al aan toe was.

'Als de tijd rijp is doen we dat,' zei hij. 'Maar nu nog niet, want ze gaat morgen voor het eerst naar school en ze moet hier nog een beetje wennen.'

'Ook goed. Pas goed op jezelf, Harry.'

Bosch klapte zijn telefoon dicht en concentreerde zich op het vinden van Henry Laus adres. De straten aan de zuidelijke rand van Venice hadden namen in alfabetische volgorde, en Quarterdeck was een van de laatste voor de kades van Marina del Rey.

Venice was een gemeenschap van bohemiens en de huizen waren er peperduur. Laus appartement bevond zich in een van de nieuwere complexen, met veel glas en stucwerk, die de weekendhuisjes die vroeger langs het strand hadden gestaan langzaam maar zeker verdrongen. Bosch parkeerde in een zijstraat van de kustweg en ze liepen terug.

Het gebouw was een nieuw appartementencomplex en op de voorgevel hingen posters waarop twee van de units te koop werden aangeboden. Ze gingen naar binnen door een glazen deur en kwamen in een kleine hal met een afgesloten binnendeur en een paneel met bellen om je te melden bij de individuele woonunits. Bosch vond het geen goed idee om meteen op de bel van unit 11 te drukken. Als Lau vernam dat de politie in de hal stond, zou hij misschien via een brandtrap of achteruitgang het gebouw uit vluchten.

'Hoe pakken we het aan?' vroeg Chu.

Bosch drukte op een paar bellen van andere units. Ze wachtten en ten slotte klonk de stem van een vrouw uit de luidspreker van het bellenpaneel.

'Ja?'

'Politie van Los Angeles, mevrouw,' zei Bosch. 'Kunnen we u even spreken?'

'Waarover?'

Bosch schudde zijn hoofd. Er was ooit een tijd geweest dat dit soort dingen niet werd gevraagd. Toen werd er nog meteen opengedaan.

'Het gaat om een moordonderzoek, mevrouw. Kunt u de deur voor ons opendoen?'

Er volgde een lange stilte en Bosch wilde nog een keer bij haar aanbellen toen hij besefte dat hij niet wist welke bel van haar was geweest.

'Kunnen jullie je legitimatie voor de camera houden, alsjeblieft?' vroeg de vrouw.

Bosch had geen camera gezien, en hij keek om zich heen.

'Daar.'

Chu wees naar een smalle sleuf boven aan het bellenpaneel. Ze hielden allebei hun penning ervoor en kort daarna zoemde het slot van de binnendeur. Bosch trok hem open.

'Ik weet niet eens in welke unit ze woont,' zei Bosch.

De deur gaf toegang tot een open, vierkante binnenplaats met een kleine vijver in het midden. De voordeuren van de twaalf woonunits kwamen uit op de binnenplaats, vier aan de noord- en zuidkant en twee aan de oost- en westkant. Nummer 11 was aan de westkant, wat betekende dat de unit uitzicht op zee had.

Bosch liep naar nummer 11 en klopte op de deur, maar er werd niet opengedaan. Vervolgens ging de deur van nummer 12 open en kwam er een vrouw naar buiten.

'Ik dacht dat je zei dat jullie mij wilden spreken,' zei ze.

'Eigenlijk zijn we op zoek naar meneer Lau,' zei Chu. 'Weet u waar hij is?'

'Misschien is hij aan het werk. Maar ik geloof dat hij zei dat ze deze week aan het schieten waren.'

'Schieten? Waarop?' vroeg Bosch.

'Hij is scriptschrijver en hij werkt mee aan een film of tv-serie. Ik weet niet meer wat van de twee.'

Op dat moment werd de deur van nummer 11 op een kier geopend. Een man met slaperige ogen en ongekamd haar gluurde naar buiten. Bosch herkende hem van de foto die Chu had geprint.

'Henry Lau?' zei Bosch. 'LAPD. We hebben een paar vragen aan u.'

44

Henry Lau had een ruim huis met een drie meter diep terras over de hele breedte en een prachtig uitzicht op het breedste deel van Venice Beach en de Stille Oceaan daarachter. Hij nam Bosch en Chu mee naar de woonkamer en vroeg hun plaats te nemen. Chu ging op de bank zitten maar Bosch bleef staan, met zijn rug naar het uitzicht zodat hij tijdens het gesprek niet werd afgeleid. Hij voelde niet de vibratie die hij had verwacht. Lau leek niet verbaasd over hun komst en daar had Harry niet op gerekend.

Lau was gekleed in een spijkerbroek, sportschoenen en een t-shirt met lange mouwen en een fluwelen opdruk van een man met lang haar, een zonnebril en daaronder de tekst THE DUDE ABIDES. Als hij had geslapen, had hij dat met zijn kleren aan gedaan.

Bosch wees naar de vierkante, zwartleren fauteuil met armleuningen die dertig centimeter breed waren.

'Ga zitten, meneer Lau,' zei hij. 'We zullen proberen niet te veel van je tijd in beslag te nemen.'

Lau was klein van stuk en bewoog zich soepel als een kat. Hij liet zich in de fauteuil zakken en trok zijn benen onder zich op.

'Gaat dit over het schieten?' vroeg hij.

Bosch keek Chu even aan en richtte zijn aandacht weer op Lau.

'Wat voor schieten bedoel je?'

'Hier op het strand. De beroving.'

'Wanneer was dat?'

'Dat weet ik niet precies meer. Een paar weken geleden? Maar als jullie niet weten wanneer het was, zal het dat wel niet zijn.'

'Dat klopt, meneer Lau. We doen onderzoek naar schoten die zijn gelost, maar niet die. Vind je het vervelend om ons te woord te staan?'

Lau haalde zijn schouders op.

'Dat weet ik niet. Maar ik weet niks van andere schoten, agent.'

'We zijn van de recherche.'

'Goed dan, rechercheur. Wat voor schoten?'

'Ken je ene Bo-Jing Chang?'

'Bo-Jing Chang? Nee, die naam zegt me niks.'

Hij leek oprecht verbaasd bij het horen van de naam. Bosch knikte naar Chu, en Chu haalde de foto van Chang, van toen hij in hechtenis was genomen, uit zijn koffertje. Hij gaf de foto aan Lau. Terwijl Lau hem bekeek, liep Bosch naar een andere plek in de kamer om Lau vanuit een andere hoek te bekijken. Hij wilde in beweging blijven. Het kon helpen Lau minder alert te maken.

Lau schudde zijn hoofd nadat hij enige tijd naar de foto had gekeken.

'Nee, nooit eerder gezien. Over wat voor schoten hebben we het hier?'

'Laat ons eerst de vragen stellen,' zei Bosch. 'Daarna zullen we die van jou beantwoorden. Je buurvrouw zei dat je scriptschrijver bent?'

'Ja.'

'Heb je iets geschreven wat ik gezien zou kunnen hebben?'

'Nee.'

'Hoe weet je dat?'

'Omdat er van wat ik tot nu toe heb geschreven nooit iets is verfilmd. Dus er is niks wat je gezien kunt hebben.'

'O, maar wie betaalt er dan voor dit mooie stekkie aan het strand?'

'Daar betaal ík voor. Ik krijg wel betaald voor wat ik schrijf. Er is alleen nog niks verfilmd en uitgezonden. Zoiets kost tijd, begrijp je wel?'

Bosch ging achter Lau staan zodat de jongeman zich moest omdraaien in zijn comfortabele fauteuil om hem aan te kijken.

'Waar heb je je jeugd doorgebracht, Henry?'

'In San Francisco. Ik ben hiernaartoe gekomen om te studeren en ben blijven plakken.'

'Was je daar geboren?'

'Ja.'

'Ben je een Giants- of een Dodgers-man?'

'Giants, natuurlijk.'

'Da's nou jammer. Wanneer ben je voor het laatst in South Los Angeles geweest?'

De vraag kwam uit het niets en Lau moest even nadenken voordat hij antwoord gaf. Hij schudde zijn hoofd.

'Geen idee. Minstens vijf of zes jaar geleden. In ieder geval een hele tijd geleden. Kun je me niet gewoon vertellen waar dit over gaat? Dan kan ik jullie misschien helpen.'

'Dus als mensen zouden zeggen dat ze jou daar vorige week hebben gezien, dan zouden ze liegen?'

Lau grinnikte alsof ze een spelletje speelden.

'Ja, of ze vergissen zich. Je weet wat ze altijd zeggen.'

'Nee. Wat zeggen ze?'

'Dat we allemaal op elkaar lijken.'

Lau glimlachte breed en keek naar Chu voor bevestiging. Maar Chu gaf geen krimp en keek hem volmaakt onbewogen aan.

'En Monterey Park?' vroeg Bosch.

'Wat bedoel je, of ik daar ben geweest?'

'Ja, dat bedoel ik.'

'Nou, ik ben er een paar keer wezen eten, maar het is de rit eigenlijk niet waard.'

'Dus je kent niemand in Monterey Park?'

'Nee, niet echt.'

Bosch had wat om hem heen gedraaid met algemene vragen, om Lau in een web te spinnen. Het was nu tijd om toe te happen.

'Waar is je pistool, meneer Lau?'

Lau zette zijn beide voeten op de grond. Hij keek eerst Chu en toen Bosch aan.

'Gaat dit over mijn pistool?'

'Zes jaar geleden heb je een Glock Model 19 gekocht en laten registreren. Kun je ons vertellen waar dat pistool is?'

'Ja zeker. In een afgesloten kist in de la van mijn nachtkastje. Waar het altijd ligt.'

'Dat weet je zeker?'

'Ah, ik begrijp het al. Laat me raden. Meneer de Bemoeial van unit 8 heeft me na het schieten op het strand met het pistool op mijn terras gezien en heeft geklaagd?'

'Nee, Henry, we hebben meneer de Bemoeial niet gesproken. Wil je zeggen dat je met je pistool het terras op bent gelopen nadat er op het strand was geschoten?'

'Dat klopt. Ik hoorde schoten en iemand gilde. Ik bevond me op eigen terrein en dan heb ik het recht mezelf te beschermen.'

Bosch knikte naar Chu. Chu trok de glazen schuifdeur open, liep het terras op en deed de deur achter zich dicht. Hij haalde zijn telefoon uit zijn zak om naar het schieten op het strand te informeren.

'Hoor eens, als iemand zegt dat ik ermee heb geschoten, dan kletst hij uit zijn nek,' zei Lau.

Bosch bleef hem lange tijd aankijken. Hij had het gevoel dat er iets ontbrak, een stukje informatie waarvan hij nog niet wist wat het was.

'Voor zover ik weet heeft niemand dat beweerd,' zei hij.

'Vertel me dan, alsjeblieft: waar gaat dit allemaal over?'

'Dat heb ik al gezegd. Over je pistool. Kun je het laten zien, Henry?'

'Ja zeker. Ik ga het wel even halen.'

Hij sprong op uit zijn fauteuil en liep naar de trap.

'Henry,' zei Bosch. 'Blijf staan. We gaan met je mee.'

Lau keek om vanaf de eerste tree van de trap.

'Zoals je wilt. Laten we dit afhandelen.'

Bosch draaide zich om naar het terras. Chu kwam net door de schuifdeur naar binnen. Ze liepen achter Lau aan de trap op en kwamen in een gang die naar de achterkant van het appartement voerde. Aan beide muren hingen ingelijste foto's, filmposters en oorkondes. Ze passeerden de open deur van de extra slaapkamer, die Lau als werkkamer gebruikte, en gingen de grote slaapkamer binnen, een reusachtig vertrek met een vier meter hoog plafond en drie meter hoge ramen die op het strand uitkeken.

'Ik heb de strandpolitie gebeld,' zei Chu tegen Bosch. 'Het schietincident was in de nacht van 1 september. Ze hebben twee verdachten aangehouden.'

Bosch rekende het terug op de kalender in zijn hoofd. De eerste was de dinsdag een week voordat John Li was vermoord.

Lau ging op het onopgemaakte bed zitten. Het nachtkastje had twee laden! Hij trok de onderste open en haalde er een stalen kist met een handvat op het deksel uit.

'Stop,' zei Bosch.

Lau zette de kist op het bed, stond op en stak zijn handen in de lucht.

'Hé, ik was heus niks van plan, man. Je wilde het toch zien?'

'Het lijkt me beter als mijn partner de kist openmaakt,' zei Bosch.

'Zoals je wilt.'

'Rechercheur?'

Bosch haalde een paar gummihandschoenen uit de zak van zijn jasje en gaf ze aan Chu. Daarna ging hij naast Lau staan, om hem binnen handbereik te hebben als het nodig zou zijn.

'Waarom heb je het pistool gekocht, Henry?'

'Omdat ik in die tijd in een vreselijke klotebuurt vol straatbendes woonde. Het grappige is dat ik verdomme een miljoen dollar voor dit huis heb betaald en dat ze hier op het strand de zaak evengoed terroriseren.'

Chu trok de tweede handschoen aan en keek naar Lau.

'Geef je ons toestemming de kist open te maken?' vroeg hij.

'Ja, hoor, je gaat je gang maar. Ik weet niet wat dit allemaal te betekenen heeft, maar waarom niet? Maak hem maar open. De sleutel hangt aan een haakje achter het nachtkastje.'

Chu voelde achter het nachtkastje en vond de sleutel. Hij stak hem in het slot en opende het deksel van de kist. Een zwarte stoffen zak lag op een stapeltje enveloppen en gevouwen papieren. Hij vond ook een doos patronen en een paspoort in de kist. Voorzichtig tilde Chu de zak uit de kist, trok het koordje los en haalde er een zwart halfautomatisch pistool uit. Hij hield het voor zich en bekeek het aandachtig.

'Eén doos Cor Bon-9mm-patronen en één Glock Model 19. Dit moet het wapen zijn, Harry.'

Hij haalde het magazijn eruit en zag door de sleuf dat het geladen was. Daarna liet hij de patroon uit de kamer springen.

'Volledig geladen en klaar om te vuren.'

Lau deed een stap naar de deur toe, maar Bosch legde meteen zijn hand op Laus borstkas, hield hem tegen en zette hem zonder ruw te zijn met zijn rug tegen de muur.

'Hoor eens,' zei Lau, 'ik weet niet waar dit allemaal over gaat, maar jullie beginnen me aardig bang te maken. Wat is er verdomme loos?'

Bosch liet zijn hand op Laus borstkas liggen.

'Vertel me alleen een paar dingen over het pistool, Henry. Je had het in de nacht van 1 september. Is het daarna in het bezit van iemand anders geweest?'

'Nee, ik… het lag in de kist, waar het altijd ligt.'

'Waar was je afgelopen dinsdag om drie uur 's middags?'

'Eh, ik ben de afgelopen week thuis geweest. Ik denk dat ik hier aan het werk was. We zijn pas op donderdag met de opnamen begonnen.'

'En je was hier alleen?'

'Ja, ik werk alleen. Schrijven is een eenzaam beroep. Nee, wacht! Afgelopen dinsdag ben ik de hele dag bij Paramount geweest. Toen hebben we met de cast het script doorgenomen. Ik ben de hele middag in de studio geweest.'

'Er zijn dus mensen die kunnen getuigen dat je daar was?'

'Minstens een stuk of tien. Zelfs die maffe Matthew McConaughey kan getuigen dat ik daar was. Hij was erbij. Hij speelt de hoofdrol.'

Bosch maakte een gedachtesprong en confronteerde Lau met een vraag die hem uit zijn evenwicht moest brengen. Het was verbazingwekkend wat er uit de zakken van mensen viel wanneer je ze door elkaar schudde met vragen die ogenschijnlijk niets met elkaar te maken hadden.

'Ben je lid van een triade, Henry?'

Lau barstte in lachen uit.

'Wat? Wat krijgen we nou, verdomme... hoor eens, nu heb ik er genoeg van.'

Hij sloeg Bosch' hand weg, zette zich af tegen de muur en wilde weer naar de deur lopen. Het was een actie waarmee Bosch rekening had gehouden. Hij greep Lau bij zijn arm en draaide hem een halve slag om. Hij trapte hem tegen zijn enkel en gooide hem op zijn buik op het bed. Hij bewoog mee, zette zijn knie in Laus rug en deed hem de handboeien om.

'Dit is te gek voor woorden!' riep Lau. 'Dit kun je verdomme niet maken!'

'Rustig aan, Henry, probeer kalm te blijven,' zei Bosch. 'We gaan naar het bureau om dit allemaal recht te zetten.'

'Maar ik moet filmen! Ik moet over drie uur op de set zijn.'

'Je film kan de pot op, Henry. Dit is het echte leven en wij gaan naar het bureau.'

Bosch trok hem omhoog van het bed en draaide hem naar de deur.

'Dave, heb je het bewijsmateriaal gezekerd?'

'Ja, ik heb het.'

'Ga jij dan voorop.'

Chu liep de kamer uit, met de stalen kist met de Glock in zijn hand. Bosch volgde, met Lau voor zich uit en zijn hand om de ketting tussen de boeien. Ze liepen de gang door, maar toen ze bij de trap kwamen, bleef Bosch opeens staan en trok hij aan de boeien alsof het de teugels van een paard waren.

'Wacht even. Een stukje terug.'

Hij liet Lau achteruitlopen tot halverwege de gang. Bosch had iets gezien, iets waar hij langs was gelopen maar wat pas tot hem was doorgedrongen toen ze bij de trap kwamen. Hij keek nu naar de ingelijste oorkonde van de universiteit van Southern California. Lau was daar in 2004 afgestudeerd in Vrije Kunsten.

'Heb je op USC gezeten?' vroeg Bosch.

'Ja, op de filmacademie. Hoezo?'

De naam van de universiteit en het jaar van afstuderen kwamen overeen met die op de oorkonde die Bosch in het kantoortje van Fortune Fine Foods & Liquor had gezien. En bovendien was er de Chinese connectie. Bosch besefte dat er talloze studenten aan USC studeerden en dat er elk jaar een paar duizend afstudeerden, onder wie velen van Chinese afkomst. Maar hij had nooit in toeval geloofd.

'Kende je op USC iemand die Robert Li heette… met L-I?'

Lau knikte.

'Ja, die ken ik. Robert was mijn kamergenoot.'

Opeens voelde Bosch de dingen met een ontzagwekkende kracht in elkaar schuiven.

'En Eugene Lam? Kende je die ook?'

Lau knikte weer.

'Ik ken ze nog steeds. Gene was mijn andere kamergenoot.'

'Waar was dat?'

'In een of andere gribus tussen de straatbendes, zoals ik net al zei. Vlak bij de universiteit.'

Bosch kende USC als een oase van uitstekend en peperduur onderwijs te midden van grauwe, bikkelharde buurten waar je je leven niet zeker was. Een paar jaar daarvoor was een footballspeler op het sportveld getroffen door een verdwaalde kogel, toen er in de buurt een of andere bendeoorlog werd uitgevochten.

'Heb je daarom het pistool gekocht? Voor zelfbescherming toen je daar woonde?'

'Precies.'

Chu had gemerkt dat ze hem niet meer achternakwamen en hij kwam snel de trap weer op lopen.

'Harry, zijn er problemen?'

Bosch stak zijn andere hand op om Chu tot staan te brengen en hem te gebaren dat hij even zijn mond moest houden. Hij richtte zich weer tot Lau.

'En die twee wisten dat je zes jaar geleden dat pistool hebt gekocht?'

'Ja, we zijn met z'n drieën gegaan. Ze hebben me geholpen mijn keus te maken. Maar waarom…'

'Zijn jullie nog steeds bevriend? Hebben jullie nog contact met elkaar?'

'Ja, maar wat heeft dat te maken met…'

'Wanneer was de laatste keer dat je een van beiden hebt gezien?'

'Ik heb ze vorige week allebei gezien. We pokeren bijna elke week.'

Bosch keek naar Chu. De zaak was zojuist wijd opengebroken.

'Waar, Henry? Waar pokeren jullie?'

'Meestal hier. Robert woont nog bij zijn ouders en Gene heeft een piepklein appartementje in de Valley. Ik bedoel, kom op, hier hebben we de ruimte.'

'Op wat voor dag hebben jullie vorige week gepokerd?'

'Afgelopen woensdag.'

'Weet je dat zeker?'

'Ja, want het was de avond voordat de opnamen zouden beginnen en ik had eigenlijk geen zin. Maar ze bleven aandringen en ten slotte zijn ze toch gekomen en hebben we een paar rondjes gespeeld. Maar we hebben het niet laat gemaakt.'

'En de voorlaatste keer? Wanneer was dat?'

'De week daarvoor. Op woensdag of donderdag, dat weet ik niet precies meer.'

'Maar het was ná het schieten op het strand?'

Lau haalde zijn schouders op.

'Ja, daar ben ik vrij zeker van. Hoezo?'

'En de sleutel van het kistje? Kan een van beiden hebben geweten waar het hing?'

'Wat hebben ze gedaan?'

'Geef antwoord op mijn vraag, Henry.'

'Ja, dat wisten ze allebei. Ze haalden het pistool er wel eens uit om er een beetje mee te spelen.'

Bosch haalde zijn sleutels uit zijn zak en maakte Laus boeien los. De scriptschrijver draaide zich om en wreef over zijn polsen.

'Ik heb me altijd afgevraagd hoe het voelde,' zei hij. 'Nu kan ik erover schrijven. De laatste keer was ik zo dronken dat ik me er niks meer van herinnerde.'

Ten slotte keek hij op en zag de starende blik in Bosch' ogen.

'Wat is er allemaal aan de hand?'

Bosch legde zijn hand op Laus schouder en stuurde hem in de richting van de trap.

'Laten we teruggaan naar de woonkamer en nog wat praten, Henry. Ik denk dat je ons heel veel kunt vertellen.'

45

Ze wachtten Eugene Lam op in het steegje achter Fortune Fine Foods & Liquor. Tussen de vuilcontainers en de stapels karton waren een paar parkeerplekken voor het personeel. Het was donderdag, twee dagen na hun bezoek aan Henry Lau, en de zaak was bijna afgerond. Ze hadden de tijd genomen om bewijs te verzamelen, het te testen op bruikbaarheid en om een degelijk plan van aanpak te bedenken. Bosch had de tijd ook gebruikt om zijn dochter op de school aan de voet van de heuvel in te schrijven. Ze was die ochtend begonnen.

Ze geloofden dat Eugene Lam degene was die had geschoten, én dat hij de zwakste van hun twee verdachten was. Ze wilde hem eerst oppakken, en daarna pas Robert Li. Ze waren er helemaal klaar voor en toen Bosch naar het parkeerterreintje achter de winkel keek, wist hij zeker dat de moord op John Li voor het eind van de dag opgelost zou zijn en dat ze alles ook zouden begrijpen.

'Daar gaan we dan,' zei Chu.

Hij wees naar het uiteinde van het steegje. Lams auto was net de hoek om gekomen.

Ze zetten Lam in de eerste verhoorkamer en lieten hem een tijdje alleen. Tijd was altijd in het voordeel van de verhoorder, nooit van de verdachte. In de teamkamer noemde ze het 'marineren'. Je marineerde de verdachte in tijd. Daar werd het vlees malser van. Bo-Jing Chang was de uitzondering op deze regel geweest. Hij had geen woord gezegd en had zich als een rots in de branding staande gehouden. Onschuld gaf je daarvoor de kracht, en dat was iets waarover Lam niet beschikte.

Een uur later, nadat Bosch overlegd had met een assistent-procureur van het om, ging hij met een kartonnen doos met bewijsmateriaal de verhoorkamer binnen en nam hij tegenover Lam aan tafel plaats.

De verdachte keek met angstige blik naar hem op. Dat deden ze altijd na een tijdje afzondering. Wat buiten gewoon een uur was, leek binnen een eeuwigheid. Bosch zette de doos naast zich op de grond, sloeg zijn armen over elkaar en boog zich over de tafel.

'Eugene, ik ben hier om je een paar dingen over het leven uit te leggen,' zei hij. 'Dus luister goed naar wat ik je te vertellen heb. Je staat voor een heel belangrijke keus. Het is een feit dat je naar de gevangenis gaat. Daar bestaat geen enkele twijfel over. Maar wat jij in de komende minuten moet doen, is kiezen voor hoe lang. Je kunt erin gaan totdat je stokoud bent, of totdat ze een naald in je arm steken en je afmaken als een hond... óf je kunt jezelf de kans geven dat je ooit weer op vrije voeten komt. Je bent nog jong, Eugene. Ik hoop dat je de juiste keus maakt.'

Hij stopte met praten en wachtte, maar er kwam geen reactie van Lam.

'Het is eigenlijk best grappig. Ik doe dit werk al zo lang en heb aan tafel gezeten met zo veel mannen die iemand hadden gedood. Ik kan niet zeggen dat ze allemaal door en door slecht waren. Sommigen hadden hun redenen en sommigen waren gemanipuleerd. Ze waren voor het karretje van iemand anders gespannen.'

Lam schudde zijn hoofd en probeerde vergeefs iets van bravoure te tonen.

'Ik heb jullie al gezegd dat ik een advocaat wil. Ik weet wat mijn rechten zijn. Jullie mogen me geen vragen stellen als ik eenmaal om een advocaat heb gevraagd.'

Bosch knikte instemmend.

'Ja, daar heb je gelijk in, Eugene. Je hebt helemaal gelijk. Nadat we je je rechten hebben voorgelezen, kunnen we je geen vragen meer stellen. Dat mogen we niet. Maar zie je, daarom vraag ik je ook niks. Ik vertel je alleen hoe het verder zal gaan. Ik vertel je dat je een keus zult moeten maken. Blijven zwijgen is zo'n keuze, absoluut. Maar als je voor zwijgen kiest, zul je de buitenwereld nooit meer te zien krijgen.'

Lam schudde zijn hoofd en keek naar het tafelblad.

'Alsjeblieft, laat me alleen.'

'Misschien helpt het als ik je een duidelijker beeld schets van de situatie waarin je je bevindt. Want zie je, ik ben bereid open kaart met je te spelen, man. Sterker nog, ik leg al mijn kaarten voor je op tafel, en wat zien we dan? Een *royal flush*. Jij bent een verwoed pokeraar, nietwaar? Dan weet je dat er niks boven een royal flush gaat. En die heb ik in mijn hand. Het is me verdomme wat.'

Bosch stopte met praten. Hij zag de eerste sporen van nieuwsgierigheid in Lams ogen. Zonder het te willen vroeg Lam zich af welk bewijs ze tegen hem hadden.

'We weten dat jij in dit gebeuren het vuile werk hebt opgeknapt, Eugene. Jij bent die winkel binnengestapt en hebt meneer Li in koelen bloede doodgeschoten. Maar we zijn er ook vrijwel zeker van dat het niet jouw idee was. Het was Robert die jou naar die winkel heeft gestuurd om zijn vader te vermoorden. En hij is degene die we willen. In de kamer hiernaast zit een assistent-procureur die bereid is een deal met je te sluiten… vijftien jaar tot levenslang als je ons Robert geeft. Die vijftien jaar zit je in ieder geval uit, maar daarna, wie weet krijg je een kans op vervroegde vrijlating. Als jij het reclasseringscomité ervan weet te overtuigen dat je in feite een slachtoffer was, dat je bent gemanipuleerd door je baas, krijg je misschien je vrijheid terug…

Dat kan zomaar gebeuren. Maar als je voor de andere weg kiest, wordt alles één grote gok. Als je verliest, ben je er geweest. Dan sterf je over vijftig jaar in de gevangenis, tenminste, als de jury niet besluit meteen de naald in je arm te steken.'

'Ik wil een advocaat,' zei Lam zacht.

Bosch knikte en reageerde teleurgesteld.

'Oké, man, als jij daarvoor kiest. We zullen een advocaat voor je laten komen.'

Bosch keek naar de camera aan het plafond en bracht een denkbeeldige telefoon naar zijn oor.

Daarna keek hij Lam weer aan en wist dat woorden alleen niet genoeg waren om de man over de streep te trekken. Het was nu tijd om hem de feiten voor te leggen.

'Er wordt nu een advocaat voor je gebeld. Terwijl we wachten totdat hij er is, wil ik je nog een paar dingen vertellen, als je het goedvindt. Dan kun je die aan je advocaat doorgeven zodra hij er is.'

'Je gaat je gang maar,' zei Lam. 'Het interesseert me niet wat je zegt, als ik mijn advocaat maar krijg.'

'Goed dan, laten we beginnen met de plaats delict. Weet je, er waren vanaf het begin een paar dingen die me niet lekker zaten. Het eerste was dat meneer Li een pistool onder de toonbank had en dat hij geen kans heeft gezien het te trekken. Iets anders was dat hij niet in het hoofd was geschoten. Meneer Li was drie keer in de borst geschoten en dat was alles. Geen schot in het gezicht.'

'Heel interessant,' zei Lam op sarcastische toon.

Bosch sloeg er geen acht op.

'En weet je wat ik daaruit opmaakte? Daar maakte ik uit op dat Li zijn moordenaar hoogstwaarschijnlijk kende, want hij had zich niet bedreigd gevoeld. En dat het een zakelijke moord was. Geen wraak en geen persoonlijke moord. Het ging hier om een puur zakelijke afrekening.'

Bosch boog zich opzij en vouwde de kleppen van de doos open. In het bewijszakje dat hij uit de doos haalde zat de patroonhuls die uit het strottenhoofd van het slachtoffer was gehaald. Hij gooide het zakje voor Lam op tafel.

'Daar heb je 'm dan, Eugene. Weet je nog dat je ernaar hebt gezocht? Dat je om de toonbank heen bent gelopen, het lijk hebt verschoven en je je suf piekerde waar die verdomde huls was gebleven? Nou, die ligt daar voor je. En dat is de fout die jou de das omdoet.'

Hij wachtte even terwijl Lam, met ogen waarin de angst nu definitief post had gevat, naar de huls staarde.

'Je laat nooit een van je soldaatjes achter. Is dat niet de regel wanneer je iemand doodschiet? Maar jij hebt dat wel gedaan. Jij hebt dit soldaatje achtergelaten, en hij heeft ons bij jou gebracht.'

Bosch pakte het zakje van tafel en hield het voor Lams gezicht.

'Er stond een vingerafdruk op de huls, Eugene. We hebben die gevonden met behulp van elektrostatische visualisering. EV, in het kort. Dat is een nieuwe techniek. En de afdruk die we vonden bracht ons bij je oude studiegenoot Henry Lau. Ja, die bracht ons bij Henry, en Henry is heel behulpzaam geweest. Hij heeft ons verteld dat de laatste keer dat hij met het pistool had geschoten en dat hij er nieuwe patronen in had gedaan, acht maanden geleden op een schietbaan was. Zijn vingerafdruk heeft al die tijd op de huls gestaan.'

Bosch stak zijn hand weer in de doos en pakte de zwarte stoffen zak met Henry Laus pistool eruit. Daarna haalde hij het pistool uit de zak en legde het op tafel.

'We zijn naar Henry toe gegaan en hij heeft ons het pistool gegeven. We hebben het gisteren laten analyseren op de afdeling Ballistiek en wat denk je, dit is het moordwapen. Dit is het pistool waarmee John Li op 8 september in Fortune Liquors is doodgeschoten. Het probleem was alleen dat Henry Lau een heel degelijk alibi had voor het tijdstip van de moord. Hij was in een filmstudio met dertien andere mensen. Zelfs Matthew McConaughey kan getuigen dat hij daar was. En daar komt bij dat hij ons heeft verteld dat hij het pistool aan niemand had uitgeleend.'

Bosch leunde achterover en krabde aan zijn kin alsof hij zelf nog steeds niet begreep hoe het pistool gebruikt kon zijn om John Li te vermoorden.

'Verdorie, dat was een groot probleem, Eugene. Maar zoals het meestal gaat, hadden we toen geluk. Mensen die het kwaad bestrijden hebben vaak geluk. Jij hebt ons geluk gebracht, Eugene.'

Hij zweeg even voor het effect en liet toen de bijl vallen.

'Want zie je, degene die Henry's pistool had gebruikt om John Li dood te schieten, heeft het naderhand schoongemaakt en herladen, zodat Henry niet zou merken dan iemand het had geleend om er een moord mee te plegen. Dat was slim bedacht van die persoon, alleen heeft hij daarbij een fout gemaakt.'

Bosch boog zich over de tafel en keek Lam recht in de ogen. Toen draaide hij het pistool om totdat de loop naar het middenrif van de verdachte wees.

'Op een van de drie patronen die in het magazijn vervangen moesten worden, staat een goed zichtbare duimafdruk. Jouw duimafdruk, Eugene. We hebben hem vergeleken met de afdrukken die van je zijn afgenomen toen je je rijbewijs van New York liet overschrijven naar de staat Californië, en we kregen een prachtige match.'

Lam maakte zijn blik los van die van Bosch en sloeg langzaam zijn ogen neer.

'Dit heeft allemaal niks te betekenen,' zei hij.

Er zat weinig overtuiging in zijn stem.

'O nee?' zei Bosch. 'Echt niet? Dat weet ik zonet nog niet. Ik denk namelijk dat het heel veel te betekenen heeft, Eugene. En de assistent-procureur aan de andere kant van die camera denkt hetzelfde als ik. Hij zei tegen me dat hij de celdeur al hoort dichtslaan, met jou aan de verkeerde kant ervan.'

Bosch pakte het pistool en het zakje met de huls en deed ze terug in de doos. Hij pakte de doos met beide handen vast en stond op van zijn stoel.

'Dus zo staan de zaken ervoor, Eugene. Denk er maar eens over na terwijl je op je advocaat wacht.'

Langzaam liep Bosch naar de deur. Hij hoopte dat Lam hem zou terugroepen, dat hij toch op het aanbod wilde ingaan. Maar de verdachte zei niets. Harry klemde de doos onder zijn arm, deed de deur open en liep de verhoorkamer uit.

Bosch ging met de doos naar zijn werkplek en liet hem op zijn bureau ploffen. Hij keek naar de werkplek van zijn partner om zich ervan te overtuigen dat hij nog niet terug was gekomen. Ferras was naar de Valley gestuurd om Robert Li te observeren. Als Li er lucht van kreeg dat Lam was opgepakt en dat hij mogelijk uit de school zou klappen, zou Li misschien op de vlucht slaan. Ferras was niet blij geweest met zijn surveillancetaak, maar dat kon Bosch geen barst schelen. Ferras had tot nu toe aan de zijlijn van het onderzoek gestaan en nu moest hij er gewoon aan meedoen.

Even later kwamen Chu en Gandle, die Bosch' gesprek met Lam vanuit de videokamer hadden gevolgd, naar zijn werkplek lopen.

'Ik heb je gezegd dat het niet sterk was,' zei Gandle. 'We weten dat het een slimme jongen is. Ik denk dat hij handschoenen aanhad toen hij het pistool herlaadde. Toen hij eenmaal doorhad dat je een spelletje met hem speelde, had je verloren.'

'Ja, nou, ik vond dat het toch een poging waard was,' zei Bosch.

'Ik ook,' zei Chu, om Bosch zijn loyaliteit te tonen.

'We zullen hem toch moeten laten lopen,' zei Gandle. 'We weten dat hij in de gelegenheid was om het pistool mee te nemen, maar we kunnen niet bewijzen dat hij dat ook echt heeft gedaan. Gelegenheid is niet voldoende. Daar kom je niet ver mee op het gerechtshof.'

'Heeft Cook dat gezegd?'

'Nee, maar dat denkt hij.'

Abner Cook was de assistent-procureur die van het OM was overgekomen om mee te kijken in de videokamer.

'Waar is hij trouwens?'

Alsof Cook de vraag zelf wilde beantwoorden, riep hij Bosch' naam vanaf de andere kant van de teamkamer.

'Bosch! Kom terug!'

Bosch ging rechtop zitten en keek over het paneel van zijn werkplek. Cook stond in de deuropening van de videokamer wild naar hem te zwaaien. Harry stond op en liep zijn werkplek af.

'Hij roept je,' zei Cook. 'Kom gauw!'

Bosch ging sneller lopen, maar toen hij de deur van de verhoorkamer naderde, minderde hij vaart en riep hij zichzelf tot de orde voordat hij heel rustig de deur opendeed en in de deuropening bleef staan.

'Wat is er?' vroeg hij aan Lam. 'We hebben je advocaat gebeld en hij is onderweg.'

'En de deal? Is het aanbod nog geldig?'

'Nog wel. Maar de assistent-procureur staat op het punt om weg te gaan.'

'Laat hem erbij komen. Ik ga akkoord met de deal.'

Bosch ging de verhoorkamer binnen en deed de deur achter zich dicht.

'Wat heb je voor me, Eugene? Als je de deal wilt, moet ik eerst weten wat je ons te bieden hebt. Ik haal de procureur er pas bij als ik weet wat er op tafel ligt.'

Lam knikte.

'Ik geef jullie Robert Li... en zijn zus. Het hele gebeuren was hún idee. De oude man was koppig en hij zou nooit veranderen. Ze wilden zijn winkel sluiten en een andere in de Valley openen. Een die wel geld opbracht. Maar de oude man zei nee. Hij zei altijd nee en ten slotte kon Rob er niet meer tegen.'

Bosch ging weer aan tafel zitten en probeerde zijn verbazing over Mia's betrokkenheid te verbergen.

'En zijn zus heeft hieraan meegewerkt?'

'Zij was degene die het heeft bedacht. Alleen...'

'Alleen wat?'

'Ze wilde dat ik ze allebei uit de weg ruimde. Vader én moeder. Ze wilde dat ik vroeger naar de winkel zou gaan en dat ik ze allebei doodschoot. Maar dat heeft Robert me verboden. Hij wilde niet dat zijn moeder iets overkwam.'

'Wiens idee was het om het er te laten uitzien als een triademoord?'

'Dat was haar idee, en daarna heeft Robert het verder uitgewerkt. Ze wisten dat de politie erin zou trappen.'

Bosch knikte. Hij kende Mia nauwelijks, maar hij had genoeg over haar leven gehoord om zich bedroefd te voelen over haar wanhoopsdaad.

Hij keek naar de camera aan het plafond in de hoop dat Gandle uit zijn blik zou opmaken dat hij Mia Li moest laten opsporen, zodat de arrestatieteams broer en zus gelijktijdig konden oppakken.

Bosch draaide zijn hoofd terug en keek Lam weer aan. Hij zat verslagen naar het tafelblad te staren.

'En jij, Eugene? Waarom heb jij je erbij laten betrekken?'

Lam schudde zijn hoofd. Bosch kon het berouw van zijn gezicht lezen.

'Nou, Robert had gezegd dat hij me moest ontslaan omdat de winkel van zijn vader zo veel verlies leed. Hij zei dat ik mijn baan kon redden... en dat, als ze de tweede winkel in de Valley zouden openen, ik daar bedrijfsleider kon worden.'

Het was geen meelijwekkender antwoord dan al die andere die Bosch in de loop der jaren had gehoord. Als het om motieven voor moord ging, bestonden er bijna geen verrassingen meer voor hem.

Hij probeerde te bedenken of er nog losse eindjes waren die hij aan elkaar moest knopen voordat Abner Cook binnenkwam om de deal te bezegelen.

'En Henry Lau? Heeft hij je het pistool gegeven, of heb je het meegenomen zonder dat hij het wist?'

'We hebben het meegenomen... ík heb het meegenomen. We waren op een avond bij hem thuis aan het pokeren en toen heb ik gezegd dat ik even naar de wc moest. Ik ben zijn slaapkamer in gegaan en heb het gepakt. Ik wist waar het sleuteltje van de kist hing. Ik heb het pistool meegenomen en het later – de eerstvolgende keer dat we daar pokerden – teruggelegd. Het maakte deel uit van het plan. We gingen ervan uit dat hij er nooit achter zou komen.'

Het klonk Bosch allemaal heel geloofwaardig in de oren. Maar Harry wist dat als de deal eenmaal officieel was en was ondertekend door Cook en Lam, hij in de gelegenheid zou zijn om Lam uit te horen over alle details van zijn aandeel in de zaak. Er was nog één laatste ding dat hij wilde weten voordat hij Cook erbij haalde.

'Hoe zit het met Hongkong?' vroeg hij.

Lam leek volkomen verrast door de vraag.

'Hongkong?' vroeg hij. 'Wat is er met Hongkong?'

'Wie van jullie had daar een connectie?'

Lam schudde verbaasd zijn hoofd. Bosch meende dat de verbazing oprecht was.

'Ik begrijp niet wat je bedoelt. Mijn familie woont in New York, niet in Hongkong. Ik ken daar niemand, en voor zover ik weet Robert en Mia ook niet. We hebben het nooit over Hongkong gehad.'

Bosch dacht hierover na. Nu was híj verbaasd. Dit sloot niet aan bij de rest.

'Dus je wilt zeggen dat Robert noch Mia iemand in Hongkong heeft gebeld over de zaak of een van de betrokken rechercheurs?'

'Niet dat ik weet. Volgens mij kennen ze daar niemand.'

'En Monterey Park? De triade die meneer Li afperste?'

'Daar wisten we wel van, en Robert wist wanneer Chang zijn wekelijkse geld kwam halen. Zo had hij het gepland. Ik moest wachten totdat Chang de winkel uit kwam en dan zelf naar binnen gaan. Robert had gezegd dat ik de disk uit de recorder moest halen maar de andere twee moest laten liggen. Hij wist dat Chang op de ene stond en dat de politie hem als verdachte zou zien.'

Een mooi staaltje manipulatie van Roberts kant, bedacht Bosch. En hij was erin getrapt, zoals de bedoeling was geweest.

'Wat hebben jullie tegen Chang gezegd toen hij naar jullie winkel kwam?'

'Ook dat maakte deel uit van het plan. Want Robert had verwacht dat Chang nu naar hem toe zou komen voor geld.'

Hij keek weg van Bosch en sloeg zijn ogen neer. Zo te zien geneerde hij zich.

'Nou, wat hebben jullie tegen hem gezegd?' drong Bosch aan.

'Robert heeft hem verteld dat de politie ons zijn foto had laten zien en dat hij werd verdacht van de moord. Hij zei tegen hem dat de politie naar hem op zoek was en dat ze hem wilden arresteren. We hoopten dat hij daardoor op de vlucht zou slaan. Als hij dat deed, zou het erop lijken dat híj de moord had gepleegd. Als hij uit beeld verdween en terugging naar China, zou ons niks meer kunnen gebeuren.'

Bosch bleef Lam aankijken terwijl de betekenis van Lams verklaring langzaam doordrong tot in het diepst van zijn hart. Hij was op uiterst sluwe wijze gemanipuleerd, vanaf het eerste begin.

'Wie heeft me gebeld?' vroeg hij ten slotte. 'Wie heeft me bedreigd en gezegd dat ik me gedeisd moest houden?'

Lam knikte langzaam.

'Dat was ik,' zei hij. 'Robert had opgeschreven wat ik moest zeggen en ik ben naar een telefooncel gegaan om je te bellen. Het spijt me, rechercheur Bosch. Ik wilde je niet bang maken, maar ik moest doen wat Robert me opdroeg.'

Bosch knikte. Het speet hem ook, maar om heel andere redenen.

46

Een uur later kwamen Bosch en Cook de verhoorkamer uit met een volledige bekentenis en Lams toezegging dat hij zou meewerken met het openbaar gezag. Cook zei dat hij meteen aangifte zou doen, zowel tegen de jonge moordenaar als tegen Robert en Mia Li. Hij zei dat er meer dan genoeg bewijs was om broer en zus te arresteren.

Bosch ging met Chu, Gandle en vier andere rechercheurs naar de vergaderzaal om de arrestatieprocedures door te nemen. Ferras hield Robert Li nog steeds in de gaten, maar Gandle zei dat de rechercheur die hij naar het huis van de Li's in het Wilshire-district had gestuurd, hem had gemeld dat de auto van de familie niet voor de deur stond en dat er zo te zien niemand thuis was.

'Wachten we tot Mia thuiskomt, of pakken we Robert nu op, voordat hij argwaan krijgt?' vroeg Gandle.

'Ik vind dat we nu in actie moeten komen,' zei Bosch. 'Hij zal zich al afvragen waar Lam uithangt. Als hij argwaan krijgt, gaat hij er misschien vandoor.'

Gandle keek zijn mannen een voor een aan om te zien of er tegenwerpingen waren. Die waren er niet.

'Oké, dan gaan we,' zei hij. 'We arresteren Robert in zijn winkel en daarna gaan we op zoek naar Mia. Ik wil die twee voor het eind van de dag achter de tralies. Harry, bel je partner en laat hem bevestigen dat Robert nog in zijn winkel is. Zeg hem dat we eraan komen. Ik rij met jou en Chu mee.'

Het was ongebruikelijk dat de hoofdinspecteur zijn kantoor verliet voor een arrestatie. Maar de zaak was zo bijzonder dat hij een uitzondering maakte. Hij wilde er blijkbaar bij zijn wanneer die werd afgerond met de arrestaties.

De anderen stonden op en liepen het vertrek uit. Alleen Bosch en Gandle bleven achter. Harry haalde zijn telefoon uit zijn zak en drukte op de snelkeuzetoets van Ferras' nummer. Volgens de laatste berichten zat Ferras nog in zijn auto aan de overkant van Fortune Fine Foods & Liquor.

'Weet je wat ik nog steeds niet begrijp, Harry?' zei Gandle.

'Nee, wat?'

'Wie heeft je dochter gekidnapt? Lam houdt vol dat hij er niks van weet. En hij heeft geen reden meer om erover te liegen. Denk je nog steeds dat het Changs mensen waren, ook al weten we nu dat hij vrijuit gaat voor de moord?'

Ferras meldde zich voordat Bosch antwoord kon geven op Gandles vraag.

'Ferras.'

'Ik ben het,' zei Bosch. 'Waar is Li?'

Hij stak zijn vinger op naar Gandle, vroeg hem even te wachten terwijl hij met Ferras belde.

'Hij is in de winkel,' zei Ferras. 'Weet je, we moeten echt praten, Harry.'

Bosch hoorde aan de spanning in Ferras' stem dat het niet Robert Li was over wie hij wilde praten. Terwijl hij de hele ochtend alleen in de auto had gezeten, was er blijkbaar iets aan zijn geweten gaan knagen.

'Daar hebben we het later over. Het is nu tijd voor actie. We hebben Lam over de streep getrokken. Hij heeft ons alles verteld. Het waren Robert én zijn zus. Zij heeft eraan meegedaan. Is ze in de winkel?'

'Ik heb haar niet naar binnen zien gaan. Ze heeft haar moeder afgezet en is daarna doorgereden.'

'Wanneer was dat?'

'Ongeveer een uur geleden.'

Gandle, die geen zin had om langer te wachten en die zich moest klaarmaken voor de arrestaties, liep de vergaderzaal uit, zodat Bosch even niet hoefde in te gaan op de vraag van de hoofdinspecteur. Nu kon hij zich op Ferras concentreren.

'Oké, blijf zitten waar je zit,' zei hij. 'En bel me als er iets verandert.'

'Zal ik je eens wat zeggen, Harry?'

'Wat, Ignacio?' antwoordde Bosch ongeduldig.

'Je hebt me nooit een kans gegeven, man.'

Ferras' stem had een zeurende ondertoon, waardoor Bosch' ergernis verder toenam.

'Wat voor kans? Waar heb je het over?'

'Waar ik het over heb is dat jij tegen de hoofdinspecteur hebt gezegd dat je een andere partner wilt. Je had me nog een kans moeten geven. Hij probeert me nu naar Autodiefstal over te plaatsen, weet je dat? Hij zei dat hij niet op me kon rekenen en dat ík daarom degene ben die moet vertrekken.'

'Luister, Ignacio, er zijn twee jaar verstreken, oké? Ik heb je twee jaar lang kansen gegeven. Maar het is nu niet het moment om daarover te praten. Dat doen we later, oké? In de tussentijd blijf je zitten waar je zit. We komen eraan.'

'Nee, Harry, blijf jij maar zitten waar je zit.'

Bosch was even met stomheid geslagen.

'Wat mag dat dan wel betekenen?'

'Dat betekent dat ik Li voor mijn rekening neem.'

'Ignacio, luister naar me. Je bent alleen. Je gaat die winkel niet binnen totdat er een arrestatieteam bij je is. Hoor je me? Als je hem de boeien wilt omdoen, prima, dat mag je. Maar je wacht tot we daar zijn.'

'Ik heb geen arrestatieteam nodig, en ik heb jou ook niet nodig, Harry.'

Ferras verbrak de verbinding. Bosch drukte op de herhaaltoets terwijl hij zich naar Gandles kantoor haastte.

Ferras antwoordde niet en zijn telefoon schakelde meteen door naar de voicemail. Toen Bosch Gandles kantoor binnenkwam, knoopte de hoofdinspecteur zijn overhemd dicht over een kogelwerend vest, dat hij voor de arrestatie had aangetrokken.

'We moeten opschieten,' zei Bosch. 'Ferras is gek geworden.'

47

Toen ze thuiskwamen van de begrafenis, deed Bosch zijn das af en pakte hij een biertje uit de koelkast. Hij liep de veranda op, liet zich in de ligstoel zakken en deed zijn ogen dicht. Hij wilde weer opstaan om een cd op te zetten, want misschien kon Art Pepper hem van de blues bevrijden.

Maar hij merkte dat hij zich niet kon bewegen. Dus hield hij zijn ogen dicht en probeerde hij zo veel mogelijk van wat er in de afgelopen twee weken was gebeurd, uit zijn hoofd te zetten. Hij wist best dat het een ondoenlijke opgave was, maar het was het proberen waard en het bier zou hem een handje helpen, al was het maar tijdelijk. Het was het laatste flesje in de koelkast geweest en Bosch had zich voorgenomen dat het ook zijn laatste biertje zou zijn. Hij had nu een dochter om voor te zorgen, en hij zou op zijn allerbest moeten zijn om dat goed te kunnen doen.

Alsof denken aan Madeline haar lijfelijk opriep, hoorde hij de schuifdeur opengaan.

'Hoi, Mads.'

'Papa.'

Dat ene woord was genoeg om vast te stellen dat haar stem anders klonk, bezwaard. Hij deed zijn ogen open en knipperde vanwege de namiddagzon. Ze had zich al omgekleed, haar nette jurk verwisseld voor een spijkerbroek en een T-shirt uit de rugzak die haar moeder voor haar had ingepakt. Het was Bosch opgevallen dat ze de kleren uit de rugzak veel vaker droeg dan de nieuwe kleren die ze samen in Los Angeles hadden gekocht.

'Wat is er?'

'Ik moet met je praten.'

'Oké.'

'Ik vind het heel erg van je partner.'

'Ik ook. Hij had een grote fout gemaakt en is ervoor gestraft. Maar de straf is alleen niet in verhouding met wat hij fout had gedaan, vind ik. Begrijp je wat ik bedoel?'

Bosch' gedachten gingen terug naar wat hij had aangetroffen in het kantoortje van Fortune Fine Foods & Liquor. Ferras liggend op zijn buik op de vloer, vier keer in de rug geschoten. Robert Li, bevend en jankend in de hoek van het kantoor, starend naar het lijk van zijn zus bij de deur. Nadat ze Ferras had doodgeschoten, had ze zichzelf van het leven beroofd. Mevrouw Li, de oude moeder van dit gezin van zowel moordenaars als slachtoffers, die stoïcijns in de deuropening stond toen Bosch bij het kantoortje aankwam.

Ignacio had Mia niet zien terugkomen. Ze had haar moeder bij de winkel afgezet en was doorgereden. Maar om de een of andere reden had ze besloten om terug te gaan, was het steegje in gereden en had de auto op de parkeerplekken voor het personeel neergezet. Naderhand waren ze in de teamkamer tot de conclusie gekomen dat ze Ferras in de auto had zien zitten en had geweten dat de politie niet lang meer op zich zou laten wachten. Ze was naar huis gereden, had het pistool van haar vermoorde vader opgehaald – het pistool dat hij voor zelfbescherming onder de toonbank in zijn winkel had bewaard – en was teruggereden naar de winkel in de Valley. Wat ze precies van plan was geweest wanneer ze daar aankwam, was onduidelijk en zou altijd een mysterie blijven. Misschien had ze Lam of haar moeder gezocht. Maar ze was de winkel door de achterdeur binnengegaan ongeveer op hetzelfde moment dat Ferras door de voordeur was binnengekomen in zijn soloactie om Robert te arresteren. Ze had hem het kantoor van haar broer zien binnengaan en had hem van achteren beslopen.

Bosch had zich afgevraagd wat Ignacio's laatste gedachten waren geweest toen de kogels zijn lichaam binnendrongen. Zou zijn jonge partner zich hebben verbaasd over het feit dat de bliksem toch twee keer op dezelfde plek kon inslaan, de tweede keer met fatale gevolgen?

Bosch zette het beeld en de gedachten uit zijn hoofd. Hij ging rechtop zitten en keek zijn dochter aan. Hij zag de beschaamde blik in haar ogen en wist wat ze zou gaan zeggen.

'Papa?'

'Ja, meisje?'

'Ik heb ook een grote fout gemaakt. Alleen ben ik niet degene die ervoor is gestraft.'

'Wat bedoel je, schat?'

'Toen ik met dokter Hinojos praatte, zei ze dat ik mijn last van me af moest zetten. Dat ik moest uitspreken wat me zo dwarszat.'

Ze begon te huilen. Bosch ging dwars op de ligstoel zitten, pakte de hand van zijn dochter vast en trok haar voorzichtig naar zich toe. Ze kwam naast hem zitten en hij sloeg zijn arm om haar schouders.

'Je kunt alles tegen me zeggen, Madeline.'

Ze kneep haar ogen dicht en sloeg haar hand ervoor. Met haar andere hand kneep ze in de zijne.

'Ik ben schuldig aan mama's dood. Het is allemaal mijn schuld en ik ben degene die gestraft moet worden.'

'Wacht eens even, jij bent niet verantwoordelijk voor…'

'Nee, wacht nou. Luister naar me. Ja, ik ben wel verantwoordelijk. Ik heb het gedaan, papa, dus ik moet naar de gevangenis.'

Bosch nam haar in zijn armen, drukte haar stevig tegen zich aan en gaf een zoen boven op haar hoofd.

'Mads, luister jij nu even naar mij. Jij gaat helemaal nergens naartoe. Je blijft hier bij mij. Ik weet wat er is gebeurd, maar dat maakt je niet verantwoordelijk voor wat andere mensen hebben gedaan. Zoiets mag je niet eens denken.'

Ze trok zich los en keek hem aan.

'Je weet het? Je wéét wat ik heb gedaan?'

'Ik denk dat je de verkeerde persoon hebt vertrouwd… en de rest, al het andere, is zíjn verantwoordelijkheid.'

'Nee, nee. Het was allemaal mijn idee. Ik wist dat je zou komen en dacht dat mama het dan misschien goed zou vinden dat ik hier bij jou kwam wonen.'

'Dat weet ik.'

'Hoe kan het dat je dat weet?' vroeg ze.

Bosch haalde zijn schouders op.

'Dat doet er niet toe,' zei hij. 'Wat ertoe doet is dat jij niet kon weten wat Quick zou doen, dat hij jouw plan zou gebruiken om er het zijne van te maken.'

Ze boog het hoofd.

'Dat maakt geen verschil. Ik heb mijn moeder vermoord.'

'Madeline, nee. Als er iemand verantwoordelijk is, ben ik het. Ze is omgekomen in een situatie waar jij geen enkele invloed op had. Twee mannen wilden ons beroven omdat ik een domme fout had gemaakt, omdat ik mijn stapel geld had laten zien op een plek waar ik dat nooit had moeten doen. Hoor je me? Het is míjn schuld, niet de jouwe. Ik ben degene die de fout heeft gemaakt.'

Maar ze liet zich niet kalmeren of troosten. Ze schudde heftig haar hoofd en Bosch voelde haar tranen op zijn wangen.

'Je zou niet eens in Hongkong zijn geweest, papa, als we je die video niet hadden gestuurd. Dat heb ík gedaan! Want ik wist wat er dan zou gebeuren. Dat jij in het eerstvolgende vliegtuig zou springen. Ik zou zogenaamd ontsnappen voordat jij in Hongkong landde. Dan was je daar en was alles weer goed, maar jij zou tegen mama zeggen dat het daar niet veilig voor me was en je zou me meenemen naar Los Angeles.'

Bosch knikte alleen. Het was in grote lijnen hetzelfde scenario dat hij een paar dagen daarvoor had bedacht, toen hij tot de ontdekking was gekomen dat Bo-Jing Chang niets met de moord op John Li te maken had gehad.

'Maar nu is mama dood! En zij zijn dood! Iedereen is dood en het is allemaal mijn schuld!'

Bosch legde zijn handen op haar schouders en draaide haar naar zich toe.

'Hoeveel hiervan heb je aan dokter Hinojos verteld?'

'Nog niks.'

'Oké.'

'Ik wilde het eerst aan jou vertellen. Nu moet je me in de gevangenis laten opsluiten.'

Bosch nam haar weer in zijn armen en hield haar hoofd tegen zijn borst.

'Nee, schat, jij blijft hier bij mij.'

Hij streelde haar donkere haar en bleef zachtjes en kalm tegen haar praten.

'We maken allemaal fouten. Iedereen. Soms, zoals mijn partner is overkomen, maak je een fout die je niet meer kunt goedmaken. Omdat je er de kans niet voor krijgt. Maar soms krijg je die kans ook wel. Dat gaan wij hier doen, onze fouten goedmaken. Wij samen.'

Het huilen werd minder. Hij hoorde dat ze haar neus ophaalde. Misschien was ze daarom met hem komen praten. In de hoop dat ze tot deze oplossing zouden komen.

'We gaan goeie dingen doen om op die manier onze fouten goed te maken. We gaan alles goedmaken.'

'Hoe doen we dat dan?' vroeg ze met een klein stemmetje.

'Ik zal je laten zien hoe dat moet. We gaan het gewoon proberen en je zult zien dat het ons zal lukken.'

Bosch knikte in zichzelf. Hij drukte zijn dochter stevig tegen zich aan en wilde dat hij haar nooit meer hoefde los te laten.

Dankbetuigingen

Dit boek had niet geschreven kunnen worden zonder de hulp van Steven Vascik en Dennis Wojciechowski. Steve heeft me in Hongkong alles laten zien wat ik moest weten, en Wojo heeft de rest op internet voor me opgezocht.

Van onschatbare waarde voor dit boek waren ook Asya Muchnick, Bill Massey, Michael Pietsch, Shannon Byrne, Jane Davis, Siu Wai Mai, Pamela Marshall, Rick Jackson, Tim Marcia, Michael Krikorian, Terrill Lee Lankford, Daniel Daly, Roger Mills, Philip Spitzer, John Houghton en Linda Connelly. Hartelijk bedankt, allemaal.

Mijn bijzondere dank gaat uit naar William J. Bratton, korpschef van de politie van Los Angeles, omdat hij zo veel deuren voor mij en Harry Bosch heeft geopend.